La fois où...

j'ai suivi les flèches jaunes

Catalogage avant publication de Bibliothèque et Archives nationales du Québec et Bibliothèque et Archives Canada

Dubois, Amélie
La fois où... j'ai suivi les flèches jaunes
ISBN 978-2-89585-880-5
I. Titre.
PS8607.U219F64 2016   C843'.6   C2016-941519-8
PS9607.U219F64 2016

Les Éditeurs réunis bénéficient du soutien financier de la SODEC et du Programme de crédit d'impôt du gouvernement du Québec.

Nous remercions le Conseil des Arts du Canada de l'aide accordée à notre programme de publication.

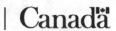

Édition
LES ÉDITEURS RÉUNIS
leslediteursreunis.com

Distribution au Canada
PROLOGUE
prologue.ca

Distribution en Europe
DILISCO
dilisco-diffusion-distribution.fr

 Suivez Les Éditeurs réunis et Amélie Dubois sur Facebook.

Imprimé au Canada

Dépôt légal : 2016
Bibliothèque et Archives nationales du Québec
Bibliothèque nationale du Canada
Bibliothèque nationale de France

AMÉLIE DUBOIS

La fois où...

j'ai suivi les flèches jaunes

LES ÉDITEURS RÉUNIS

De la même auteure

Oui, je le veux... et vite!, Les Éditeurs réunis, 2012.

Ce qui se passe au Mexique reste au Mexique!, Les Éditeurs réunis, 2012.

Ce qui se passe au congrès reste au congrès!, Les Éditeurs réunis, 2013.

Ce qui se passe à Cuba reste à Cuba!, Les Éditeurs réunis, 2015.

Le gazon... toujours plus vert chez le voisin?, Les Éditeurs réunis, 2014.

SÉRIE « CHICK LIT » :

Tome 1. *La consœurie qui boit le champagne*, Les Éditeurs réunis, 2011.

Tome 2. *Une consœur à la mer!*, Les Éditeurs réunis, 2011.

Tome 3. *104, avenue de la Consœurie*, Les Éditeurs réunis, 2011.

Tome 4. *Vie de couple à saveur d'Orient*, Les Éditeurs réunis, 2012.

Tome 5. *Soleil, nuages et autres cadeaux du ciel*, Les Éditeurs réunis, 2013.

Tome 6. *S'aimer à l'européenne*, Les Éditeurs réunis, 2014.

En l'honneur de ce livre qui n'a pas brûlé et de toutes ces âmes-lanternes rencontrées sur la route, voici le roman que j'ai écrit pendant que mes ongles d'orteils repoussaient...

Il paraît que le destin est comme une vaste forêt qui s'étend devant chacun de nous. Une superficie dessinée et décidée par l'Univers pour chaque âme. Elle est constituée d'une multitude de sentiers sinueux qui s'offrent à notre libre arbitre. Ces parcours représentent la destinée; ce sur quoi nous avons du pouvoir. Une carte topographique de possibilités, de choix, de signes, de décisions, de rencontres... Des êtres humains ou même des animaux croisent notre route sans que nous n'ayons rien prévu, et ce, jamais de manière fortuite. Le hasard n'existe pas. Seule la synchronicité est responsable de ces rendez-vous avec nos âmes-lumières. Sur la route, une certaine guidance nous envoie des indices, des impulsions, une inspiration nous poussant vers là-bas plutôt qu'ailleurs, vers cette personne plutôt qu'une autre.

Mais, comment pouvons-nous reconnaître les signes et nous assurer que la voie empruntée soit la meilleure pour nous? Comment trouver notre chemin lorsque nous avançons dans le brouillard?

Prologue

Il faut que je le quitte.

Je suis insatisfaite. Notre relation ne correspond plus à mes attentes ; ce n'est plus comme c'était avant. Dans le bon vieux temps, à nos débuts, il prenait soin de moi, il me chouchoutait et me cajolait. Il me proposait de nouvelles choses, il tentait de me surprendre, de répondre à mes besoins, de prendre les devants en me plaçant au centre de ses priorités. Il souhaitait le meilleur pour moi. Le *sky* n'avait pas de limites ! Il m'encourageait à me renouveler, à me dépasser, à oser. Il m'écoutait, me conseillait, en restant toujours attentif à tout ce que je lui racontais. Il aimait mon *look* et en était fier, ah ça, oui, et ça paraissait. Je le sentais. Aujourd'hui, non. Ce n'est plus du tout comme ça.

— Mautadit que t'as le cheveu fin... *Anyway*, comme je disais, ça va bien avec mon chum en général... même si, des fois, je le trouve plate. C'est une grosse pantoufle ! me confie mon coiffeur en soupirant, les deux gants maculés de teinture, l'air découragé autant par ma circonférence capillaire peu avantageuse que par sa situation matrimoniale platonique.

Je lui renvoie mon expression habituelle, celle que j'exécute chaque fois qu'il me rengaine que son chum est pépère. Au fil du temps, j'ai savamment élaboré une mimique sur mesure, exprès pour lui. Un genre d'étirement de lèvres suivi d'un regard semi-triste, semi-compatissant, que je rehausse d'un petit coup de tête latéral vers la droite démontrant l'ampleur de mon impuissance face à cet éprouvant volet de sa vie. Une gestuelle faciale assez peaufinée, merci. La fille est pas mal fière.

Pour mon coiffeur, je demeure une psy, comme dans mon ancienne vie. Entre deux coups de peigne, de fer ou de pinceau, il me raconte de longs pans de sa vie, ses déboires, ses joies, ses peines... « Eille ?! ALLO ? C'est plutôt toi qui serais censé m'écouter avec passion, me dire que je suis si ravissante, si aimable, que ma façon de penser et de voir la vie sont les meilleures qui soient, que j'ai toujours raison et... que mon cheveu n'est pas si fin que ça, OK ?! T'as déjà vu des toisons anorexiques cent fois pires ! Il est NORMAL, mon cheveu, BON. C'est moi qui suis assise sur la chaise pour une fois et je te paie pour ça, chose bine. » Les honoraires versés aux salons de coiffure incluent toujours une généreuse part pour la portion thérapie existentielle-humaniste, non ?

La triste vérité reste que je me sens vraiment frustrée par ma relation avec mon coiffeur. Ça sent la fin... Il me prend pour acquise. Ce n'est plus comme c'était. La passion a disparu. La fougue s'est asphyxiée. Les papillons se sont envolés. Sans trop nous en rendre compte, nous nous sommes laissés glisser sur le versant fatal de la routine, et ça m'attriste beaucoup. Je n'ai pas le goût de prendre ce chemin-là, mais je ne suis plus capable de vivre ainsi.

Il faut que je le quitte.

— Bon, voilà, c'est ton temps de pause ! minaude celui-ci en tirant sur ses gants.

Il se détourne aussitôt vers une cliente qui fait son entrée au son du carillon de la porte.

— ALLLLLOOO ! s'égosille-t-il dans sa direction, complètement renversé de la voir surgir, et ce, malgré son probant rendez-vous.

Telle Sharon Stone dans *Basic Instinct*, je pivote ma chaise de cuir noir pour épier la scène. La fille arbore une chevelure épaisse d'un brun L'Oréal-numéro-quatre-parfait qui lui descend jusqu'au milieu du dos. S'il s'agit de sa couleur naturelle, elle me fait suer ainsi que toute la planète entière, je vous en passe un papier. Elle avance vers mon coiffeur, enchantée comme si leur dernière rencontre remontait à des lustres. Coudonc? Revient-elle d'une mission humanitaire paramédicale de première ligne en Syrie? Ils se font la bise dans le vide, en rigolant comme si cela s'avérait un genre de code de salutation secret développé en toute complicité le jour de leurs premiers pas, faits main dans la main au CPE Les petits soleils souriants. Quelque chose de solide, vous savez. *BFF* « tellement » *forever*. Yeaaaah.

Les baguettes en l'air, mon coiffeur s'extasie devant tant de beauté capillaire:

— Mon Dieu que t'as le cheveu épais et fort!

Béate comme une princesse d'Espagne que l'on couvre d'or, de myrrhe et d'encens, la cliente envoie sa généreuse crinière vers l'arrière d'un mouvement de tête rotatoire digne de se désosser les deux clavicules en simultané.

— Moi je les trouve cassés, làààààà...

Et puis quoi encore? Jessica Alba ressemble à un cul de babouin, peut-être?

Mon coiffeur la tire alors par une main vers le coloriste à lunettes-sur-le-bout-du-nez qui évalue la tête d'une cliente un peu plus loin.

— Regarde ses cheveux! Je capote! gémit-il en toupillant la cliente telle une postiche sur pied.

Le coloriste approche et, à travers ses cerceaux rouges, il analyse du bout de ses doigts les plus sérieux une mèche avant de s'écrier:

— AAAHHH! WOW!

Franchement. Revenez-en. Deux vrais débiles. Affectant une mine indifférente aux réjouissances, je replace ma chaise dans sa position initiale. J'agrippe une revue périmée dans un panier d'osier sur le comptoir, désirant ainsi projeter l'attitude de la fille tellement au-dessus de ces superficialités pileuses. Mes yeux passent en alternance de la revue de mode vestimentaire hivernale au miroir devant: «Je suis toute cernée... Des bottes de poil, ark, sont juste pas belles. Mon cheveu trop fin, mon œil!» Je retourne à la revue: «Lâchez-moi les maudites culottes de MC Hammer, vous vivez dans le passé. Pis l'autre, avec sa grosse tignasse, qui débarque dans place avec son air de pfft! Je suis certaine qu'elle n'aime même pas ses cheveux, comme toutes les filles du monde entier... Les imprimés de triangles et de carrés sur des vêtements, c'est pas beau, ça non plus. Ah non, elle aime ses cheveux, elle, c'est sûr...» Je relève la tête. Le pauvre miroir, bien obligé de réfléchir ma tronche, me renvoie la tête auréolée d'un sparadrap d'une fille jalouse, le front beurré de teinture, par-dessus le marché. Il ne fait vraiment plus du tout attention à moi.

La fille à la chevelure de rêve ayant pris place sur son trône, mon coiffeur passe en coup de vent près de moi pour me chuchoter:

— Si t'acceptais que je te pose des rallonges en sandwich, t'aurais les cheveux épais comme elle…, puis il repart vers sa nouvelle conquête en volant sur ses Converse.

Mes épaules s'affaissent comme deux ballons qui dégonflent. Avant, il m'acceptait comme j'étais; maintenant, il veut me changer artificiellement. Va-t-il me conseiller de me faire poser des implants fessiers, tant qu'à y être ?! «Tu devrais… le popotin à la brésilienne est très assorti à la coupe mi-longue cette saison-ci.» Ce n'est pas vrai que je vais accepter ça. Oh que non! Je ne compte pas me résigner à figurer au deuxième rang. À être «une» qui pourrait ressembler à, «si…». À être celle qu'il badigeonne de teinture sans faire attention. Non, madame, non, monsieur. C'est hors de question.

Prise d'un élan de frustration – et d'une banale envie de pipi, il faut le dire – je pose mon peu captivant magazine, j'agrippe ma sacoche et je me lève pour me diriger tout au fond du salon où se trouve la petite salle d'eau. En refermant la porte de la pièce plus qu'exiguë, je me retrouve à nouveau devant une glace. La teinture dégouline maintenant le long de mon oreille droite. C'est de la négligence de niveau criminel, ça. Je vais le dénoncer à l'Ordre des coiffeurs du Québec…

— C'est terminé, il faut que je lui dise, que je tente de me convaincre à voix haute en baissant mon pantalon.

«Comment vais-je lui annoncer le divorce?»

Si je ne fixe pas mon prochain rendez-vous en quittant aujourd'hui, peut-être comprendra-t-il que je suis à bout de nerfs? Mieux encore, si je prenais mon rendez-vous comme si de rien n'était et que je ne me présentais pas sans lui donner le vingt-quatre heures de préavis exigé? Bon, là, je suis dans la colère. Il faut tout de même que je songe à mon affaire afin d'éviter de brûler mes ponts. Et si je ne retrouvais jamais un autre coiffeur compétent?

En tournant la poignée de la porte pour sortir, celle-ci émet un «crac» louche avant de se mettre à tourner sans fin. «Voyons?» Je tente la manœuvre à nouveau, mais en sens inverse. Même résultat. L'engin vrille dans le vide et la porte reste barrée. «Mais qu'est-ce que...?» Dans une ultime tentative, je réalise que je suis bel et bien prise au piège. Bon. J'appelle alors quelqu'un à travers la porte:

— Allo?

Pas de réponse.

— ALLO? que je crie encore plus fort.

— Allo? me répond une voix surprise de l'autre côté de la porte.

— Je pense que la poignée vient de briser... Peux-tu essayer par ton bord?

Sans me répondre, le gars tourne la poignée, mais au son, j'en déduis que celle-ci tirebouchonne sans fin. Quelqu'un d'autre se joint alors à l'escouade tactique improvisée:

— Qu'est-ce qu'y a?

— Il y a une cliente de coincée dans les toilettes! panique Coiffeur numéro 1 en expliquant la situation à Coiffeur numéro 2.

— Voyons donc??! s'exclame numéro 2, comme si l'autre venait de lui annoncer la découverte d'un cadavre gisant dans une mare de sang tout près des lavabos. C'est qui?

— Mali...

— C'est ma cliente en temps de pause!? beugle alors mon coiffeur en surgissant comme un lutin près du groupe de premiers répondants.

Le coloriste à lunettes, qui a dû entendre le chahut, rejoint le groupe:

— C'est quoi le problème?

Mon coiffeur étant incapable de répondre, sûrement en raison d'un choc pré-traumatique sévère, Coiffeur numéro 2 rétorque:

— C'est sa cliente! En temps de pause! Prise dans les toilettes!

— Il lui restait combien de temps de pause? s'informe le coloriste, s'intéressant davantage à la réussite pigmentaire de ma coloration qu'à ma sortie des lieux saine et sauve.

— Je vais aller voir! propose mon coiffeur, qui semble tout à coup reprendre du service.

Il crie alors de l'autre bout du salon:

— Il lui reste juste douze minutes!

Voyant que l'intervention pour me secourir dérape un peu, je m'impose d'une voix calme:

— Excusez-moi, tout le monde, non pas que mes cheveux ne me tiennent pas à cœur, mais pourriez-vous penser à faire quelque chose pour me sortir d'ici? Juste si ça vous dérange pas...

Coiffeur numéro 2 s'approche très près de la porte et tente de me rassurer:

— NE PANIQUEZ PAS, MADAME! ON VA VOUS SORTIR DE LÀ! hurle-t-il l'air convaincu que je suis claustrophobe, donc inévitablement en train de m'autoasphyxier avec mon propre air.

— Je panique pas... pas de problème...

— CALMEZ-VOUS! gueule à nouveau Coiffeur numéro 2, probablement lui-même claustrophobe et en pleine séance de projection.

— Qu'est-ce qu'on fait? demande mon coiffeur à la troupe, dans le néant le plus total.

Eh misère... Résignée, la teinture me ruisselant toujours autour du visage, j'abaisse le siège des toilettes pour m'y asseoir. Je sors mon cellulaire pour accéder à la conversation de groupe que j'entretiens avec les filles et j'écris:

> Salut. STOP. Je suis prise dans une minitoilette de 1 mètre carré chez mon coiffeur. STOP. L'équipe d'urgence pour me sauver est composée de trois coiffeurs et d'un coloriste. STOP. C'est certain que je sortirai jamais d'ici. STOP. Adieu. STOP.

— Qu'est-ce qu'il faut faire? Elle va mourir étouffée! En combien de temps on meurt étouffé? s'intéresse tout à coup Coiffeur numéro 2, à peine fataliste.

— Ah mon Dieu!!! Faudrait pas qu'elle dépasse trop son temps de pause, pleurniche mon propre coiffeur, désemparé face à la situation comme jamais auparavant.

— C'est un brun numéro trois que tu lui as appliqué? C'est moins grave pour le temps de pause qu'un roux, certifie le coloriste.

— Imaginez si ça avait été un *bleach* en temps de pause?! agonise mon coiffeur, invoquant alors un scénario de film d'horreur digne de s'appeler *Massacre à la teinture*.

Sérieusement, si l'un d'entre eux répète une fois de plus «temps de pause», je défonce la porte à grands coups de pied pour tous les assommer avec ma sacoche. Non, mais, on s'en contrefout tellement du temps de pause de ma teinture. Quoique, pour être honnête, ça me fait du bien de le voir se soucier de moi un peu. Je me sens comme une fille en peine d'amour qui veut susciter de la pitié chez son ex.

«C'est beau. Va voir ta nouvelle cliente aux cheveux parfaits et abandonne-moi ici. Au pire, je mourrai de faim ou de soif d'ici quelques jours... De toute façon, dans ton cœur, tu m'as déjà remplacée, faque ça te fera rien pantoute.» (Prononcé sur un ton théâtral, le revers de la main plaqué sur le front.) Je pourrais toujours le menacer de lécher la teinture qui me dégouline le long du visage, question de m'empoisonner s'il ne promet pas de redevenir aussi tendre qu'avant avec moi? Une tragicomédie à la *Roméo et Juliette* signée Revlon, ce serait bon, non?

Coriande répond à notre conversation de groupe :

Adieu certain ! Tu vas pourrir là, pauvre toi ! Peux-tu me léguer ton auto, je vais retourner en France avec ? Mon chum vient de me dire que la mienne est encore au garage...

Sacha se met de la partie :

Tant que t'as pas une teinture dans la tête...

Oui, justement, c'est ça le fait saillant.

Geneviève se bidonne :

HA ! HA ! HA ! Ça, c'est VRAIMENT drôle !! As-tu des demandes musicales spéciales pour tes funérailles ?

Sacha s'informe :

T'avais pas cassé avec ton coiffeur ?

Non, pas encore, je suis en pleine réflexion...

Inspecteur Coriande en déduit :

Cherche pas ! Il sentait la soupe chaude, donc il t'a séquestrée.

En lisant le message, je distingue dans mon angle mort quelque chose qui bouge sous la porte. Toujours perchée sur la cuvette, je m'incline un peu pour voir. Euh ? On vient tout juste de me glisser une barre tendre sous la porte. C'est une blague ou quoi ? Ils me nourrissent ? Ils prévoient que je reste ici combien de temps ? Deux ans moins un jour ? Merci quand même, mais je préférerais, et de loin, des pinces de désincarcération.

Coiffeur numéro 2, alias l'instigateur de cette assistance alimentaire de secours, semble expliquer la nature de son geste à son voisin, qui a bien évidemment dû le juger :

— Quoi ? Elle a peut-être faim. J'en avais deux dans mon lunch... Pensez-vous qu'on devrait tenter de joindre sa famille immédiate pour les mettre au courant ?

J'entends alors :

— MADAME ? MADAME ?

— Oui, oui, que je m'empresse de répondre en approchant un peu de la porte.

Le coloriste myope, désormais à la tête de l'opération de sauvetage, m'avertit :

— Reculez de la porte, madame ! Reculez !

Mon Dieu? Ils comptent défoncer à l'aide d'un bélier de police?

Mon coiffeur, qui entend l'alarme indiquant la fin du temps d'attente prescrit, crie comme un putois:

— Son temps de pause est fini!! Oh nooooooon!

— Madame, je vais défoncer la porte avec mon pied! Attention!

Je me tapis au fond de la pièce tel qu'ordonné, juste au cas où. Silence. J'entends Coiffeur numéro 1 dire «Vas-y!» pour l'encourager dans son audacieuse initiative. Re-silence. J'imagine qu'il s'élance de toutes ses forces... Je perçois alors un discret «pouf», doux comme une percussion de triangle, contre le chambranle de la porte. Il me niaise ou quoi? C'était un coup de pied, ça? Ce fut le «pouf» le plus délicat de toute l'histoire des «poufs» depuis la création de l'humanité. Comme si quelqu'un avait simplement lancé un Sponge Towel chiffonné contre la porte.

— Ah non, ç'a pas marché, se déçoit l'auteur du «pouf».

— Frappe un peu plus fort, le prie mon coiffeur.

Un peu? PAS MAL plus fort, oui.

— Mais là, je veux pas briser mes nouveaux Converse édition limitée *urbain vintage*...

Je réécris aux filles:

> Ils essaient de me sauver à grands coups de Converse édition limitée *vintage* dans la porte... Hon! hon! hon! Donc, j'aurai eu une belle vie... ça m'a fait plaisir de vous rencontrer. Je suis triste de manquer le congrès ce week-end, mais bon. Soyez heureuses. Je vous aime et je veillerai sur vous toutes. Amen.

— Ta teinture pique-tu? demande mon coiffeur, toujours préoccupé par la qualité de son travail.

— Non, ça va..., que je le renseigne, blasée et définitivement résolue à mourir.

— Il faudrait vraiment qu'elle se rince, statue le coloriste, au bord du désespoir.

— Dans l'évier? propose mon coiffeur, qui pense en même temps qu'il parle.

Je me tourne vers le petit évier, bien trop étroit pour que j'y glisse la tête.

— Oubliez mon rinçage, là, et sortez-moi d'ici, calvaire! que je dis, exaspérée, mais riant tout de même un peu dans ma barbe de teinture qui ne cesse de s'élargir.

— Il faudrait ABSOLUMENT qu'elle se rince, récidive le tenace coloriste.

— Ah oui, il faudrait..., confirme mon coiffeur, de nouveau submergé par l'enjeu désolant de ma situation capillaire.

— Si elle ne peut pas se rincer dans l'évier, elle pourrait toujours..., suppute le coloriste, qui ne termine pas sa phrase.

Euh... Il sous-entend quoi, le schtroumpf à lunettes ? Me rincer dans les toilettes ? Franchement. Voir que je vais me mettre la tête dans la cuvette pour me rincer. N'importe quoi.

— Mangez la barre tendre, madame ! C'est une pomme-raisin ! s'enthousiasme Coiffeur numéro 2, complètement hors sujet.

Je vais crever ici, misère. Je le sens. Je le sais. Je commence à percevoir le tunnel et la lumière blanche... Dans la vie, on ne sait jamais quand notre heure va sonner. Moi, c'est maintenant. Ici. Triste destin. On repassera pour le concept de « mourir dans la dignité ». Au moins, je n'aurai pas de repousse disgracieuse à mes funérailles.

> *Hallelujah* de Jeff Buckley, *Return to Innocence* d'Enigma, *Le vent nous portera* de Noir Désir, *Disarm* de Smashing Pumpkins...

— Qu'est-ce qui se passe ? s'informe une voix d'homme que je ne reconnais pas.

— C'est sa cliente !

— Prise dans les toilettes !

— Son temps de pause est fini !

— Elle manque d'air ! Moi aussi d'ailleurs... Mais, on lui a donné à manger ! Fffff... Je suis comme étourdi...

— Calme-toi, mon ti-canard. Prends ça, respire..., fait mon coiffeur à l'intention de Coiffeur numéro 2 qui semble tout à coup en proie à une sérieuse crise d'hyperventilation.

Le nouveau venu s'acharne quelques instants sur la poignée défectueuse.

— Reculez ! ordonne-t-il sans fournir plus de détails.

Dès lors, un grand fracas se fait entendre et le bois de la porte à la hauteur de la poignée craque. On y a asséné un vrai de vrai coup de pied, cette fois. Il refait la manœuvre une deuxième fois et le loquet de la porte cède enfin. Il ouvre. Je lui souris, toujours assise bien sagement sur la cuvette. Derrière lui, quatre suricates aux yeux ronds me dévisagent comme s'ils s'attendaient à me retrouver gisante et inanimée, la peau légèrement bleutée. Un des sauveteurs – probablement Coiffeur numéro 2 – respire dans un sac de papier brun.

— Aaaaah ! *My God !* Ç'a pas de bon sens, cette histoire-là ! pleure mon coiffeur.

Coiffeur numéro 2 retire le sac de devant sa bouche tout en s'éventant le col du chandail. Il se renseigne :

— Tu manquais d'air, hein ? T'étouffais ?

— Non, ça allait. Merci, que je fais en passant devant mon VRAI libérateur, alias le mari d'une cliente, qui roule des yeux jusqu'au ciel.

— Vite ! Faut te rincer ! gesticule mon coiffeur en sautant sur place comme une gazelle à son cours de Zumba, avant de me prendre par la main.

— T'avais pas une autre cliente ?

— Elle va attendre, voyons, c'est une urgence ! Pauvre toi... Viens ici, là, je vais te faire un bon massage de tête.

Sourire Crest.

Bah... Je l'aime encore, dans le fond. On s'aime encore. Notre histoire n'est pas terminée. De toute façon, j'aurais de la misère à m'imaginer aller voir ailleurs. Après tout ce temps, ça ne pouvait pas finir comme ça, nous deux.

À Barcelone, scène 1

Je m'appelle Mali Allison. Pour celles et ceux qui s'en souciaient, ma teinture fut réussie ce jour-là, et ce, malgré le temps de pause en prolongation dans les toilettes. Or, j'ai bien surveillé que le cuir chevelu ne me déroule pas en lanières dans les jours qui ont suivi. Un mois s'est écoulé depuis cette bouffonnerie digne du théâtre des Variétés de feu Gilles Latulippe. C'était par ailleurs un jour très important, puisque j'allais chercher mon deuxième chèque *à vie* chez mon éditeur, alias le Grand Manitou. Or, les droits d'auteur initiaux qui m'avaient été versés avaient été si dérisoires que je ne suis peut-être même pas autorisée à dire qu'il s'agissait de «mon premier chèque». Pour tout vous dire, ces microscopiques royautés n'auraient même pas dû figurer sur un chèque. Gaspillage de papier. Mon éditeur aurait très bien pu fouiller dans le fond de ses poches et me remettre la monnaie qui s'y trouvait en me disant : «Lâche pas Mali, continue !»

Je suis une auteure québécoise, vous l'aurez deviné. En disant ça, j'ai l'air de l'assumer, mais ce n'est pas encore tout à fait le cas. Des chemins synaptiques restent à se créer dans mon cerveau pour que j'y arrive. C'est nouveau dans ma vie. Quelques années tout au plus. Avant, j'étais psy – d'où l'attitude de mon coiffeur à mon égard et de beaucoup de gens dans ma vie, d'ailleurs. Une ancienne vie qui m'apparaît désormais si lointaine, étant donné que j'ai pris ma retraite pour écrire à temps plein. Contrairement à ce que plusieurs de mes nouveaux collègues auteurs pensent, ça n'a pas été un parcours simple, truffé de chance. Lorsque j'ai commencé à écrire, l'appel quasi aérien a été si puissant qu'à la sortie de mon deuxième roman en librairie, j'ai décidé de tout vendre, de lâcher mon emploi d'enseignante au cégep, de sous-louer mon appart sur la Rive-Nord de Montréal pour ensuite vagabonder un peu partout pendant un an afin d'écrire des centaines de romans. Mon petit côté «je fonce dans le tas, l'accélérateur appuyé à fond la caisse, les yeux fermés». Je n'ai vraiment pas écouté le sage à barbe blanche qui préconise de ne pas mettre tous ses œufs dans le même panier.

À première vue, mon plan semblait cocasse et stimulant. Dans les faits, ç'a été cocasse et stimulant pendant environ trois semaines. Je vivais nulle part en SDF (sans domicile fixe), errant sur des divans poussiéreux de sous-sol en sous-sol avec mon ordinateur trop vieux, ma valise de linge mou et un sac réutilisable rempli de repas congelés qui dégelaient jusqu'à la limite de l'acceptable chaque fois que je changeais de place. J'habitais en alternance chez mes parents, mon frère Chad ou mes consœurs Geneviève et Sacha. Si j'avais eu assez d'argent pour me payer un billet, je crois bien que j'aurais également atterri chez mon autre bonne copine Coriande, vivant en France. En secret, je rêvais d'écrire entre deux rangs de vignes, perdue au cœur de la République française, coiffée d'un béret, un pain baguette sous le bras et mon foulard noué autour du cou, inspirée, comme dans une prophétie, par les derniers tubes de Natasha St-Pier... (*#NOT*).

Un jour. Peut-être.

J'arrivais à écrire de façon productive chez mes parents malgré le fait que ceux-ci me demandaient environ chaque trois minutes : « Pis ? L'inspiration est là ? », trop bienheureux que je sois devenue une « écrivine » (mon paternel féminise le mot « écrivain » ainsi). Chez Geneviève, je bénéficiais d'espace, puisqu'elle me cédait son grand sous-sol. Ge m'a vraiment soutenue tout au long de mes premières démarches d'écriture et s'est montrée une véritable alliée en lisant mes ébauches et en me fournissant plein d'idées pour mes romans. Bref, j'étais toujours bien accueillie chez elle, malgré les modèles de voitures téléguidées et les drones de son enfant-de-mari qui traînent partout tels des extraterrestres feignant l'immobilité le jour, mais s'activant quand tout le monde dort la nuit. Ceci dit, à un moment donné, un couple a besoin d'un peu d'intimité, donc je ne collais jamais plus que quelques jours par mois.

Chez Sacha et Hugo, qui ont à présent deux petits garçons en bas âge, je m'adonnais à de l'écriture extrême. De la vraie littérature sportive. Dès l'aube, leur réalité familiale ressemble à un tsunami d'origine tectonique, force mille. Les quartiers de toasts volent dans les airs comme des boomerangs, les jouets rebondissent en kangourou sur le plancher, Lucas et Théo s'opposent à tout, les punitions se gèrent sur une chaise de la colère près du garde-manger, les parents conversent en code secret à la James Bond et les vêtements sales des enfants traînassent entre le tapis de clous de jouets et l'îlot de cuisine où se dresse une cordillère des Andes de miettes de pain. Même lorsque la maison se vidait enfin, j'avais de la misère à me concentrer, tant j'avais l'impression d'être submergée par leur quotidien chaotique. Il me fallait essayer de travailler avec comme décor une petite salopette tachée de beurre d'arachide sur mon dictionnaire de synonymes, une couche utilisée à portée de la main et de la confiture Double Fruit plein la table de la cuisine où j'avais déposé mon ordi pendant qu'une figurine de Minion Bob désarticulée me saluait de mon clavier. La voix haut perchée de Théo-d'amour qui criaillait toujours des bruits d'animaux de la savane dès l'aurore, rebondissait longtemps dans ma tête comme dans une caisse de résonance. Ne venais-je donc pas tout juste de mettre un pied hors du lit ? Réveil brutal. Pas besoin de café.

Quand mon frère Chad partait en Afrique pour exploiter sa mine d'or, c'était le summum. Je profitais d'un espace parfait pour moi pendant des semaines, et ce, même si ses voisins fument de la mari à temps plein sur le balcon. C'est officiellement leur boulot, je pense. À la pipe, en joint, au *bong,* au couteau avec une torche de camping, tous les moyens sont bons pour se geler la face en famille à toute heure du jour ou de la nuit, hiver comme été. Étant donné que le balcon longe la façade de l'immeuble au complet, je devais à tout moment franchir un brouillard opaque qui semblait aussi inaltérable que dans une discothèque lavalloise des années 90. Comme je ne fume plus depuis l'époque révolue de la folie collective pour le fameux vin blanc L'oiseau bleu (ou le Baby Duck, pour la version tout en bulles), ces émanations concentrées me donnaient parfois un léger *buzz.* Les conséquences fâcheuses se reflétaient surtout sur ma facture d'épicerie, puisque je débarquais là en plein *trip* de bouffe. Je me disais : c'est bien beau la carrière d'*écrivine*[1], mais si l'écriture en résidence chez mon frère résulte en une cure fermée de vingt et un jours au centre de désintox après, je ne serai pas plus avancée. (Scandale pour mousser ma carrière ?)

Il m'arrivait aussi d'échouer chez mon chum. Bobby. Un auteur-compositeur-interprète de notre terroir artistique québécois. L'an dernier, il a passé la majeure partie de son temps en tournée. Il l'est encore, d'ailleurs. Il partait tout le week-end, donc j'avais la sainte paix. Quand il revenait le dimanche, son hyperactivité légendaire n'était aucunement compatible avec mon besoin de calme. De plus, puisque je n'avais aucun pouvoir d'achat pour le suivre dans ses sorties, je me sauvais à toute allure de chez lui. Il m'encourageait dans ma démarche, était heureux pour moi, mais parfois il s'en foutait un peu. « Pas grave ! Tu écriras demain, Mali !! », me disait-il sans arrêt. Comme je devais terminer un roman et en écrire deux autres cette année-là pour atteindre mon objectif (et que je venais de balancer toute ma vie en l'air pour y arriver), je ne pouvais pas « écrire demain ». Non. Je devais taper sur mon clavier TOUS les jours et TOUTE la journée durant.

J'ai finalement terminé ces premiers douze mois d'auteur-à-temps-plein la langue à terre, les joggings usés au niveau du fessier et les cuisses capitonnées de cellulite parce que « les repas congelés renferment beaucoup trop de gras et de sel », comme l'indique toutes les cinq minutes Isabelle Huot.

---

[1]. Ce mot inventé par mon père mérite bien entendu de figurer dans un dictionnaire de mon cru, à paraître un jour, *Le Petit Dubois illustré*.

À cette époque, mon premier et deuxième roman se vendaient un peu, mais à peine. Pas de quoi être en mesure d'acheter cinq à dix portions de fruits et légumes par jour. Le troisième était passé sous silence telle une bonne sœur muette ayant prononcé ses vœux perpétuels. Quand ZE miracle s'est produit, je me trouvais au bord du gouffre, les orteils pendouil-lant dans le vide au-dessus d'un trou sans fond et la lettre d'adieu pour mes proches était rédigée. C'était simple et bref, quoiqu'un peu surprenant : J'ÉTAIS UN CHAT QUI N'AIMAIT PAS LES OIGNONS. ADIEU. Et c'est alors que mon quatrième roman, celui que l'on venait juste de mettre en marché à la fin de cette année-là, s'est tranquillement mis à se vendre en librairie. Pourquoi lui plus que les autres ? Je l'ignore. Le Grand Manitou, dont l'entreprise est de taille modeste, n'avait alors pas les moyens de payer de la publicité. Les médias m'igno-raient plus que leur première queue de chemise et des tonnes de bouquins d'auteurs super connus étaient parus en même temps que le mien. Lorsque mon éditeur m'a écrit : « On réimprime ton petit dernier, mais il ne faut pas se fier que ça va continuer de marcher... » (il est du genre circonspect en ce qui a trait à l'épandage d'enthousiasme), je n'y croyais pas. J'ai relu le courriel. J'ai pleuré. Puis, j'ai ensuite respiré. Ça faisait douze mois, trois romans et trois cent mille mots que je ne respirais plus. Il était temps. J'en étais arrivée au point où je me disais : « Ça passe ou ça casse ». J'ai alors pu demander une avance à mon éditeur, qui m'a encouragée en me disant : « Dépense pas tout, les ventes vont peut-être s'essouffler... » Puis, j'ai loué un semblant d'appartement. Un deux et demie tout compris au-dessus du garage d'un bungalow familial, à Lavaltrie, sur la Rive-Nord de Montréal. Si ça s'essoufflait, comme le Grand Manitou semblait prendre plaisir à me le rappeler, je pourrais toujours prendre une charge de cours au cégep où j'enseignais jadis, question d'arrondir les fins de mois.

À ce jour, je n'ai jamais eu besoin de le faire. J'ai mis un autre roman sur le marché tout récemment. Je ne sais pas encore si ça va bien. Une histoire d'enseignantes en voyage au Mexique pour la relâche scolaire. De plus, un autre roman s'en vient pour l'automne. Tout juste avant de m'envoler ici, j'ai terminé la révision linguistique de ce dernier. À cette étape, je commence toujours la rédaction du manuscrit suivant, mais pas cette fois...

Ainsi va la vie. Deux ans après ma fausse sabbatique, je me retrouve aujourd'hui perdue à Barcelone à la suite d'une solide bulle d'impulsivité. Il paraîtrait qu'il faut que je trouve des réponses. Mes réponses. Tout a commencé ce fameux jour-là, en fait, quand je suis allée chercher mon deuxième chèque après la prise d'otage avortée chez mon coiffeur...

La fois où je suis allée chercher le chèque chez mon éditeur

En accédant à la bretelle du pont Champlain, j'exécute un signe de croix au cas où il s'écroulerait sous mes pneus. J'adore les rituels, surtout ceux qui me sauvent la vie. Un message texte entre sur mon téléphone. C'est Coriande.

> Mon chum m'a écrit que les réparations sur mon auto montent à 300 euros. Cibole! Char de poubelle!!! Je suis pu capable!

Coriande s'est amourachée d'un Français et elle vit maintenant à Paris. Elle est en visite au Québec en ce moment. Comme je conduis, j'envoie un message vocal (techniquement illégal, je sais) :

> Hein ? La photo que tu nous avais envoyée l'autre jour, c'était une voiture ? Vu sa taille, je pensais vraiment que c'était ta boîte à pain. 🎤

Sacha, qui doit être en pause à l'hôpital où elle travaille, pimente la conversation d'un commentaire aussi dévalorisant qu'inutile :

> La minicaisse de Coriande, c'est n'importe quoi !

Pour ne pas être en reste, Ge intervient en rehaussant le niveau informatif de notre édifiante conversation :

> Une Fiat a l'air d'un tank de l'armée à côté du char de Cori.

Ayant autre chose à partager au groupe, Sacha poursuit :

> « Si ça sent le pet, c'est pas moi ! » ai-je dit à mes collègues en mangeant mon œuf à la coque tantôt.

Le fil de notre discussion de groupe s'élève toujours dans les sphères de la haute voltige intellectuelle. Nous sommes des femmes érudites et matures de la mi-bientôt-fin-trentaine.

En me réjouissant d'avoir franchi le pont en un seul morceau, « Miséricorde, je ne pécherai plus jamais, Ô notre Seigneur », je songe à ce que je dirai au Grand Manitou. Hum... J'aimerais pouvoir lui déballer quelque chose du genre : « Mon prochain roman sera *top*! J'ai eu l'idée du siècle! Mais, je garde le secret... » Ou je pourrais encore adopter un air super mystérieux et l'embobiner avec des propos comme : « T'auras jamais entendu une histoire de même de ta sainte vie! » Je pourrais aussi l'amadouer avec des considérations financières : « Mes autres bouquins se vendent bien, regarde bien celui-là! *OH BOY! KA-CHING, KA-CHING!* » Ou je pourrais carrément faire comme si nos vieux jours littéraires étaient désormais assurés : « Des idées géniales, en veux-tu, en v'là! J'en ai plein la tête! »

La vérité : je n'ai pas d'idée. Le vaste néant. L'absence noir foncé. Le rien tout nu. Le vacant inoccupé. Le fond du fond d'un baril sans fond. C'est la première fois de ma jeune vie d'*écrivine* que je fais face à un pareil sentiment de vacuité. Le fameux syndrome de la page blanche... sauf que, dans mon cas, il s'agit du syndrome du roman blanc. Le dossier Word de mon septième roman s'avère sec comme une tarte au sable. Une petite idée? Un petit filon? Non. Pas même un mini-personnage secondaire en tête. Je ne comprends pas pourquoi.

— Salut! que je claironne, sur le ton de celle qui est si-heureuse-mais-si-pressée, en entrant avec aplomb dans les bureaux de la maison d'édition, question de projeter l'image de l'auteure ayant tellement de romans en chantier qu'elle ne sait plus où donner de la tête.

— Salut, Mali, m'accueille mon éditeur en s'approchant pour me faire la bise.

— Bon! que je réponds, l'air de chercher un ordinateur du regard pour y coucher dans l'immédiat toutes les idées qui foisonnent.

Juste à voir sa tronche de chouette, je comprends que le Grand Manitou me juge franchement inhabituelle. Il me précède jusqu'à son bureau. Sur la route, je songe à extirper mon cellulaire pour prendre des notes, question de jouer à fond la fille en proie à une inspiration débordante surgissant toujours au mauvais moment. L'imagination me sort en cascade par les oreilles; de grâce, éloignez-vous pour assurer votre sécurité.

— Donc? T'en es où? Qu'est-ce que tu vas nous pondre, cette fois-ci? débute d'emblée mon éditeur avant même de s'asseoir.

Déjà les grandes questions? En sauvage de même? Les préliminaires sociaux au sujet de la température, nous les oublions? « Il fait beau, hein. Pas trop de pluie. Le mois de juin a été mieux que Colette l'annonçait... » Des affaires de même?

— Euh... un roman, là.

— C'est quoi?

— Une idée de... de roman... que j'ai eue.

Comme il y avait sans conteste un point plus que final à la fin de ma phrase floue, il lève les sourcils et baisse le menton en guise de «Mais encore?».

— Une idée de roman que j'ai eue dans... dans... dans ma tête.

— Content de savoir que ça provient de TA tête et non de celle d'un autre... C'est quoi?

Je le fixe. Il me fixe. Nous nous fixons. Je détourne le regard vers son porte-trombone. Il fait de même en tentant d'y trouver un certain intérêt. Je souris. Il sourit. Nous sourions.

— Mali?

Transparente comme une méduse passant une scano-graphie et incapable de me la jouer de la sorte, je vomis mes tripes d'auteure stérile partout sur son bureau:

— AAAAAAH! J'ai pas d'idée, bon! Je veux, je cherche mais ça vient pas. Ma carrière est finie. Je vais aller faire cuire des frites quelque part, voilà. C'est la fin. Merci beaucoup d'avoir cru en moi. Je m'en souviendrai toute ma vie.

Puis je ponctue ma déconfiture en écarquillant les yeux tel un Beagle en proie à une dépression majeure, ma lèvre inférieure pendouillant avec indolence.

— Bah... Ça arrive. Tu vas trouver, t'en fais pas. Mais il faudra que ce soit une bonne idée pour que ça lève.

C'est moi, où il vient de dédramatiser la situation en m'encourageant avec amabilité pour ensuite déposer un genre de pression de dix-huit mille tonnes sur mes frêles épaules?

— Tiens, ton chèque. Ça va te motiver! Mais dépense pas tout, ça se peut que les ventes ralentissent. Ton nouveau roman est sur le marché depuis très peu de temps, on sait pas encore si ça va bien marcher.

Bon, il termine le tout en m'enfonçant le pieu de ma faillite imminente en plein cœur. Je recommence mentalement à rédiger ma lettre d'adieu pour mes proches en rapatriant ma babine molle à bon port. J'ouvre l'enveloppe. Le chèque. Le chiffre. Hum... C'est bien. Ce n'est guère la mer à boire sur glace et ça représente clairement moins que ce que je gagnais en tant que professeur, mais bon. Je peux m'acheter la moitié des portions de fruits et légumes exigées par notre guide alimentaire préhistorique et payer mon modeste loyer sans balcon.

— Prends un peu de temps pour toi, Mali. Évade-toi! Les idées viendront. T'as travaillé beaucoup dans les deux dernières années...

Enfin. Voilà une personne sur terre qui s'en rend compte... En général, les gens – même mes proches – pensent que je suis en vacances de façon continue. Tout le monde imagine souvent à tort que l'écrivain-contemporain-moyen, muni d'un calepin de papier recyclé de fabrication artisanale et d'un crayon en bois de saule gossé par son arrière-grand-père Alphonse – ancien analyste de hiéroglyphes égyptiens –, s'enfarge par inadvertance sur une bonne histoire tandis qu'il est installé confortablement devant une fenêtre panoramique donnant sur une forêt de pins de première génération, alors qu'il sirote du bout des lèvres un thé vert bio cultivé dans les excréments de panda. On se le représente en position de méditation contemplative, un foulard de pashmina grade A enroulé autour du cou, la jambe croisée avec distinction, tandis qu'il écrit flegmatiquement des pages et des pages impeccables sans rature, n'ayant même pas besoin de révision linguistique. Euh… Ne-non. Désolée de vous servir un *reality check*, mais ce n'est pas aussi romantique que ça en a l'air, la vie d'auteur. L'écrivain-contemporain-moyen, qui publie un livre chaque année (ce qui en soi constitue un exploit), pianote avec férocité sur son clavier aux voyelles usées, à moitié pas habillé et échevelé comme un dessous de bras, en espérant respecter les délais débiles orchestrés par l'industrie en fonction du meilleur temps de l'année pour sortir un roman, c'est-à-dire à la rentrée littéraire de l'automne ou au tout début du printemps. La plupart des spécimens font aussi preuve d'une hygiène corporelle douteuse, surtout ceux habitant seul comme moi. Nous essayons à tout le moins de faire notre toilette à la débarbouillette pour la soirée du lancement.

Personnellement, je n'écris pas avec tous les doigts dont je dispose. J'en utilise deux de la main gauche et trois de la main droite – le troisième étant mon pouce qui tente parfois une folie démentielle en pesant sans trop que je m'en rende compte sur la barre d'espacement. Mes talents de dactylographie n'ont rien d'artistiquement gracieux ; j'ai l'air d'une otarie à son premier cours de piano. En gros, je porte du linge mou toute la journée et, le soir, quand je prends ma douche – une récompense que je m'accorde à peine quand le délai pour la remise de mon manuscrit approche, dois-je humblement confesser –, je change de pantalon molletonné pour me faire accroire que je me suis habillée et que ma vie s'avère normale. La ligne entre mon uniforme de travail et ma tenue dite propre, pour la soirée, est d'une finesse imperceptible à l'œil nu.

Souvent, je ne quitte pas mon logis pendant des jours durant, donc en période hivernale, mon auto reste coincée de façon hebdomadaire sous la neige qui s'est accumulée pendant mon blitz d'écriture. J'ai l'air de me plaindre, mais, en vérité, j'adore mon style de vie. Le cycle reste élémentaire : période d'écriture, période de révision-correction, sortie de roman. La solitude créative désordonnée, suivie de l'analyse en mode rationnel du résultat, puis l'extase du tourbillon lors de la parution du produit fini. J'aime les trois étapes. J'aime passer de l'une à l'autre en alternance. Ça me ressemble. Le train-train du huit à quatre, très peu pour moi, merci. Cette routine d'auteur sans routine me va comme un gant. Quand j'ai des idées de romans, bien sûr...

— Oui, l'idée va venir, je le sens. Je te tiendrai au courant aussitôt que ça se produit.

— Parfait! Porte-toi bien et donne-moi des nouvelles!

— Bye!

— Salut!

De retour dans ma voiture, je texte les filles qui avaient bien hâte de savoir si j'allais être satisfaite de mon chèque:

J'ai mon chèque!

Pendant que je programme mon GPS, Ge répond :

Alors ? Vu que t'es millionnaire et qu'on t'a inspirée pour les personnages de tes romans, tu nous paies un voyage tout compris à Paris pour aller voir Coriande Noël prochain ? MA-LA-DE !

Hish… je vais plutôt vous payer un Sprite avec trois pailles. Ou un Coke, c'est comme vous voulez…

Sacha s'inquiète :

T'es pas contente ? ☹

Oui, oui, pour de vrai, oui. C'est pas la grosse affaire, mais je peux dire que je vis de ma plume, au moins un peu…

Coriande me demande :

Peux-tu m'en prêter pour ma boîte à pain ?

20 $, oui. Avec 176 % d'intérêts.

Sacha, toujours prise avec des dossiers de santé publique plus qu'importants, partage alors :

Mes collègues étaient certains que c'est moi qui puais dans la salle de pause, tantôt. Pourquoi tout le monde me soupçonne tout le temps de flatuler??

Je réponds à l'aide d'une émoticône de petit cochon. Coriande rapplique:

Sans farce, on fête ça au congrès ce week-end! Bravo, Mali!

À Barcelone, scène 2

Assise sur mon petit lit de chat à une place, j'ai le cœur bouffi comme les yeux d'un boxeur. Je me demande ce que je glande ici. Barcelone s'avère une charmante ville, le problème n'est pas là. Il s'agit d'un endroit pittoresque, festif, plein d'attraits et de lieux à visiter. Pour casser la croûte, on a l'embarras du choix parmi une ribambelle de restos de tapas aux terrasses toutes plus invitantes les unes que les autres. J'habite depuis deux jours dans le quartier gothique, près du fameux boulevard La Rambla sur lequel je déambule en zombie depuis mon arrivée.

«Je pense que je devrais y retourner, d'ailleurs, pour faire changement.»

Faisant preuve d'une motivation équivalente à celle d'une femme s'en allant à ses propres funérailles, j'attrape mon sac et ma clé de chambre.

En posant un pied sur la fameuse artère populaire, je constate qu'il y a foule, comme à toute heure du jour ou de la nuit. C'est difficile de faire le tri entre les gens qui résident dans le quartier et ceux qui le visitent en touristes. Un enfant me bouscule un peu en poussant du pied un ballon de soccer. Il en rigole. Son petit copain, de biais avec lui, attend sa passe avec impatience. Ces deux gamins dévalent une rue bondée de gens en se bottant un ballon comme s'ils se trouvaient seuls au milieu d'un parc désert. Zénith espagnol à la puissance mille. Le *foot* à la vie, à la mort. En même temps que je les épie, deux grands gaillards à la peau foncée décampent à toute vitesse en trimbalant de la marchandise dans une couverture grisâtre semi-propre repliée en ballot. Ils rient. Ces vendeurs itinérants se sauvent à la vue des policiers à moto. Les PME de ce genre foisonnent ici, mais à voir les entrepreneurs gambader à tous crins comme des chevreuils pas de tête, on en déduit à l'évidence que ce type de commerce est illégal aux yeux des autorités. À première vue, on dirait quasiment que ce jeu du chat et de la souris est orchestré pour divertir les touristes. En ce moment, même le flic sur sa moto sourit en coin, l'air résigné à les laisser filer afin de vaquer à de *vraies* tâches policières.

Je décide de me poser sur un banc libre. En face du mien se trouve son jumeau, occupé par des hispanophones qui ont même déplié des chaises d'extérieur afin d'accueillir tout le groupe. On dirait une réunion de famille post-messe-dominicale par un bel après-midi d'été.

Une femme dans la trentaine, visiblement espagnole, passe devant, les yeux rivés sur son portable. Elle porte une jupe en dentelle noire style tutu, des bottillons vert forêt, des bas de laine et un chandail saumon très échancré qui lui découvre une épaule. Un *look* mi-romantique, mi-grunge, que je trouve ravissant. J'adore comment les femmes s'habillent ici. Ça me ressemble beaucoup, en fait. Un autre groupe de filles un peu plus jeunes passe. Elles rigolent. Je crois que j'aime les Espagnoles tout court. Je ne suis pas en train de vous annoncer officiellement mon changement d'orientation sexuelle, mais je trouve que les femmes ont toutes l'air gentilles. Elles semblent avoir envie de déconner plus que de parler de choses sérieuses. Elles parlent de voix fortes, sans couiner comme des hyènes. Elles rient de bon cœur en se donnant des tapes sur les épaules. Elles sourient beaucoup aussi. Les gens qui sourient me plaisent. Des filles ressemblant à mes amies, finalement. Notre niveau de niaiseries est toujours très élevé et le piment va sans trêve à celle qui a balancé la connerie la plus stupide. Il y a de ça plusieurs années, nous avons fondé une consœurie officielle. Une vraie de vraie organisation, avec un conseil exécutif, des règlements, des cartes de membre, des rencontres protocolaires sous forme de congrès et se déroulant selon un ordre du jour bien précis. Pourquoi? Juste pour rire. Au départ, étant toutes célibataires, l'objectif de la consœurie était de s'épauler afin d'effectuer de bons choix amoureux. On l'avait surnommée: «La consœurie qui boit le champagne». Depuis, la vie de chacune a bien changé et la totalité des membres de l'organisation s'avère à présent en couple. Nous continuons malgré tout de nous voir ponctuellement, car, même si la mission de l'organisation a évolué, les fondations de celle-ci restent toujours bien vivantes dans notre cœur. Juste avant que je quitte notre beau pays pour l'Espagne, nous avions justement organisé un congrès.

La fois où on a tenu un congrès à Gatineau

En s'assoyant à la table de la microbrasserie Gainsbourg, Coriande annonce d'emblée :

— Bienvenue à toutes !

— Ha ! ha ! ha ! Bienvenue ?! s'étonne Claudie.

Claudie est une fille de notre patelin, pas mal comique, pas mal gentille (et pas mal *party animal*), qui se tient avec nous depuis quelques années. Vous savez, *la* fille qui se couche toujours le plus tard ? C'est *elle*. Elle mesure cinq pieds un pouce ET DEMI et elle déplace de l'air comme si elle mesurait plutôt sept pieds huit. Elle a l'âge de mon grand frère Chad et sa fille de dix-neuf ans va maintenant au cégep. Un bébé-surprise de la vie, comme on dit. Elle prenait pourtant religieusement la pilule. Ceci dit, puisqu'elle fut une sage maman pendant sa jeune vingtaine, c'est comme si elle se reprenait au centuple depuis que sa fille est plus autonome.

— Bienvenue au congrès, rajoute Sacha en se levant pour serrer solennellement la main de sa voisine, alias Geneviève.

Familière à nos coutumes, celle-ci collabore en se redressant avec grande classe. J'attrape à mon tour la pince de Coriande.

— Voyons ? Faites-vous semblant que vous vous connaissez pas ? Ha ! ha ! ha ! Vous êtes niaiseuses ! rugit Claudie, crampée en deux sur sa chaise.

C'est son premier congrès ; elle ne connaît rien à rien.

— Ce serait poli si tu te levais et que tu participais, Claudie, que je la réprimande, avec sérieux.

— Ha! ha! ha! C'est trop con, votre affaire! J'aime déjà ça..., puis elle collabore aussitôt à ce mouvement de masse absurde de serrage de mains digne d'un caucus libéral une semaine avant les élections.

— Bon congrès, répète une super fière Sacha.

Comme notre Européenne est en vacances au Québec pour deux semaines sans son chum, elle a dormi chez moi hier. Après une bonne bouteille de chablis asséchée en un temps record, nous avons rédigé l'ordre du jour pour la soirée du congrès.

Coriande reprend la parole :

— Qui dit «congrès» dit planification rigoureuse et gestion du temps.

Coriande sort alors de son sac les ordres du jour qu'elle remet à chacune des congressistes présentes à table. Ge pouffe de rire, tandis que Sacha se retient, le bas du visage tordu pour contenir son hilarité et faire semblant que ce cérémonial absurde est tout à fait normal.

— Un document officiel en plus? Ha! ha! ha! Avoir su, je me serais habillée plus propre, rigole Claudie qui n'en revient carrément pas.

Coriande distribue des crayons pour prendre des notes, puis elle suggère au groupe de réserver les applaudissements pour la fin. Claudie s'enflamme :

— Vous êtes vraiment trop drôles! *SHOOTER!*

Sacha la dévisage comme si elle venait de dévoiler la cachette de mère-grand au méchant loup.

— Comme Éric Salvail, là. Je l'aime ben gros, lui...

Sacha lève la main, à la fois pour prendre la parole et pour inculquer les bonnes manières à Claudie, qui agit un peu trop à la va-comme-je-te-pousse.

— En fait, ma question ne concerne pas le congrès en tant que tel, mais plutôt toi, Cori.

Un mutisme collectif s'abat sur la brasserie. Sacha le fend en deux d'un coup de hache de guerre :

— C'est ben laid, ÇA!

Notre consœur désigne du doigt le collier de Coriande. J'avais remarqué en la voyant chez moi, ce matin, que ce n'était pas tout à fait son style, mais je ne m'étais pas permis de commentaire à ce sujet.

— Sérieux, c'est vraiment, vraiment, vraiment laid. J'osais pas le dire depuis tantôt, ajoute Ge en saisissant son bras pour inspecter de plus près le bracelet qui est bien entendu agencé à l'horrible collier.

Son accoutrement d'accessoires s'avère complété par une bague de tout aussi mauvais goût que le reste. Les bijoux en métal un peu lourds, voire grossiers, ont assurément été confectionnés à la main. Un genre de fer travaillé en lanières puis peinturé en orangé et noir très luisant, à cause d'un fini laqué. Un style que je qualifierais à mi-chemin entre un courant de contre-culture gothique et une mode éclatée un peu louche et sentant à plein nez le fixatif Vavoom des années 80. Rien à voir avec le style sportif-chic habituel de Coriande.

— Parlez-moi-s'en pas, je le sais.

— Pourquoi tu portes ça en public? En notre compagnie, en plus? chuchote Sacha en regardant en perruche tout autour comme si elle craignait d'entacher irréversiblement sa réputation.

— Ouin? On a l'air de quoi, nous autres? que je rajoute à mon tour.

Claudie s'approche un peu de notre amie pour observer les atrocités de plus près.

— C'est laite en calvince, pour vrai!

— Mon chum m'a offert l'ensemble, il y a deux mois. Il a le malheur d'avoir une bonne amie française zéro-déchet-et-cueilleuse-de-fruits-bio-urbains qui fait des bijoux recyclés, vous voyez le genre? Je suis pognée avec, solide. Comme je les porte jamais, il m'en parle tout le temps. Bref, ça commence sérieusement à me courir sur le haricot...

— Ha! ha! Toi pis tes expressions de l'autre bord...

— Et là, tu choisis ce soir, alors que tu te trouves avec nous dans ton pays natal, le Canada, pour nous faire honte? conclut Ge.

— Non, non. Je me suis dit: on va prendre des photos de groupe, il va voir que je les portais, il sera content et je pourrai ensuite trouver un moyen de m'en défaire ni vu ni connu. Je sais pas encore comment, mais je vais m'en débarrasser, je vous le jure.

— Méchante mission compliquée! Me semble que, dans mon cas, je dirais juste à mon chum: c'est laite, chéri. J'aime pas ça, suggère Claudie, en toute simplicité.

— Non, mais, je te comprends, intervient Ge. C'est délicat. Tu veux pas le blesser. Mais c'est tellement affreux!! Ha! ha! ha! J'ai jamais rien vu d'aussi monstrueux de toute ma vie!

— On va prendre ta photo au plus vite pour que tu puisses cacher ça dans ta sacoche. Les gens des tables voisines nous jugent, je le sens, exagère à peine Sacha.

— Tsé, Cori, avec mes livres, je commence à être connue... Ce serait plate que mon image publique soit ternie à cause du manque de goût de ton chum.

En moins de deux, Ge retourne son cellulaire pour le faire voler à bout de bras, question de nous immortaliser dans un *selfie* de groupe selon les règles de l'art.

— Bon, c'est fait. Enlève-moi ça au plus sacrant, asteure.

— Tu veux que je te l'envoie par texto?

— Non, tu peux la mettre direct sur Facebook en me *taguant*, explique Cori.

— QUOI?? Es-tu folle?

— Non... Comme ça, mon chum va la voir, c'est certain.

— Sur Facebook? T'es une vraie samouraï, sérieux.

— *Tague*-moi surtout pas, je veux pas être associée à ça..., exagère Sacha.

— Nous allons ajouter un point à l'ordre du jour pour que la consœurie réfléchisse à une solution pour t'aider à te débarrasser de manière définitive de ces bijoux-là, que je propose.

Claudie, plus terre à terre et surtout, pas encore habituée à notre folie collective, propose en toute candeur :

— Tu fais juste les jeter. C'est tout.

— Mais non, mais non, mais non. Il va vouloir lui en acheter d'autres. Des pareilles. Peut-être même des pires, spécule Sacha, au bord du désespoir.

Pour déconner, Ge porte la main à sa bouche comme si Sacha relatait les détails morbides d'un homicide à la tronçon-neuse commis dans une pouponnière.

— En tant que victime dans l'important dossier, je propose que l'on poursuive la lecture de l'ordre du jour et qu'on accorde la priorité à ce point afin qu'il soit discuté durant l'apéro d'ouverture, enchaîne Coriande. Qui propose ?

— Je propose la proposition de la victime, affirme Sacha en levant la main au ciel.

— J'approuve la suggestion de la proposition de la sugges-tion de la victime, conclut Ge, en levant sa main aussi.

On dirait que les filles font figure de témoins solennels lors d'un procès devant jury à la Cour supérieure (possible-ment pour le meurtre de tantôt commis à la pouponnière).

— C'est lourd, ces procédures de propositions-là. Je sais même pu qui propose quoi, se décourage Claudie en expirant par la bouche.

— Bon, ça avance bien, hein?! s'enflamme Cori, même si nous n'avons absolument rien accompli.

Tout le monde baisse le regard vers sa feuille. La première page de l'ordre du jour va comme suit :

CONGRÈS ANNUEL

Date : 4 juin 2016

Lieu : Bistro Gainsbourg Brasserie et Palais des congrès, Gatineau, Québec, Canada

Membres en règle : Mali Allison, Sacha Potvin, Geneviève Lefebvre, Coriande Boisvert

Membre aspirante en nomination : Claudie Béliveau

— Ah ouin? Je suis en nomination? Pourquoi? C'est quoi ça?

— Pour devenir membre en règle. C'est le but du congrès, lui répond Coriande dans une logique implacable, un peu déçue que Claudie ne suive pas plus que ça l'enchaînement des événements.

— Ah, OK. Ça me tente!

— En fait, l'organisation t'as choisie et non l'inverse. Tu devrais te sentir TRÈS privilégiée. Au point de proposer de faire un discours de remerciement, genre...

— Voire, au point d'être euphorique, comme si tu vivais le plus beau jour de ta vie, rajoute Ge.

— Je suis pas encore rendue à ce stade-là. Je sais même pas encore c'est quoi votre affaire. Peut-être que ça me tentera pas d'être nominée, au fond, souligne Claudie.

— AH MON DIEU! Impossible! crie Geneviève, insultée comme un fakir à qui on aurait proposé un matelas de mousse mémoire.

— Blasphème! Terrible blasphème..., ajoute Sacha en secouant la tête, refusant de croire ce qu'elle vient d'entendre.

Faisant mine de poursuivre comme si l'introduction du congrès connaissait un vif succès, Coriande nous rappelle à l'ordre:

— Nous vous invitons cordialement à tourner la page, s'il vous plaît.

Celle-ci explique le déroulement proprement dit du congrès. Cori débute la lecture du document:

— «Ordre du jour. Point numéro 1: Accueil des membres en règle suivi de l'accueil de l'Aspirante».

— Vous ne pouvez pas m'accueillir en même temps que tout le monde?

— Non, on accueille les membres selon la hiérarchie.

— Me semble que c'est de la discrimination, ose une Claudie à l'âme militante.

— Elle est même pas admise encore et elle s'oppose aux règlements... Voyons donc ? s'offusque Coriande en levant les doigts au ciel.

— Je me sens brimée dans mes droits et libertés, lance Claudie qui croise les bras.

— T'as pas encore de droits, t'es rien ! que je lui crache en pleine poire.

— Je suis rien ? C'est ben *heavy*, votre affaire, boude maintenant Claudie en perte totale des balises de son identité.

— Est-ce que l'on peut poursuivre l'ordre prévu pour le congrès ? demande Coriande avant de dévisager avec aigreur la nominée.

— Oui, obtempère la potentielle membre récalcitrante, encore bien loin d'être admise, compte tenu de son arrogance et de son comportement anarchique.

Coriande retrouve un sourire artificiellement radieux et poursuit :

— « Point numéro 2 : Apéro dans une microbrasserie pour célébrer l'ouverture du congrès. » Ça, c'est maintenant. Ensuite, nous aurons naturellement un « Décorum », comme le stipule le point numéro 3.

Le front de Sacha se plisse comme une vieille sacoche en cuir souple d'agneau. Ge incline la tête vers la droite tel un terrier écossais tentant de comprendre son maître allemand. Une étincelante Coriande observe la troupe, tandis que moi je fais la dinde de service, comme si tout coulait de source.

Considérant que ce point semble aussi flou que le record Guinness de myopie, Claudie questionne le groupe :

— C'est quoi ça, un « dé-co-rum », donc ?

— Hum, c'est... À vrai dire, euh..., tergiverse Sacha en feignant de toussoter, désormais trop accaparée par sa toux pour répondre.

— Le décorum, c'est le décorum, explique Coriande, en bonne pédagogue.

— C'est un mot latin, faque ça me fait penser au pape et à sa papemobile. Ouin. Ça doit avoir rapport au pape, conclut Claudie.

— Non, le décorum, c'est le niveau de classe dans une soirée. Avoir de la classe, rectifie Sacha.

— Ça concerne pas plutôt les choses à faire ou pas à table, genre ? se questionne Ge.

— Ça, c'est l'étiquette, me semble...

— Le décorum, c'est le décorum, répète Coriande en toisant les filles de haut, comme si elles étaient idiotes d'en ignorer la définition.

Sacha se demande, perplexe :

— Ça figure à l'ordre du jour, donc on doit faire quelque chose ?

En vérité, Cori et moi trouvions juste que ça rehaussait le niveau de notre papier.

Sans plus attendre, je poursuis en faisant la lecture du point suivant :

— « Point numéro 4 : Retour au Palais des congrès. »

— Enfin un point facile que je comprends ! se réjouit Claudie.

Le Palais des congrès, alias la maison du frère de Claudie qui est pompier et qui sera à la caserne pour trois jours, nous servira de logis en fin de semaine.

— Ensuite, le point numéro 5 mentionne que l'on doit faire un « Cocktail dînatoire de bienvenue ».

— Voilà un autre point intéressant, approuve Claudie.

— « Point numéro 6 : Présentation de l'Aspirante. Point numéro 7 : Décorum mondain. »

— « Mondain » maintenant ? s'informe Ge, toujours peu chaude à l'idée de ces nombreux décorums qui échappent à la compréhension générale.

— Comme on sait même pas c'est quoi, ça risque d'acca-parer une grosse partie de l'horaire, affirme Claudie.

— C'est pas long, le décorum, la rassure Coriande en me regardant pour que j'approuve.

— C'est quoi, donc ? demande Claudie, à bout de nerfs.

— Je vais aller voir sur Google ! s'enflamme Sacha.

— Interdiction de chercher le mot «décorum» sur les zinternets! décide à brûle-pourpoint Coriande par pur divertissement.

— Aucune chance. C'est une radicalisation totale de la pensée, votre groupe...

À titre informatif, Claudie est «presque» végétarienne pour des raisons de protection des animaux, donc on devine que son allégeance politique tend définitivement vers la gauche, très gauche. Pour elle, tout être vivant doit être respecté – même les plantes, à qui elle attribue des émotions comme la culpabilité et l'attachement.

— Bon, on s'égare du sujet. Poursuivons..., que je fais en suppliant Coriande du regard pour la presser de prendre le relais comme si le fait d'avoir lu à peine quelques points m'avait drainé toute mon énergie.

Elle poursuit la lecture au groupe :

— «Point numéro 8 : Discussion entourant les compétences de l'Aspirante. Point numéro 9 : Souper.» Nous aurons ensuite une pause.

— Ha! ha! ha! Vous êtes vraiment nouilles, rit Sacha entre ses dents.

— Bon, enfin un *break*! Je trouvais ça assez chargé, merci, affirme Ge en soufflant avec sa bouche.

Coriande de terminer la lecture :

— «Point numéro 10 : Délibérations concernant l'acceptation de l'Aspirante. Point numéro 11 : Divulgation de la décision finale. Point numéro 12: Décorum de clôture du congrès.» Et en dernier lieu: «Point numéro 13: Soirée dansante et/ou activités libres».

— Bon, enfin! On va pouvoir faire ce qu'on veut. Librement! Mais si jamais je ne suis pas acceptée comme membre, je pourrai participer aux activités libres ou non? demande pertinemment Claudie.

— Bonne question, que je souligne en interrogeant Cori du regard, comme si cette question cruciale nous avait échappé durant la rédaction de l'ordre du jour.

— C'est bien embêtant, tout ça..., ajoute Ge.

— Je pense que la question est trop importante pour prendre une décision maintenant. Il faudrait faire un autre congrès juste pour statuer sur cette question-là.

— Ça serait dommage que j'aie pas droit à l'activité libre, se désole Claudie, espérant ainsi s'attirer un certain capital de sympathie auprès des membres.

— Je propose d'ouvrir la période de questions, annonce Coriande.

À Barcelone, scène 3

Mes amies et moi sommes plutôt marrantes, mais nous ne sommes pas du genre fe-filles. Élevée à Danville, un petit village de l'Estrie, je me considère comme une squaw des bois dans l'âme plus qu'une gonzesse de centre-ville. Je me salis les mains de bouette au lieu de me faire des manucures françaises. Je n'en ai rien à foutre du dernier chum de Miley Cyrus ni de n'importe quel autre couple composé de gens à qui je n'ai jamais adressé la parole. Mon allure de garçon manqué et ma voix rauque d'Éric Lapointe au lendemain d'un spectacle bien arrosé corrèlent très bien ensemble. Je cours les boutiques uniquement lorsque j'ai besoin de quelque chose, sinon je fuis le lèche-vitrines. J'ai pour principe de ne jamais magasiner avec un homme : erreur féminine, torture masculine. À la pêche, je mets mes vers de terre sur l'hameçon et je décroche mes poissons toute seule, comme une grande. Je n'arrange pas mes prises, par contre. Peu douée, je charcute toujours le tout en tartare plutôt qu'en filets. Je peux faire tomber des canettes à l'aide d'une carabine à plombs à vingt-cinq pieds de distance, mais ne me parlez surtout pas de rénovations, je suis nulle avec les marteaux et ça ne m'intéresse pas d'apprendre. Je suis sensible comme pas une ; j'ai toujours une poussière dans l'œil pendant les annonces de lait et, durant l'émission *On efface et on recommence*, on peut habituellement s'attendre à un véritable déluge lacrymal. Je suis capable de passer des semaines entières seule, sans m'ennuyer de personne, même si au final je me parle à voix haute. Je ne suis jamais mêlée à des chicanes, des potinages ou des médisances. J'ai découvert qu'il vaut mieux écouter les gens et se taire, parfois. Je m'adapte aux personnes, à l'environnement, à ce que je dois faire ou ne pas faire. Je respecte presque toujours les règles, donc je ne suis pas une délinquante dans l'âme (dans ma jeunesse, ma chère mère vous aurait sûrement tenu un autre discours par contre...).

Ce que j'ai de la difficulté à respecter et à accepter, ce sont les conventions, les modèles tout faits que la société nous

coule dans le cerveau : « Faites ça et vous serez heureux ! »
Prise dans ce type de carcan statique, j'ai tendance à ruer
dans les brancards.

***Avertissement : le paragraphe qui suit contient des
éléments horripilants pouvant ne pas convenir à un public
en quête de liberté.**

Pour être heureux, il vous faut : une maison (se bâtir,
si possible), un amoureux ou une amoureuse (que vous
fréquentez idéalement depuis le secondaire ; bal des finissants
et tout, roi et reine de la soirée si possible), deux enfants (un
gars et une fille, de préférence le gars en premier pour qu'il
protège sa sœur²), un chien (golden retriever ou labrador, c'est
bien), une tondeuse à triple lame rotative intelligente (donc
qui évite les obstacles), un barbecue The Broil King Impérial
XLS titanesque (annexé à une cuisine d'été entièrement
équipée ; extériorisons notre intérieur-machin) et une piscine
ou un spa (les deux, si possible). Il faut travailler quarante
heures par semaine (de jour, s'il vous plaît, pour bénéficier
d'un maximum de stabilité), obtenir une permanence (la
célébrer), un fonds de pension (le surveiller), une assurance
dentaire (l'exploiter) et ne pas rire de la secrétaire folichonne
que notre patron a engagée pour coucher avec elle. Ce n'est
pas gentil de rire des gens. Il faut être épanouie en couple,
sexuellement ouverte à n'importe quoi, complice avec notre
conjoint 24 h/7 jours, puis se courir après au ralenti autour de
l'îlot chaque soir en cuisinant des recettes méditerranéennes
(à base d'aliments bio sans gluten). On doit absolument faire

---

2.   Euh, allo ? Le mien me protégeait zéro moins une barre, il me battait...
     Coming out ! Appelez la DPJ !

du ski hors-piste (dans les Rocheuses), aller aux pommes (tous les automnes), louer le plus gros chalet qui soit disponible au bord du Memphrémagog (durant les semaines de la construction) et posséder au moins une photo de nous, debout sur une plage blanche (avec un Ara ararauna juché sur notre épaule). Pour terminer, il faut éduquer nos enfants dans l'écoute, l'amour et le respect de leurs traits de caractère pour ne pas brimer l'épanouissement longitudinal de leurs compétences transversales, ce qui créerait un dysfonctionnement entre leur personnalité propre et leur désir sociétal de plaire aux autres, les transformant ainsi en gens plutôt introvertis qui ne parlent pas beaucoup et, ne pas parler beaucoup de nos jours, c'est très mal. On veut élever rien de moins que des *winners* à l'aise de faire des conférences de trois heures sur l'art de devenir millionnaire à 16 ans.

Je me suis pliée en quatre dans ce corset mental pendant deux ans durant ma mi-vingtaine, en tentant de me convaincre que la maison, le chum, le fond de pension, le chien et cie me comblaient. Malheureuse comme les pierres de ma rocaille que j'avais été si enthousiaste à entretenir durant à peine trois semaines, j'ai eu du mal à accepter que ce modèle n'était pas fait pour moi. Ça fonctionnait pourtant pour plusieurs... Dans mon cas, je me sentais peinturée dans le coin d'une toile aux teintes moroses.

La recette du bonheur ne se trouve pas dans un livre de Ricardo (quoique son gâteau au fromage pomme-caramel rend assez heureux, merci).

Je me questionne souvent à propos du bonheur absolu : C'est où ? C'est quand ? C'est pour qui ? Je n'ai pas encore trouvé de réponse. N'allez pas croire que je sois malheureuse non plus, mais disons que j'aspire à monter un étage de plus dans le mirador, surtout côté cœur. Ma vie de couple est d'ailleurs une des raisons m'ayant amenée à errer sur La Rambla en ce moment. Je n'ai techniquement plus de vie de couple en réalité. Ma vie amoureuse... au secours. Le jour du chèque, après avoir frôlé la mort chez mon coiffeur ET sur le pont Champlain, j'étais allée souper chez l'homme qui me fait office de chum de façon intermittente depuis les sept dernières années. Bobby.

La fois où j'ai soupé chez Bobby

Je recule avec précaution ma voiture dans sa cour. En l'immobilisant, je me fais la réflexion que j'ai inconsciemment l'air de m'assurer d'être en mesure de quitter les lieux en épingle à cheveux. Il voulait me recevoir pour célébrer la remise de mon chèque. Honnêtement, ça va si mal entre nous deux depuis un bout de temps que je ne sais même pas si ça me tente de le voir. Nous sommes en période « ça passe ou ça casse ». Topo rapide : depuis sept ans qu'on se connaît, j'ai été tour à tour une amie-avec-bénéfices – parmi tant d'autres –, sa blonde, son ex, sa blonde, son ex, sa blonde, son ex, sa blonde... et là, rien ne va plus, parce que je le soupçonne de fréquenter d'autres femmes et je deviens dingue.

Nous n'avons jamais habité ensemble de façon officielle. Depuis le début, on ne veut pas cohabiter, c'est l'entente. LAT – Living apart together – est l'expression anglaise décrivant ce genre de relation. Il possède son chez-soi et moi le mien... quand je ne suis pas SDF pour rouler ma bosse comme *écrivine*, bien sûr.

Ceci dit, depuis que Monsieur a recommencé sa tournée partout au Québec, il se terre dans les toilettes avec son téléphone telle une marmotte dans son terrier un dix janvier. Il me répète toujours que j'hallucine, mais je reste certaine de mon coup. Il me cache quelque chose. Je trouve de façon régulière des bouteilles de vin blanc à moitié vides dans son frigo, malgré le fait indéniable qu'il n'en boit pas lui-même. Pour compléter le tableau, une femme a récemment écrit sur sa page Facebook professionnelle: «J'ai appris que ta blonde habitait sur la Côte-Nord!! J'espère te croiser un jour quand tu viendras la voir ici!» Honteuse d'avoir fouillé, je lui avais quand même demandé des explications et il m'avait répondu que «le monde écrit n'importe quoi là-dessus!» Il a toujours voulu rester discret sur sa vie privée et ça me convenait qu'on n'étale pas nos sentiments dans tous les tabloïds. La dernière chose à laquelle j'aspirais dans la vie était de faire un *cover* quétaine de magazine posant main dans la main, assis sur une campagnarde courtepointe colorée déroulée dans un champ de fleurs sauvages, au côté de sa guitare gisant avec nonchalance sur un gazon brun-jaune d'avril *photoshopé* en vert-*green*-de-golf. À vomir. Or, l'accumulation de curieuses coïncidences me fait gravement douter de lui. Depuis, la roue tourne; je lui pète des crises de jalousie, et il se referme, se braque, s'éloigne. Son indifférence apparente nourrissant mes inquiétudes, je pète une nouvelle coche d'insécurité et il se barricade encore plus. Nous ne sommes pas beaux à voir aller. C'est la vérité. Son discours tourne en boucle sur le même registre: «Arrête donc de capoter, Mali, on peut-tu juste avoir du *fun* comme avant?» Et ma rengaine est plutôt de l'ordre de: «Si tu vas voir ailleurs, laisse-moi donc, qu'on en finisse!» On se chicane, on passe du temps sans se parler, on se rappelle et on rentre au bercail. Ça fait des mois que ça dure. J'ai le cœur étourdi à en rendre tripes et boyaux, et lui aussi.

Aujourd'hui, ça fait quatre jours que nous ne nous sommes pas vus. Parfois, je voudrais m'en aller pour toujours. En avoir le courage, je le ferais. J'aimerais avoir assez de cran pour fouiller dans son maudit cellulaire pour en avoir le cœur net, une fois pour toutes, mais j'en suis tout aussi incapable. Je connais même son code d'accès. 1919. Mais une petite voix me raisonne et me dit que si un jour j'en suis rendue à fouiller dans le téléphone de mon chum, ça voudra dire que je ne suis vraiment plus bien et que je dois le quitter. Peut-être aussi que je ne veux juste pas affronter la réalité.

Mes amies tentent de me raisonner : « Mali, laisse aller les choses. Sois légère, arrête de péter des coches. Ça va revenir tout seul, si ça doit arriver... » Je sais, mais je m'en sens comme incapable. Le hic est que j'ai déjà joué le rôle de la une-parmi-tant-d'autres. J'ai donné. Je la connais, la *game* de : « Viens me rejoindre après mon *show*, je couche à tel hôtel ». C'est trop facile. Donc là, je me retrouve avec un gros dilemme. D'une part, mon *ego* crie : « Belle conne tu fais, il te trompe et tu restes là ! » et d'autre part, ma tête fait : « Mais non, il ne voit personne, c'est juste les hauts et les bas du couple, c'est normal. » Mon cœur, lui, perçoit juste l'aura du mensonge. Je ne sais plus qui croire. Il me semble qu'il devrait me rassurer mieux que ça, bon sang. Il ne fait rien.

En entrant chez lui, il m'embrasse à la va-vite. Il lance deux assiettes dans le lave-vaisselle, puis grimpe les escaliers avant de les redescendre en moins de deux. Il me détaille la température actuelle ainsi que celle prévue pour demain, pendant qu'il gère la marinade de la viande tout en replaçant les rideaux, avant de ranger des élastiques qui traînaient sur son îlot de cuisine dans un pot Masson... le tout en environ dix secondes. Il m'étourdit. N'importe quelle fille songerait : «Ah, il a l'air de bonne humeur de me voir, je suis contente!» Moi, je soupçonne plutôt : «Il est trop louche... qu'est-ce qu'il a fait de mal encore?» Mon cerveau est désormais programmé à douter de lui. Je me sens impuissante face à cette impulsion.

Il continue de s'agiter en vomissant partout plein de propos décousus : la peinture de son patio qu'il a enfin choisie, la madame assise en première rangée qui avait le hoquet samedi dernier, son gérant qui lui a parlé d'un nouveau concept d'album, le fils de sa voisine qui a de sérieux problèmes de psoriasis sur les coudes, la nouvelle marinade au sirop d'érable et aux épices à la cajun qu'il a dénichée au Costco, un moment enlevant de son chasseur de crocodiles préféré dans l'émission *Au pays des Cajuns* (lien probant avec la marinade, ici)... Bref, il meuble. Un camion Brault & Martineau de futilités. Il remplit tout l'espace-temps disponible pour ne pas laisser de place à quoi? À mes questions? À la chicane? Toutes ces réponses?

Je l'écoute. Il me tend une bière. Je l'écoute. Je prends une gorgée. Je l'écoute. Je ne dis rien. Je n'ai pas le temps. Il est mal à l'aise. Je le connais comme le fond de ma poche de patates, vous n'avez pas idée. Se souviendra-t-il de mon chèque, la raison d'être de ce souper? Que nenni. Le psoriasis du fils de la voisine, ça, oui. C'est important, aujourd'hui. Tout comme l'autre zouave avec ses crocodiles.

Désirant qu'il s'en rende compte par lui-même, je ne parle pas. Son cellulaire reçoit un message texte. Il ouvre son étui. Ah oui, parce que j'ai oublié de préciser : depuis que je doute de lui et de son téléphone, Monsieur a intelligemment remédié à ce problème en se procurant un étui de cellulaire qui se referme, de sorte que les gens à proximité ne voient plus son écran lorsqu'il reçoit un appel ou un texto. Belle façon de rassurer la femme dans sa vie: cacher davantage l'objet responsable du litige.

Dans le même ordre d'idées, il a aussi développé le réflexe étrange de m'annoncer en grande pompe la personne qui entre en contact avec lui – ce qu'il fait justement à l'instant avec un faux naturel de niveau olympique:

— Ah! C'est mon gérant! Tralalilalère! qu'il prétexte avant de lui répondre en pianotant en quatrième vitesse.

Il sort ensuite sur le balcon pour allumer le barbecue. Je reste là, assise à son îlot. Il revient à la cuisine, puis s'acharne à refermer sa papillote de légumes.

— En allant chez Costco, j'ai vu un ordi pas cher. T'en aurais pas besoin d'un nouveau, par hasard?

— Non, j'ai pas les moyens présentement...

Pas les moyens... Revenus... chèque... journée importante... Il va bien finir par se souvenir du but de notre souper, non?

— En tout cas, si jamais..., insiste-t-il, sans trop de dynamisme.

Il retourne à table et observe son cellulaire qui sonne, cette fois.

— Ah! C'est ma mère! Tralalilalère!

Il répond, mais ne lui parle que deux minutes. Il revient à nouveau sur le sujet de ce possible concept d'album avant de sortir déposer la papillote sur la grille. Pendant qu'il est dehors, je perçois un tintement indiquant qu'il reçoit un autre texto. Je me tourne pour observer son appareil, qu'il a abandonné sur le comptoir. Il a oublié de refermer son étui... Sans réfléchir, je me lève de mon banc à la vitesse de l'éclair et je regarde. Mon cœur bat vite. C'est mal ce que je fais. Un certain «Jeff» lui a écrit. Je me rassois aussitôt. C'est très mal. Je ne connais aucun Jeff dans sa vie. Je ne suis pas bien. Il revient de l'extérieur. Je lui mentionne, l'air de rien :

— Ton cell a sonné.

Mon cœur bat vite. «Bobby, ne me mens pas, s'il te plaît, ne me mens pas...»

Il se dirige vers la table, jette un coup d'œil fugace vers l'engin et me renseigne :

— Ah ben! C'est encore mon gérant! Il est tannant, lui, ce soir! Tralalilalère!

Pas tralalilalère. *Fuck.*

Son gérant ne s'appelle pas Jeff. Son nom de contact n'est pas Jeff non plus. Il vient de me mentir en pleine face. Faudrait pas prendre des vessies pour des lanternes. Qu'est-ce que je fais? Deux choix: soit je lui avoue mon méfait d'espionnage et il me traite de folle à lier de fouiller dans ses affaires puis on se chicane, soit je passe l'éponge et je lui fais confiance en me convainquant que Jeff, c'est juste personne. Il n'existe pas, ce Jeff. Je suis tellement tannée.

Percevant mon air songeur, Bobby panique :

— Qu'est-ce que t'as encore ? T'es bizarre, tu parles pas...

— Rien, rien... Je suis dans ma tête.

Comme j'ai décidé de passer outre, nous soupons dehors pour profiter du beau temps. J'ignore où j'ai été chercher cette force, mais je parviens à faire semblant assez bien, merci. Digne d'un trophée, je sais.

Ça fait bien deux heures que je suis ici, et il ne m'a toujours pas parlé du chèque. Surmontant ma déception, je me lance :

— C'était une journée importante pour moi, aujourd'hui...

Il me jauge un instant, l'air de chercher ce à quoi je fais référence. Il s'illumine enfin :

— Ah oui ! Ton chèque ! Pis ?

Je lui relate les faits, en lui signifiant que je suis contente.

— Ah ! super ! Je suis convaincu que, plus t'auras de livres sur le marché, plus tu vas en vendre... Je t'avais dit que, la fin de semaine prochaine, je pars trois jours sur la Côte-Nord ?

« Ah oui ? Voir ta deuxième blonde ? », ai-je le goût de lui balancer avec acrimonie. Vous voyez, je suis rendue détraquée à ce point. Au fait ? Pourquoi venons-nous de passer comme si de rien n'était sur une journée aussi importante de ma vie ?

Son cellulaire sonne encore. Je suis frustrée. Je suis insatis-faite. Je suis jalouse.

Il lit le message en diagonale, mais ne répond pas. Comme je bous de rage depuis déjà trop longtemps et que, dans la vie, je suis transparente comme une cascade d'eau de roche, je l'enligne de mon air le plus baveux et m'enquiers :

— C'est qui ? Jeff ?

Il lève des yeux horrifiés vers moi.

— De quoi tu parles ? Euh... T'as fouillé dans mon téléphone ?

— Non, il était ouvert sur la table et je suis passée devant pour aller aux toilettes. C'était pas ton gérant tantôt, c'était un Jeff.

— Jeff, c'est un gars qui a déjà été mon technicien de son... et, de toute façon, j'ai pas à me justifier. Mali, je suis vraiment tanné de tout ça. Sérieusement, je suis à boutte de me faire surveiller tout le temps.

Transparente femme devenue carpe, je fixe la table, muette. J'abonde finalement dans son sens :

— Moi aussi, je suis à boutte..., dis-je en me levant pour partir.

— Mali ? On passait une belle soirée, c'était le *fun*... Pourquoi il faut que tu capotes encore ? C'est rendu que je suis tout le temps sur le qui-vive, je marche sur des œufs pour pas déclencher un autre ouragan Mali, force 5 !

— Écoute, Bobby, une petite voix dans mon cœur me crie que t'es malhonnête avec moi et elle criait pas comme ça avant. Je sais pas ce que tu manigances, mais je sens que c'est mal.

— Tu capotes vraiment, Mali.

— C'est ça, je capote...

— Regarde, prends du temps. Essaie de comprendre pourquoi t'es rendue de même, trouve des réponses. Moi, je sais plus quoi te dire...

Naturellement, c'est ma faute. Il fait toujours ça. JE suis fautive. Il se défile comme une truite dans le Jell-O, et c'est moi qui ai un problème? Au revoir. Le poisson quitte l'aquarium.

Je me dirige vers son entrée en le mitraillant d'un ultime regard froid comme de la glace sèche. Son cell sonne encore. Je secoue la tête de gauche à droite de désolation et je sors rejoindre mon auto, déjà prête à partir.

À Barcelone, scène 4

« Trouve des réponses... »

Où ça? Quand tu ne sais même pas où chercher, ça va mal.

Je fixe d'un regard vide les formes humaines brumeuses qui s'entremêlent dans la rue. Ce fameux soir-là, sur la route en direction de chez moi, je pleurais. Je me sentais manipulée. Exactement comme je me sens, encore aujourd'hui. « On s'est joué de toi, Mali, tralalilalère!! » Peut-être ai-je tort, mais cette petite voix qui crie tout le temps dans mon cœur me trompe-t-elle ou pas? Me semble que les femmes possèdent un sixième sens pour flairer ce genre de situation, non? Est-ce que je délire au point où ma petite voix si précieuse soit toute déréglée?

Ce soir-là, en arrivant dans mon refuge, ne voulant pas rester à la maison à me morfondre, je m'étais changé de vêtements et j'étais sortie. J'avais marché et marché. Je réfléchis mieux quand j'avance. On ne trouve pas de belle piste en forêt près de chez moi, alors je m'étais dirigée vers le bord de l'eau, près d'une petite marina adjacente à un parc.

La fois où j'ai pris ma décision

Le soleil se couche doucement. Je ne sais plus quoi faire. Je suis si malheureuse et je me méprise d'agir ainsi. Ce n'est pas moi. Je ne veux pas le perdre, mais je sens que nous stagnions dans une zone malsaine sans issue. Comme si nous tentions de nous frayer un passage dans une jungle équatoriale dense à l'aide d'un couteau à beurre. En toute objectivité, si c'était n'importe qui d'autre qui traversait ce genre de situation, je lui conseillerais probablement de mettre un terme à cette relation empoisonnée ou du moins de prendre du recul. Mais quand on se trouve soi-même pris dans un tel maelström, c'est différent. Songer à ma vie sans Bobby me déroute. Il constitue un pilier dans mon quotidien depuis si longtemps.

En foulant les dalles de trottoir, je lorgne mes souliers de course. La tête basse comme un basset, mon cœur s'écorche sur le béton. Davantage, à chaque pas que je fais. Pauvre fille. Ai-je toujours été paranoïaque et jalouse sans le savoir ? Pourquoi ma petite voix intérieure se manifeste-t-elle seulement depuis quelques mois, alors ? Devant l'église que je croise, je remarque un grand babillard où l'on annonce l'horaire des messes. Une citation inscrite tout en haut du panneau attire mon attention : « Je veux marcher selon La Parole de Dieu au nom de Jésus ». Je songe : « Justement, j'aimerais bien ça, Lui demander : c'est quoi, mon foutu problème, ces derniers temps ? »

En arrivant près du fleuve, le clapotis des vagues m'apaise instantanément. Mon cœur grafigné s'élève du niveau du sol, juste un peu. L'eau provoque cet effet magique sur moi. « Je dois me recentrer, laisser les choses aller. » Depuis quelques années, je lis beaucoup sur le sujet : le moment présent, la méditation, le lâcher-prise. On est loin de pouvoir m'appeler Mali « Dalaï-Lama » Allison, mais les techniques et les trucs que j'ai développés fonctionnent généralement bien et je me sens plus *groundée*, sauf pour le volet « vie amoureuse ». Résultat nul. En amour, je me sens comme une particule volante ayant de la difficulté à s'enraciner.

Réfléchissons. Logiquement, quel serait le pire des pires scénarios ? Qu'il me trompe, qu'il fréquente une autre femme et quoi encore ? Il ne peut pas entretenir ce genre d'amours illicites pendant des années sans que je l'apprenne par la bande. J'imagine que cette femme-là désirera aussi une relation plus stable, un jour ?

Je m'égare le mental dans l'eau brun foncé qui déferle devant moi : « Si j'étais ma propre cliente dans un bureau de psy, qu'est-ce que je me dirais ? » À haute voix, je me questionne :

— Madame Allison, qu'est-ce qui vous fait le plus souffrir dans cette situation? Qu'est-ce qui crée chez vous ce sentiment d'urgence? Ce besoin si vif de savoir?

Je prends le temps de réfléchir, comme si ma propre question me surprenait. Je poursuis ma consultation en prenant bien soin de tourner la tête vers ma psy fictive:

— Ce qui me frustre le plus, c'est le fait que j'ai l'air d'une belle tarte qui se fait niaiser.

— Aux yeux de qui?

— Euh... tout le monde!

— Donc vous craignez le jugement des autres? Si vous vous préoccupez à ce point de ce que les autres pensent de vous, il est donc question de votre *ego* ici?

— Ouin... Peut-être...

En effet, cette peur du ridicule me fait paniquer. C'est pour cette raison que je veux régler la question au plus vite. Savoir la vérité. Après, viendrait sûrement la peine de la trahison, mais pour l'instant, je le ressens plutôt comme un instinct de survie. Je dois «sauver» quelque chose et au plus vite.

— Il vous faudrait prendre du recul, du temps pour vous...

— Prendre du recul... comme dans partir en voyage? que je reformule en écarquillant les yeux.

Je voyage à vapeur et à compulsion depuis que j'ai dix-sept ans. Or, ma situation financière peu reluisante des trois dernières années m'a un peu brûlé les ailes et je n'ai pas pu quitter le pays. Je dois calculer tout ce que je dépense. J'ai renoncé sans problème à l'achat de nouveaux vêtements ainsi qu'aux sorties au resto, mais ces privations ne sont rien comparativement à celle de ne pouvoir voyager. Ç'a été pour moi un sacrifice douloureux dans ce virage en épingle pour devenir romancière à temps plein. Je m'étais promis que je m'évaderais dès la réception de mon chèque. Cependant, comme me l'a si bien fait sentir le Grand Manitou, il faudrait que je me mette au travail et que j'écrive un autre roman bientôt, ce que je ne veux pas faire en voyage. Trimbaler mon ordinateur et tout mon matériel, c'est trop compliqué. J'affectionne les voyages de brousse qui dépaysent l'âme, ce qui n'est pas trop compatible avec des bagages encombrants.

— Partir où ?

— Je ne sais pas. À vous de voir.

Ma thérapeute a raison, au fond. Je valide aussitôt son point de vue :

— Ouais. Je pars en voyage.

Dans ma vie, les décisions de ce genre se prennent comme ça, vautrée sur un banc de parc de Lavaltrie, en jasant avec un fantôme. Soudainement plus heureuse que triste, je me lève d'un bond.

— Bon, ben, voilà. Bye-bye !

Je remercie le banc thérapeutique d'un signe de tête puis, en gravissant la côte du parc qui mène à ma rue, je songe : « Où est-ce que je pourrais bien aller ? En Asie, encore ? Hum... peut-être. En Amérique du Sud pour un voyage de plongée ? »

Je ne sais pas encore où j'irai me perdre, mais le monde m'ouvre tout grand les bras tout à coup. « En tout cas, pas en Europe, le coût de la vie y est trop cher. De quoi ai-je le plus besoin en ce moment ? Réfléchir en nature ? En montagne ? Il ne faut pas que les conditions de vie soient trop difficiles, par contre, ma vie est déjà assez poche comme ça. » En repassant devant l'église, la citation me frappe à nouveau. « Je veux marcher selon la parole de Dieu au nom de Jésus. » Mes pieds s'immobilisent. Je fixe la pancarte en ayant l'air d'attendre l'apparition imminente du Messie. Ah ouin... Peut-être... Est-ce le bon temps de faire ÇA ? Maintenant ? Déjà ? Hum... Je souris avant de continuer ma route.

Oui, c'est en plein ce qu'il me faut.

À Barcelone, scène 5

Un vendeur itinérant m'offre de jeter un œil à ses montres. Je décline en souriant à moitié. Le soir où j'avais vu la pancarte, celle-ci m'avait bel et bien parlé en m'indiquant où je devais aller me ressourcer en voyage. Je n'avais rien dévoilé aux filles lors du congrès, question de bien réfléchir à mon projet. Ceci dit, ma réflexion a porté fruits en ce sens, car me voici en Espagne, à quelques jours d'entreprendre mon pèlerinage sur le mythique chemin de Compostelle.

Les réactions de mon entourage face à cette aventure hors du commun que je planifiais ont été variées. Personne ne savait trop à quoi s'en tenir.

La fois où j'ai récolté une réaction

— La Compostelle? C'est pas une affaire religieuse de vieux retraités hippies stagnés sur des vapeurs d'acide de l'Expo 67, ça? me demande Sacha, au bout du fil.

Elle se détourne vivement de l'appareil pour discipliner Lucas, son plus vieux:

— Non, non, non! Redonne monsieur Fred à ton frère, maman t'a vu le prendre dans ses mains, mon cœur...

Dans le combiné, j'entends Lucas qui s'oppose ferme à cette intervention, jugée injuste.

— NAAAAAAAAA!

J'adopte un silence commode pour lui laisser le temps de régler l'important litige M. Fred, alias le nombril de ses préoccupations matinales. Réalisant l'ampleur de sa perte à retardement, Théo, son plus jeune, se met alors à crier à pleins poumons comme si Sacha avait conclu que de lui arracher un bras à froid était une solution satisfaisante pour tous.

— Bon, bon, bon... Excuse-moi, quel beau classique! Tout se passe à merveille jusqu'à ce que je parle au téléphone. On dirait que mes enfants sont préprogrammés pour se transformer en petits monstres aussitôt que mon cell sonne[3].

---

3. C'est un principe de base établi par l'Association des enfants tannants du Québec (AETQ). Est-ce que les vôtres en font partie?

— Prends ton temps, mais ne les mutile pas trop en direct au téléphone, s'il te plaît. Autrement, je serai forcée d'appeler la DPJ…

— Non, je vais juste mettre de la nourriture au fond d'un garde-robe pour les attirer, du genre des biscuits pattes d'ours, et je vais refermer la porte. Bang! Techniquement, je les aurai pas battus, *right*?

Elle part affronter sa progéniture avec l'aplomb d'une mère prête à tout pour avoir deux minutes de calme. Je l'entends de loin gérer M. Fred envers et contre tous: «Maman a dit de le redonner à ton frère. Joue donc avec ton tracteur, mon cœur. Hon! regarde le beau camion, broum, broum.»

Elle revient.

— Bon! Aaah! Cibole… Non, non, non, Théo, tu gardes ta couche, on ne l'enlève plus, là!

Se justifiant pour cette nouvelle interruption, Sacha explique:

— Il veut tout le temps enlever sa maudite couche, ces temps-ci, mais il refuse d'aller sur le petit pot[4]. Il en a peur comme si c'était rempli de serpents. Qu'est-ce qu'il faut y comprendre? *Anyway*… Donc, tu disais? Compostelle?

— Oui, j'ai besoin de marcher, je pense.

— Tu t'es encore chicanée avec Bobby?

---

4. Serait-ce un autre principe de base de l'AETQ?

— Ouais, la semaine passée. Je voulais pas vous gosser avec ça au congrès...

— Ça commence à faire, hein?

— Oui, ça commence à bien faire.

— En tout cas, une petite marche de relaxation, ça va te faire du bien. Ça doit pas être trop dur, comme randonnée?

— Je crois pas, non. C'est pas le Kilimandjaro, quand même, donc pas besoin de rien faire de spécial comme préparation, je pense.

— La mère d'une fille à l'hôpital l'a fait l'an passé et elle s'était entraînée à marcher pendant deux mois avec son sac sur le dos et tout... mais bon, elle avait soixante-sept ans.

— Ah ouin? Je connais personne qui ait fait ça, moi. J'ai comme pas de référence.

— C'est dans quel pays? En France?

— Je le sais pas.

— Tu pars combien de temps?

— Je le sais pas.

— Tu pars quand?

— Je le sais pas non plus.

— Ayoye, Mali! Vraiment?! Je te confirme que c'est officiellement le projet le plus flou de ta vie! Tu te surpasses.

— Je t'en parle à l'étape embryonnaire de la prise de décision, c'est pour ça.

— THÉO! Non, non, non! On garde sa couche, MAMAN A DIT! beugle maman Sacha. Ouin, des pattes d'ours garrochées dans le fond du garde-robe, ça marcherait pour vrai, tu crois?

— Bon, je te laisse gérer les couches de tout le monde.

— Mon fils est exhibitionniste, je pense. Bonne chance avec ton projet nébuleux et on se parle bientôt!

— *Love you*, mon amie!

— MAMAN DIT NON!

Puis la ligne coupe.

À Barcelone, scène 6

En me faisant raccrocher au nez par Sacha ce jour-là, j'avais pour la première fois pris conscience des zones grises entourant mon projet. De Compostelle, je ne connaissais que le fait qu'il fallait franchir la distance à pied. J'avais dès lors commencé une recherche d'information sur le Web. À l'aide des cartes qui apparurent, j'avais constaté qu'il existait plusieurs chemins en France, deux en Espagne et un autre au Portugal. Si je partais de la France, le périple serait trop long. En fait, la majorité de mes recherches me ramenaient à un bout de chemin appelé *Camino francés*, situé en Espagne. Sans l'ombre de l'épervier d'un doute, l'itinéraire le plus populaire.

Avant d'entreprendre un tel pèlerinage, je devais toutefois partir de la base et tenter de comprendre qui était ce saint Jacques machin. Un apôtre, oui, mais encore? Mes recherches me révélèrent que, selon le Nouveau Testament, Jésus rencontra l'apôtre Jacques de Zébédée et son frère Jean, tous deux pêcheurs, dès le début de sa mission en tant que fils de Dieu (la multiplication des poissons dans les filets et tout le tralala, ils étaient derrière ça, semble-t-il). Jacques fut parmi les premiers disciples de Jésus, sans compter l'un des plus fidèles jusqu'au jour de l'arrestation de Jésus, moment que choisit l'apôtre pour abandonner son maître et se réfugier dans une caverne pendant des jours. Comme il se terrait, Jacques n'avait pas eu vent que Jésus était ressuscité d'entre les morts le troisième jour. Lorsque l'esprit de Jésus lui apparut – j'ignore combien de jours s'étaient écoulés depuis son exécution –, Jacques alla de par le monde pour répandre la bonne nouvelle. L'apôtre aurait apparemment achevé son périple à Santiago de Compostela, en Espagne, où se trouverait son tombeau. Il ne subsiste bien entendu plus de traces tangibles du passage de Jacques, mais les pèlerins ont adopté le symbole d'un coquillage (coquille Saint-Jacques, pêcheur, allô) en son honneur.

Je comprenais des choses. Je faisais des liens.

La prochaine personne à qui j'allais déballer mon projet fantasque allait me trouver mieux renseignée. J'étais aussi tombée sur le blogue d'une voyageuse bretonne[5]. Elle avait marché trois fois cet itinéraire populaire de l'Espagne. Son blogue regorgeait d'infos intéressantes: il fallait apporter un

---

5. Pour planifier un voyage, les blogues de voyageurs sont un *must*! Explications, photos, trucs, c'est souvent super complet. Je remercie d'emblée tous les gens qui prennent le temps de partager leur expérience avec la cybercommunauté.

sac à dos ne pesant pas plus de 10 % de notre poids ; on devait emporter deux ensembles de vêtements pour marcher et les laver aux deux ou trois jours ; on trouvait facilement de l'hébergement et des restaurants le long du chemin ; il fallait prévoir marcher entre vingt et trente kilomètres par jour, selon notre forme physique. « Notre forme physique ? Il ne faudrait pas exagérer, c'est juste de la marche, quand même… », que je m'étais dit. J'avais même fait quelques calculs à partir de la carte qu'elle avait intégrée à son compte rendu : si je partais pour trois semaines, je parcourrais environ la moitié du chemin. Je n'aurais qu'à y retourner, un jour, pour le terminer. Ça m'avait semblé un bon plan.

J'avais ensuite entamé une navigation sur le site Voyage à rabais[6] pour y entrer les données pertinentes : trois semaines, départ dans deux semaines, arrivée à Barcelone et retour par Madrid. Une fois mes infos lancées dans le moteur de recherche, j'avais fermé les yeux pour faire en secret un pari avec la vie : « Si ce voyage est véritablement ce dont j'ai besoin dans ma vie en ce moment, le coût du billet sera inférieur à 900 $, taxe faramineuse sur le carburant incluse. »

Ce type de marchandage fait souvent partie intégrante de ma prise de décision. Certains diront que c'est farfelu, mais ça a beaucoup de sens pour moi. Ça me permet de laisser les choses suivre leur cours et de ne jamais lutter contre des projets trop ardus. Lorsque je me bute à des embûches

---

6. Non, non, il ne s'agit pas d'un vulgaire placement de produit. Je ne suis malheureusement pas payée pour faire cette pub, je trouve seulement que ce site figure parmi les meilleurs pour acheter des billets d'avion. Surtout si on désire un billet multidestination.

inattendues, je remise le projet compliqué. Je tente de faire confiance à la vie. De croire que ce qui doit arriver arrive.

Après un bref instant d'attente, j'avais ouvert les yeux. Pour seulement 680 $, taxes incluses, l'itinéraire m'offrait en plus l'avantage d'un départ en début d'après-midi, donc pas de nuit de sommeil écourtée en perspective. Voilà. Les dés avaient été jetés. Sans réfléchir plus longuement, j'avais réservé.

Sitôt fait, un *ting* sonore m'annonçait la réception du courriel signifiant que je partais bel et bien marcher une partie de la Compostelle dans moins de douze jours. Hon... Mon regard était resté rivé à la fenêtre devant mon petit bureau et j'avais eu l'impression d'avoir devant moi un trou béant plutôt qu'un panorama de banlieue. Je m'étais répété en boucle: «Je vais marcher le chemin de Compostelle...» Tout s'était fait si vite que j'avais senti la moutarde du doute me monter au nez. «Non, non! Je suis prête et la Vie m'a confirmé que ce pèlerinage est une bonne option pour moi.» Un autre courriel était alors entré sur mon cellulaire. Saisissant mon téléphone pour en prendre connaissance, j'avais constaté qu'il provenait de mon éditeur:

«Bonjour, Mali,

Une erreur s'est glissée dans les calculs pour l'émission de ton chèque de droits d'auteur et j'en suis désolé. Nous te ferons parvenir dès cet après-midi un nouveau chèque de 2 345,28 $. Tu devrais le recevoir au milieu de la semaine prochaine.

Bonne journée!»

L'épiphanie. Doublement merci, la Vie. J'avais du coup bien saisi le message. Je serai *perline*[7] !

En ce moment même, les deux pieds à bon port espagnol, l'idée d'entamer cette longue marche me semble toujours aussi abstraite. Je suis encore bien confuse quant à ce qui m'attend. Tout en méditant sur le banc de parc en bordure de La Rambla, j'observe mes chaussures. Les fameuses chaussures de marche, si importantes pour ce périple. Celles qui me porteront tout au long de la route. Des New Balance vintage 574 gris et vert tendre. Avant même de partir, au moment de choisir ces souliers, on voyait bien que cette aventure ne serait pas de tout repos...

La fois où j'ai douté de mes chaussures

Depuis une semaine, je suis dans les préparatifs de mon voyage par-dessus la tête. Je crois que j'ai presque tout ce qu'il me faut. Même mes souliers. Mais on dirait que je doute encore. Concernant les espadrilles, personne ne s'entend sur les blogues de voyageurs ; les opinions de tous divergent du blanc au noir. Dans les magasins, c'est encore pire. Je vous dresse le portrait :

----

7.   Nouveau terme résultant d'un effet secondaire irréversible d'une romancière de la génération *Passe-Partout*...

Sail: «C'est simple. Pour faire la Compostelle – c'est de la marche, hein, sans escalade ou grosse dénivellation –, donc ça prend une chaussure basse imperméable, donc en Gore-Tex, pour faire face aux intempéries. Marcher les pieds trempés, c'est la galère! On veut un truc léger et confortable.»

La Cordée: «Ça vous prend absolument une botte pour bien protéger la cheville. Les entorses aux chevilles sont fréquentes dans ce genre de défi, il faut donc opter pour quelque chose de bien solide, mais de pas trop lourd. Une barre anti-torsion dans la semelle est aussi essentielle.»

Atmosphère – Sports Experts: «Vous avez le choix entre une botte ou une chaussure basse. Vous préférez quoi, genre? Je vous propose une botte comme celle-ci. Mais une chaussure peut faire l'affaire aussi... Vous pouvez choisir imperméable ou non. C'est comme vous voulez, genre. Je le sais pas trop, en vrai. Je remplace un gars qui est pas rentré travailler à matin parce qu'il a viré une solide brosse hier soir avec une fille qu'il venait juste de rencontrer sur Tinder. D'habitude, je suis dans le département des équipements sportifs. Avez-vous besoin d'équipements sportifs, genre? Raquette? Hockey?»

Well... J'ai finalement choisi de partir avec une paire d'espadrilles que je possédais déjà à la maison. Instinct de *perline*.

À mon retour bredouille des magasins, je décide d'arrêter voir Bobby. Nous nous sommes à peine envoyé deux ou trois textos vides de contenu depuis notre dernière chicane. Comme si nous n'avions même plus la force de faire des efforts pour avancer dans la jungle, ne serait-ce que de quelques mètres. Malgré tout, je dois tout de même le mettre au parfum de mon départ plus qu'imminent.

— Ah ouin, Compostelle? C'est pas juste pour les personnes âgées en rémission d'un cancer, ça? me demande Bobby, mi-figue, mi-raisin.

— Hish, t'en connais beaucoup, des vieillards qui marchent sept cent cinquante kilomètres, toi? Non, je pense pas. En fait, j'ai planifié mon affaire un peu vite.

— Assez, oui. Tu m'en avais même pas parlé, me reproche celui-ci, un peu sous le choc. Combien de temps tu pars?

— Trois semaines.

— Eh ben... Je t'admire, de faire ça. Ça va te faire du bien.

Quoi? Ça va *me* faire du bien? C'est vrai... parce que c'est moi qui ai un grave problème. C'est ma faute si notre couple stagne au milieu de la brousse. «Les messages textes pas clairs, les mensonges, les bouteilles de vin qui traînassent çà et là... je suppose que j'en suis responsable? Et ton air distant, lui? De ma faute aussi!?»

Je ne peux m'empêcher d'échapper une platitude informelle:

— Oui, certain, j'espère bien régler MON gros problème d'insécurité.

Il me mitraille de ses yeux les plus courroucés, avant de secouer la tête de découragement. Le soupir qu'il expulse ensuite est digne de faire tourner une éolienne à plein régime pendant vingt-cinq ans. Son attaque non verbale m'inspire justement une réplique:

— Tu sais quoi? Considère-toi libre comme l'air durant mon voyage. Fais TOUT ce que t'as envie de faire, Bobby.

— Pourquoi tu dis ça, là?

— Parce que je suis plus bien et toi non plus. ON est plus bien ensemble. Je trouve que ç'a assez duré.

— Regarde, Mali, pas besoin de prendre de décision hâtive ni de dire quoi que ce soit que tu pourrais regretter. Va marcher. Je suis certain que tu vas trouver tes réponses. On verra pour la suite à ton retour.

Encore *mes* réponses? Et puis, «on verra» quoi? Les hommes... leurs opinions vagues... Nous, les filles, avons besoin de statuer les choses, de nommer les relations et de nous asseoir sur des certitudes pour être bien. La balance doit pencher à gauche ou à droite, pas vaciller au milieu de nulle part dans le néant sans que l'on sache de quoi il retourne. Je voulais partir en voyage en ayant l'esprit tranquille face à ma situation: Bobby et moi, c'est de l'histoire ancienne ou pas? Je m'arrête ou je continue? Un des deux. Pas «on verra à ton retour». Je sais, tout ça fait partie du lâcher-prise, de ma capacité à laisser la vie bien faire les choses et à faire confiance. Misère. Ce n'est pas facile d'y arriver. Selon Bobby, je devrais partir sans me poser de questions, puis savourer le moment présent sans me casser la tête.

— Je veux que tu partes là-bas sans te poser mille et une questions, me balance-t-il.

Voilà, vous voyez? Je le savais. Il renchérit:

— Tu penses toujours trop, Mali. On est pas obligés de toujours réfléchir et analyser TOUT dans la vie.

Il touche là une autre corde sensible, car ma tendance à suranalyser chaque parcelle du quotidien est un sujet de litige récurrent dans notre vie de couple désastreuse: «Tu penses trop, Mali...» Comment faire pour arrêter? Est-ce là un comportement typiquement féminin? C'est tannant, en tout cas. Les hommes réfléchissent pourtant autant que nous, mais de manière différente, je crois; ils songent à des choses rationnelles, à du concret. Ils restent ancrés dans l'ici et maintenant, dans leur environnement immédiat. Nous, les femmes, on spécule, on élabore, on analyse, on conclut, on déconclut[8] et on extrapole les raisons du pourquoi et du comment... Pendant ce temps, nos chums songent à la clôture croche du voisin. «Il a laissé un jour, il faudrait la *chimer* avec un dix pouces de deux par quatre, sinon son terrain va s'affaisser au dégel du printemps.» Comment voulez-vous qu'on se comprenne, bon sang?

Comme je ne dis rien, Bobby poursuit:

— Va marcher, profites-en et on se parle quand tu veux.

Il semble content, voire soulagé. Intérieurement, je fulmine: «On sait bien, tu vas pouvoir recevoir des textos de "pas Jeff" sans te faire harceler et boire du vin blanc avec je-ne-sais-qui pendant trois semaines! *Party!*»

Son cellulaire choisit ce très mauvais moment pour retentir. Encore et encore. Anéantie par la récurrence de ma lassitude, je me lève pour mettre fin à notre discussion. Après

---

8. Du verbe «déconclure», qui signifie «revenir sur une conclusion immédiatement après l'avoir élaborée» ;)

une accolade brève et exempte de toute chaleur, je quitte les lieux sans me retourner. Tandis que je regagne ma voiture stationnée – encore – de reculons, je ne peux m'empêcher de me demander si je reviendrai un jour ici, chez lui. Notre belle aventure peut-elle vraiment se terminer de façon aussi *drabe* et peu émotive?

Il paraît que je m'en vais trouver des réponses...

À Barcelone, scène 7

Toujours positionnée tel *Le Penseur* de Rodin sur mon banc barcelonais, je songe à cette dernière rencontre avec mon amoureux des dernières années. Un échange sans aucune chaleur. Ordinaire rare, pour tout dire. Je pense que j'aurais préféré prendre part à une scène d'assiettes qui volent en l'air à l'italienne. Mais non. Rien. Notre caduque accolade de départ ressemblait plutôt à une étreinte maladroite entre deux voisins de palier s'étant croisés à peine trois fois dans l'ascenseur de l'immeuble.

Et c'est ainsi que je me suis retrouvée ici, une angoisse bien crochetée au cœur, plus du tout certaine de ce que je suis venue chercher, au juste, sur ce foutu chemin inconnu. Je me sens perdue. Vide. Le sentiment d'insécurité profonde qui m'habite me rappelle la protagoniste du film visionné la veille de mon départ.

La fois où Reese Witherspoon m'a inspirée

Geneviève, qui est venue chez moi pour me dire au revoir, me coupe la parole comme seule une amie de toujours peut le faire :

— Mali ? Je m'en fous comme l'an quarante de ton Saint-Jacques-chose et de la multiplication des maudits poissons !

— Non, mais le symbole du coquillage est inspiré de ça ! C'est *hot* pareil, hein ?

— Je ca-po-te... (soupir) As-tu tes souliers, finalement ?

Je lui désigne du menton les New Balance qui reposent sur le tapis de mon entrée.

— C'est pas des souliers de pèlerinage, ça !?

— Personne s'entendait sur ce qu'on doit chausser pour marcher Compostelle, donc tant pis, j'emmène ceux-là. Je les avais déjà, donc je sais qu'ils sont super confortables et beaux en plus.

— La priorité reste d'être *cute* en tout temps, oui, mais... Je trouve ton projet vraiment broche à foin, mon amie. Montre-moi ton sac.

Comme pour la convaincre du sérieux de ma démarche, je lui présente mon petit sac que je n'ai pas terminé de remplir, mes articles de voyage reposant pêle-mêle sur le divan à proximité.

— C'est mini... Apportes-tu juste ça ?

— Je sais, j'ai rien. C'est ça le but, de voyager ultra léger.

Elle marque une pause. Je farfouille dans mes effets avec nonchalance.

— Comment te sens-tu?

— Bien, mal. J'ai hâte, j'ai peur. Je sais, je sais plus...

— Crime! C'est vraiment clair à tous les niveaux, ton affaire.

— Non, c'est pas clair, t'as raison. Autant j'ai voyagé partout dans le monde dans des endroits perdus, autant je me sens insécure même si je pars juste en Europe. J'ai l'impression de vraiment sortir de ma zone de confort. J'ai aussi peur que mes genoux suivent pas.

— Ouin...

Ayant fait beaucoup de jogging dans ma jeune vingtaine, mes articulations sont devenues capricieuses. Mauvaise technique. Aussitôt que j'effectue une descente, aussi minuscule soit-elle, mes genoux se rebiffent. Ça fait mal, vous savez, juste dans le croquant du milieu... Lors d'un périple en Inde il y a quelques années, j'avais visité une mosquée qui se trouvait en haut de quatre cents marches. Pour la montée, tout roulait. Au moment de descendre, après environ trente marches, mes genoux s'étaient mis à élancer sans bon sens. J'avais terminé l'excursion clopin-clopant en me tenant sur la rampe comme on s'agrippe au mât d'un radeau en haute mer. Pour éviter de souffrir d'un pareil handicap lors de la Compostelle, j'ai décidé de passer outre les trois premières étapes situées dans les Pyrénées au début de ce *Camino francés* afin de partir directement à Puente la Reina, une ville à plus basse altitude. Je débuterai donc à la quatrième étape suggérée dans mon livre[9].

Un message texte entre sur mon cellulaire :

> Je te souhaite un très beau voyage, Mali. Prends du temps, pense à toi et qui sait ce que la vie nous réserve ! ! J'ai la foi ! Gros becs ! Ton Bobby xxxx

Bon, c'est quoi, ce message ? Pourquoi cet intérêt soudain envers la fille qui s'en va à l'autre bout du monde – la même fille qu'il ignore royalement quand elle passe son samedi soir en face de lui ? C'est rempli de remords, son affaire. Ça pue l'indécision jusque dans mon salon. Bobby m'a toujours témoigné beaucoup d'affection chaque fois que je quittais le pays. Un beau classique masculin – le fauve pourchassant la proie qui échappe à ses griffes pour courir en toute liberté dans la savane.

Après quelques heures, Ge met fin à sa visite en me serrant très fort dans ses bras.

— Bon voyage, ma belle, et donne-nous des nouvelles !

— Oui, merci ! Je t'aime !

Après avoir terminé mon sac de façon sommaire, je me coule un généreux verre de blanc puis j'échoue en baleine sur

---

9. Jean-Yves Grégoire, *Guide du Camino Francés*, Grenoble, Rando Éditions, 2015, 159 p.

le canapé. Je compte écouter un bon film pour me changer les idées. Je pars demain en début d'après-midi et mes parents tenaient mordicus à venir me reconduire à l'aéroport. Je parcours la sélection de films disponibles pour location. Une image attire mon attention : Une fille, Reese Witherspoon portant un sac à dos en gros plan, devant un paysage sauvage... Le titre : *Wild*. C'est quoi ça ? Je ne connais pas. Sans trop réfléchir, je le loue.

Pigeant un ultime mouchoir dans la boîte près de moi, je souffle dedans et mon nez joue de la trompette mouillée. Wow. Ce film relatait l'histoire d'une fille ayant marché mille sept cents kilomètres sur la côte Ouest des États-Unis à la suite de l'échec de son couple. Euh... je me sens comme légèrement interpellée par le synopsis. C'était un choix de film très judicieux pour la veille du grand départ. Quoique la scène où elle s'arrache un ongle d'orteil me revient en tête et me fait frissonner d'horreur. « Misère ! J'espère que ça ne m'arrivera pas. »

Le périple semble toutefois changer sa vie. C'est remarquable. L'espoir m'étreint.

J'assèche un troisième verre de vin en songeant à tout ça. Est-ce que ce périple changera aussi ma vie ? Tous les témoignages sur les blogues affirment que la Compostelle constitue une expérience transcendante. À ce point-là ? J'ai déjà vécu plusieurs voyages hors du commun qui ont influencé ma vision de la vie, ma compréhension du monde, mon altruisme, ma tolérance... mais aucun n'a littéralement changé ma vie. Mon tout premier voyage a un peu bousculé mon existence, car il m'a donné le goût de partir à l'aventure à tout moment. Ceci dit, chaque fois que je reviens d'une longue excursion, je me sens différente pendant un temps, remplie de couleurs, d'images, d'odeurs, d'émotions, mais avec le temps qui passe, je finis toujours par réintégrer ma vie normale sans chamboulements particuliers.

« Est-ce possible qu'un voyage change toute une vie ? »

J'en doute.

La voiture n'a pas le temps de s'immobiliser devant le terminal que je sors d'un bond fébrile, prête à quitter le pays pour cette nouvelle aventure. Mon minisac sur les épaules, j'examine mes parents qui s'extirpent avec lenteur de l'habitacle. Ma mère grimace un peu. Mon père renifle.

— Mais non, mais non. Je vous l'ai dit : vous êtes habitués de me voir partir et ça vous fait rien. Vous êtes heureux !

— Mais là…, rouspète ma mère en m'enrobant de tendresse maternelle.

— Ce voyage-là est différent…, débute mon père, qui fait semblant d'enlever une poussière du réseau routier montréalais de son œil.

C'est curieux, mes parents aussi ressentent que ce voyage-ci se distingue de mes évasions précédentes. Intéressant.

— Je vous aime et je vous donnerai des nouvelles trèèèès bientôt !

— On t'aime…, gémit ma mère en m'enlaçant dans une ultime accolade.

Je tourne les talons de mes espadrilles vers les grandes portes tournantes pour pénétrer dans le terminal. Je jette un ultime regard vers mes chers parents qui entrent la tête basse dans la voiture, l'air d'être venus me larguer à la morgue pour mon dernier repos. Ils sont adorables. Il faut dire que leur progéniture s'éparpille souvent de par le monde ; leur aîné est présentement perdu dans une mine d'or au Burkina Faso et leur cadette s'aventure dans un ambigu voyage de coquille Saint-Jacques.

Une fois dans le terminal, je m'immobilise. STOP. Conscience du moment. Une voix monocorde annonce : « Dernier appel pour l'embarquement du vol 846 de Air Canada à destination de Paris. Tous les passagers doivent maintenant être à bord. » Un groupe de Marocains qui zézayent tous en même temps passe près de moi. Un enfant tenant la main de sa mère lui demande : « Papa va voler dans le ciel, maman ? ». Le regard cafardeux, elle lui répond en dissimulant difficilement son angoisse : « Oui, mon grand, papa part en avion ! » Un employé basané fait tournoyer sa vadrouille sur le linoléum collant, près de la poubelle où quelqu'un a renversé une boisson gazeuse. L'aéroport grouille à l'image d'une fourmilière frétillante un premier juillet. Certains semblent savoir ferme où ils s'en vont, tandis que d'autres déambulent, le nez dans les airs, à la recherche d'un repère visuel qui confirmera qu'ils ont emprunté la bonne voie. Les planchers lustrés sous les souliers qui le foulent m'éblouissent. Le son des valises qu'on tire, pousse, traîne avec empressement dans tous les sens me grise.

Debout au beau milieu du tourbillon humain, je ne sais pas où me diriger. À gauche, à droite, peu importe. Ma seule certitude reste que mon petit sac à dos, mes New Balance gris et vert, ma coquille Saint-Jacques de plastique et moi, nous partons. J'ai lu une citation sur un blogue la semaine dernière. En parlant de la Compostelle, l'homme expliquait : « Le poids du sac du marcheur équivaut à la somme des peurs de celui qui le porte. » Je dois donc trouver le comptoir d'enregistrement de ma compagnie aérienne afin d'y déposer douze livres et demie de peur à destination de l'inconnu.

À Barcelone, scène 8

Décidément, les bancs me sont propices à l'introspection. J'ai besoin de me secouer les puces et de changer d'air en allant manger une bouchée. J'ai découvert un superbe port hier et je compte bien retourner au même endroit. Tant pis pour l'originalité. Je vais aussi tenter d'écrire un peu, question de pondre le fameux plan de mon prochain roman. Il me faudrait d'abord trouver l'idée du siècle. Une histoire d'amour, c'est toujours populaire, non ? À des kilomètres à la ronde de ma réalité, par contre.

Hum... Qu'est-ce que les gens aiment lire, au juste ?

La fois où un miracle s'est produit à YUL

Comme j'ai passé tous les contrôles de sécurité en un clin d'œil et qu'il me reste un peu de temps à patienter avant mon vol, j'erre parmi les boutiques hors-taxes et hors de prix, désœuvrée. Face à un kiosque à journaux, je remarque avec ravissement qu'un de mes romans trône bien en évidence à la tête du présentoir de livres francophones. Il s'agit de mon petit dernier, celui qui vient tout juste de paraître. Je le contemple avec admiration comme une maman toisant sa fille à son spectacle de danse de fin d'année. Je fixe ma progéniture, fière de la voir là, toute belle, toute droite, toute prête à être lue par un voyageur durant son périple. Je sors mon cellulaire pour prendre une photo de ma fille à son spectacle. Une, deux, trois. *Cheese*. Elle se tient sur la scène, courageuse, aux côtés de ses amies Sophie Kinsella, Amélie Nothomb et Guillaume Musso. J'envoie la photo par message privé à ma mère. Sa grand-maman n'a pas souvent la chance de la voir se produire en spectacle.

C'est alors que *le* miracle se produit. Un miracle inouï auquel aucun parent ne s'attend. Une intervention divine dont on rêve, mais qui ne se produit jamais.

Une fille et son chum s'approchent du présentoir de livres. Le gars manifeste un intérêt d'environ dix secondes consécutives à l'égard des bouquins présentés et il rebrousse chemin vers le mur de magazines situé près de l'entrée du magasin. Sa blonde, par contre, prend ma fille dans ses mains pour examiner le dos de sa robe. Oh. D'instinct, je déguerpis presque en courant. Comme si je voulais éviter qu'elle me reconnaisse et que ça crée un malaise, je me réfugie derrière le présentoir de noix. J'observe de loin ma fille courtiser la dame. Étrange. Celle-ci redépose ma descendance sur la pile. Ah bon. Elle n'aimait pas la jaquette, finalement. Pas grave. Je continue de faire semblant de magasiner des peanuts. La cliente poten-tielle complète sans hâte un tour du présentoir, puis elle saisit de nouveau ma fille pour la ranger dans le creux de son coude comme si elle avait résolu de l'acheter. Hooon... Je suis littéralement sur le qui-vive, comprimant avec angoisse un sac d'amandes et un autre d'arachides salées entre mes mains pour canaliser mon trop-plein d'émotions. La Vietnamienne à la caisse, me voyant ainsi en train de stresser à mort quant au choix de ma future collation, s'informe :

— Tout va biène, madame ?

— Hein ? Oui ! Oui ! Manger des peanuts, ça déniaise ! que je lui balance en levant mes sacs et en appuyant mon propos d'un air extasié complètement inapproprié.

Elle m'adresse un regard irrésolu digne d'une nouvelle immigrante à son premier cours de francisation. Ses yeux confus s'étirent au point de ne devenir que deux fentes agrémentées de cils.

Mon émotion ardente est maintenant due au fait que la voyageuse est allée rejoindre son chum toujours avec... ma fille coincée sous son bras. Seigneur. J'ai chaud. Peut-être la balade-t-elle simplement dans le magasin en guise de divertissement ? Non. Je crois vraiment qu'elle va l'acheter. Hormis dans les salons du livre, c'est la première fois de ma jeune carrière d'auteure que je suis témoin en catimini de l'achat d'un de mes romans. Est-ce que je devrais me présenter pour lui proposer de dédicacer son livre ? Est-ce que ça ferait trop prétentieux ? Imaginons que j'accoste ma future lectrice, trop confiante : «Allo ! C'est mon livre, tu veux que je te le signe ?» et qu'elle me réponde : «Ah non, je voulais juste montrer à Jean-Christophe à quel point l'histoire a l'air ultra mauvaise...»

(Bruit de criquet...)

En même temps, je meurs d'envie de lui souhaiter «Bonne lecture!». Bon sang. Que dois-je faire? La Vietnamienne qui me mire toujours de biais semble se demander ce que je fabrique dans le coin gauche du magasin à espionner ce couple, des sacs de noix dissimulés dans les mains. Elle ne se doute pas une minute de l'importance du moment que je vis, la pauvre.

Le gars arrête enfin son choix. Une revue sur l'entraînement en gymnase: un corps de rêve en sept jours, trente-six étapes faciles (mon œil, oui). Sa blonde fait quelques pas vers la caisse, ma fille toujours lovée au creux de son bras. Il lui reste encore quelques mètres à franchir pour atteindre la caisse et officialiser la transaction. Elle pourrait encore changer d'idée et choisir un essai pratique sur la confection de cabanes d'oiseaux favorisant l'émancipation des mésanges à tête noire en saison hivernale, par exemple. Ça l'intéresse peut-être? Elle avance et dépose mon enfant sur le comptoir. La Vietnamienne la revire de bord (le roman, pas la lectrice) et lui scanne le code-barres fessier. *Oh. My. God.* Je voudrais que le Coiffeur numéro 2 me refile son sac de papier brun pour respirer dedans. C'est un peu irréel, toute cette histoire. J'aurais envie de partir en vacances avec elle juste pour m'asseoir à ses côtés afin de la regarder me lire. Pendant qu'elle paie avec sa carte bancaire, la Vietnamienne me lance un ultime regard oblique, l'air de planifier d'appeler la sécurité illico après la transaction en cours afin de dénoncer la présence d'une fille louche, plantée là, l'air troublé, qui vandalise des sacs de noix. La cliente accepte un sac de plastique et elle y glisse elle-même ma progéniture. Elle quitte les lieux en empoignant la main de son chum (qui sera musclé comme un adonis dans sept jours). Que dois-je faire? Je voudrais au moins la remercier...

Je me dirige sans trop réfléchir vers le couple qui s'apprête à gagner la sortie.

— Euh... excusez-moi, que je balbutie, sans aucune confiance en moi.

Ils ne se retournent pas.

«Parle plus fort, Mali. Assume-toi, t'es capable.»

— Excusez-moi?

Ils se retournent enfin. Comme j'ai franchi un peu la limite du magasin, la Vietnamienne accourt vers nous, les baguettes en l'air, convaincue de démanteler ici un sérieux réseau de brigandage de peanuts.

— IL FAUT PAYER, MADAME! me crie-t-elle, ses fentes à cils maintenant en panique.

— Oui, oui, je reviens! Je voulais juste parler à...

Sans ménagement, elle m'arrache les sacs des mains – constatant du coup leur état lamentable – puis elle retourne à la caisse pour les poser devant elle en me faisant signe de venir les payer. Je lève un doigt au ciel (pas celui que vous pensez) pour lui signifier «une minute». Le couple me dévisage alors comme si j'avais un bras canadien en plein front, les deux voyageurs qui le composent semblant se demander à l'unisson: «Pourquoi diable la cambrioleuse de peanuts veut-elle nous parler?»

Maladroite, je lui désigne son sac en disant:

— C'est pour le livre...

Elle serre un peu son sac contre elle, croyant sans doute que je souhaite le lui faucher aussi. Misère. Ça se passe très mal, mon projet.

— Ton roman, j'espère que tu l'aimeras. Je voulais te remercier.

— Tu travailles ici ?

— Non, non, je connais l'auteure...

Pas tellement clair, mon affaire. J'ai encore plus chaud...

« Allez, Mali, t'es capable. »

Dans les limbes face à mes propos décousus, ma future lectrice tente d'apporter une précision :

— Tu veux dire que tu as déjà lu du Mali Allison ? Ou que tu connais l'auteure personnellement ?

— Non... euh, oui... Bien, oui en fait... c'est moi ! que je finis par bégayer, au bord du gouffre de la honte et prête à me jeter dedans.

La fille me toise un instant. Elle extirpe son roman du sac pour valider que la pillarde d'arachides ressemble bel et bien à l'écrivaine figurant sur la photo à l'endos du livre, puis elle s'époumone, hystérique :

— AH MON DIEU !!

La Vietnamienne, perdue comme jamais, épie la scène de loin.

— J'AI LU TOUS TES LIVRES ! beugle la fille.

— Merci! Veux-tu que je te le signe?

— AH OUI!!! puis elle regarde son chum, le visage illuminé.

Je retourne auprès de la caissière en déroute pour lui demander un crayon. Elle me le tend avec prudence, n'assumant pas sous toutes ses facettes le risque non négligeable que je déguerpisse avec. Je dédicace le livre de Julie, qui part pour Cuba; son premier voyage dans le Sud.

— Est-ce que je peux prendre une photo avec toi? demande ma chouette lectrice.

— Oui, oui!

Nous nous installons et son copain nous vise avec sa caméra. Je constate alors dans mon angle mort que la Vietnamienne, armée de son cellulaire et comprenant qu'il se trame quelque chose d'inhabituel, ne rate pas cette occasion importante.

Après des encouragements chaleureux de la part de ma lectrice qui me demande de continuer à écrire longtemps, je lui serre la pince d'une main moite. Elle me glorifie: «T'as fait ma journée». En réalité, c'est elle qui a fait la mienne, et de loin à part de ça. Elle s'en va. Je retourne dans le magasin en volant (avec des ailes, là, pas comme dans voler de la marchandise de détail).

La Vietnamienne ne sait plus du tout comment gérer le dossier des noix écrabouillées par une potentielle personnalité publique qu'elle ne reconnaît même pas. Je choisis bien entendu de les payer afin de m'acheter une bonne conscience et de rétablir l'équilibre dans l'Univers. La transaction complétée, elle me demande de poser pour une ultime photo. Je reste debout devant le comptoir et je lui souris. C'est bizarre. Je fais demi-tour en abandonnant les sacs sur le comptoir. Je n'aime pas vraiment les noix.

La fois où j'ai été inspirée dans l'avion

Environ une heure plus tard, je suis à bord de l'appareil qui me portera jusqu'à ma nouvelle aventure. Je dois me rendre tout au fond de l'avion, car mon siège côté hublot est celui de la dernière rangée. Confidence de grande voyageuse : pour obtenir un hublot, je serais prête à faire des jambettes aux autres touristes tout en simulant être atteinte de la souche la plus sévère du Zika, question d'éloigner quiconque oserait convoiter mon espace. Je veux avoir une vue, bon. Et, à un niveau plus technico-pratique, je désire m'accoter la tête. Somnoler la tête dans les nuages. Pour tout dire, je ne comprends pas les passagers qui choisissent, volontairement, de s'asseoir au centre. « Ah oui ! Je veux tellement être prise en sandwich entre deux étrangers – potentiellement nauséabonds – pour douze heures et devoir me battre pour l'accès à un accoudoir ! » Tous des détraqués.

Le pire scénario de l'univers reste tout de même celui où l'on doit prendre place sur un siège du milieu dans une rangée au centre de l'appareil. Misère. Pour moi, ce serait une raison valable pour passer le vol au complet enroulée autour du bol de plastique dans les toilettes qui puent. Lorsqu'on visite l'Asie, on tombe souvent sur un type d'aéronef qui comporte cinq sièges dans la rangée centrale. C'est donc dire que l'on doit déranger minimum deux personnes pour aller se vider la vessie. Si un jour j'étais prise avec un tel siège, je crois bien que j'annulerais tout bonnement mon voyage. «Bon, écoutez, je cède ma place. Je vais m'y rendre à pied, finalement. Ouvrez la porte, je saute sur la piste. *Ciao! Bye!*»

En contournant telle une couleuvre les gens qui enfouissent effets personnels et valises dans les soutes, j'aperçois mon siège désigné dans la queue de l'avion et je constate qu'une fille est déjà installée dans le siège voisin du mien, donc donnant sur l'allée. Elle se lève pour me permettre de m'installer, puis nous vivons ensuite le malaise classique du voisinage d'avion. On se sourit peu, on ne prononce pas un mot, chacune se disant probablement: «Je veux pas trop lui parler, pour pas qu'elle pense que je m'*over*-cherche des amis.» La peur du ridicule, du jugement; on se laisse mener par ces craintes plus souvent qu'autrement dans la vie. Est-ce bien ou mal? Je ne sais pas.

«Je me demande où elle s'en va.»

En vérité, je suis bien solitaire dans la vie, mais j'aime tout de même les gens. Ceci dit, je tente de décoder son langage non verbal. Si elle me referme la porte au nez avec des signes précis, je la laisserai tranquille.

«Pourquoi voyage-t-elle? Plaisir? Affaires?»

Les histoires de voyage de tout le monde me passionnent et l'histoire de cette jeune femme qui part pour l'Europe en solo, tout comme moi, m'intéresse d'emblée.

Comme elle ne semble pas démontrer de signe de ferme-ture évident, je me lance:

— Tu t'en vas où ?

— En Allemagne, toi ?

— Je transite par Francfort, mais je continue vers l'Espagne après.

Petit silence. Comme il n'est ni trop ample ni trop lourd, je poursuis :

— Tes vacances d'été ?

— Oui, je m'en vais rejoindre des amis là-bas pour deux semaines.

— Ah, c'est le fun !

Elle me questionne ensuite en retour et je lui largue mon histoire floue de pèlerinage sur Compostelle peu préparé. Tandis que je déblatère un passage pédagogique concernant l'apôtre Saint-Jacques, elle me sourit. Suis-je trop intense avec mes acquis informatifs religieux ? Je commence à penser que je suis la seule au monde passionnée à ce point de connaître les origines de la coquille Saint-Jacques.

— Moi, c'est Janie !

— Mali !

La glace est brisée. Elle me raconte les grandes lignes de son parcours, son histoire. Plus jeune que moi, Janie est infirmière de métier. Elle travaille au bloc postopératoire et est originaire de Montréal. Je lui raconte à mon tour quelques parcelles de ma vie.

— Wow! T'es auteure?! Dommage, je te connais pas. J'ai jamais le temps de lire[10]...

Imaginez si je m'étais retrouvée avec une lectrice comme voisine d'avion. Je serais bien morte d'une syncope, la tête dans les nuages.

Comme si le fait de discuter avec une romancière venait de lui donner le goût de se livrer, elle hésite un peu avant de pivoter torse, épaules et tête vers moi. Un signe évident de confession imminente... Mon œil de lynx attentif la scrute telle une petite proie bien grasse de potentielles anecdotes savoureuses.

— En vérité, je m'en vais pas rejoindre des amis. Je m'en vais voir UN ami, qui n'est pas vraiment juste un ami...

— Aaaaah... Un ami de ce genre-là, oui.

Elle roule des yeux jusqu'au compartiment de bagages au-dessus de nos têtes, puis elle souffle avec la bouche comme si son comportement la décourageait à mort. Pourquoi ai-je autant le goût de la bombarder de questions indiscrètes tout à coup? Parce que les histoires d'amour, nous, les filles, nous aimons très-vraiment-beaucoup-à-la-folie ça, voilà tout. Assumons notre voyeurisme affectivo-fémino-collectif (ouf, c'est presque lourd comme qualificatif).

— Je veux tout savoir: où, quand, comment, pourquoi?

---

10. Avoir le temps de lire n'existe pas... Il faut juste le prendre, le temps. Comme toi en ce moment.;)

Elle rigole avant d'expirer à nouveau en arborant mainte-nant l'air d'une fille sur le point de se faire hara-kiri au beau milieu du cercle que les agents de bord forment derrière nous alors qu'ils se racontent leur week-end. Mon Dieu que ç'a l'air compliqué, c'est-à-dire croustillant.

— Si tu savais à quel point ma vie serait plus simple si j'étais tombée amoureuse d'un gars du Québec, débute-t-elle en effectuant ensuite la moue molle et tendre de la fille la plus en amour de la planète, annulant du coup la connotation négative logée sans conviction dans son propos.

Janie a rencontré ZE mec lors d'un voyage au Guatemala, il y a un an et demi. Elle voyage beaucoup, la belle Janie, et à la façon routarde en plus. Topo rapide : Guatemala, ZE gars, boum ! L'amie-voyageuse accompagnant Janie part ensuite de son côté pendant que celle-ci reste avec ZE pendant deux semaines. Pif ! Paf ! Pouf ! Le cœur leur vire à l'envers chacun leur tour et voilà le travail. Ensuite, retour chacun chez soi, snif, snif, snif, suivi de Skype, Skype, Skype... « Je t'aime, je m'ennuie, je pense à toi tout le temps. Mais qu'est-ce qui nous arrive ? » Quel merdier. Tout le monde en a jusqu'au cou. Deux mois plus tard, Janie le rejoint en Allemagne pour dix jours. Re-boum ! Retour, re-snif, snif, puis re-skype, skype... « Je t'aime encore plus qu'avant. Zut, on fait quoi ? » Et ainsi de suite jusqu'à aujourd'hui, un an et demi plus tard.

— Et là, c'est la troisième fois que je vais le voir et il est venu au Québec deux fois. On en est là, mais c'est pas simple... et assez dur sur le portefeuille.

— Penses-tu un jour aller t'installer là-bas ? Infirmière, tu peux travailler partout.

— Voilà le nœud du problème. Je suis super proche de ma famille et, des fois, je me dis que je ne pourrais jamais déménager si loin. Pour lui, c'est pareil, on sait donc pas trop quoi faire. Je veux avoir des enfants, et lui aussi, mais chacun se dit que jamais on pourrait élever nos enfants loin de notre famille.

— Ouin...

— Cette fois-ci, on va se voir juste deux semaines. Mais la prochaine fois, au mois d'octobre, on partira ensemble pour deux mois en voyage. J'ai demandé un sans solde à l'hôpital. Ce sera une bonne façon de voir si on est vraiment bien ensemble, plus que durant deux semaines, tu comprends?

— Bonne idée. Je crois que de voir quelqu'un qu'on aime par tranches d'une semaine ou deux, c'est une chose, mais deux mois d'affilée, c'en est une autre.

En l'écoutant, je réfléchis « L'amour à distance. Rencontrer un homme d'un autre pays et déménager là-bas. »

Hish.

Il y a quelques années, lors d'un hiatus dans ma relation avec Bobby, j'ai vécu une amourette avec un Européen très blond lors d'un séjour au Honduras. Steven était un type très mignon avec qui j'ai partagé certains beaux moments (pas tous). C'était chouette, mais au niveau de la langue d'usage, ce n'était pas toujours évident. Parler pour déconner avec quelqu'un, c'est aisé, mais échanger sérieusement, dans le sens de « nous sommes un couple et parfois les discussions ne vont pas toujours bien », ce serait assez complexe pour moi dans une langue autre que ma langue maternelle. Il n'y a pas eu de suite comme telle à notre aventure ; nous sommes amis Facebook, nous nous donnons parfois des nouvelles, mais sans plus. J'aimais bien ce gars, mais jamais au grand jamais je n'aurais considéré notre histoire sérieuse au point d'envisager un déménagement où que ce soit dans le monde. Ce genre d'idylle est pour moi voué à l'échec, parce que mon côté rationnel et cartésien garde toujours un droit de regard sur mon cœur.

— Donc, voilà. Quand je te disais que c'est pas évident, tu comprends. Avoir le choix, je vivrais pas ça. Mais je l'aime. Belle galère...

Elle ne considère donc pas sa situation comme un choix ? L'amour ne se contrôlerait pas à ce point ? Je pense que je suis décalée du concept « tomber en amour », après toutes ces années passées auprès du même homme. Je me souviens que c'est fort comme sentiment, mais c'est un peu vague.

On jase ainsi une bonne partie du vol en mangeant un repas « *pasta or chicken* », verre de vin en plastique à la main. En regardant l'heure, je proclame :

— Mon Dieu ! Il reste juste trois heures de vol.

— Ouais. J'ai travaillé cette nuit, je vais essayer de me reposer un peu...

Incapable de dormir ailleurs que dans un lit, je me blottis tout de même la tête contre mon petit oreiller de fortune accoté dans la bulle du hublot. Je songe à Bobby, à notre histoire, à ce qui se passe. Je sais, selon les recommandations dudit mâle, je ne devrais pas y penser, mais bon, la tête d'une femme étant ce qu'elle est, c'est plus fort que moi. J'espère pouvoir en faire abstraction pendant mon pèlerinage ; il ne faudrait pas que mes déboires amoureux entachent mon retour aux sources.

Comme je ne dors toujours pas après trente minutes d'efforts, je décide de prendre mon cahier de notes. L'inspiration sera là, j'en suis certaine.

Bon, bon, bon, voyons voir... Je réfléchis en mordillant le bout de mon crayon.

C'est l'histoire d'un homme qui trompe sa femme. Il se rend finalement compte qu'elle lui rend la monnaie de sa pièce en fréquentant un autre homme elle aussi et il...

Ah non, ça ne me tente pas de construire une histoire d'infidélité cyclothymique de ce genre. C'est mauvais. Déjà que je pense être cocue pour vrai, pas besoin de vivre ça par procuration dans la portion créative de ma vie en plus, non merci. Ce serait comme prendre un tracteur pour tondre un mouton. Pas nécessaire. Je veux écrire une belle histoire douce pour les yeux, qui gazouille en tournant les pages. Quelque chose de moelleux. Mais quoi ? Je pense et pense et pense pendant de longues minutes jusqu'à ce que je referme mon calepin, en maudit contre l'inefficacité évidente de ma démarche artistique.

J'entrevois dans mon sac l'unique livre que j'emporte en voyage, compte tenu de l'importance du poids de mon chargement. Il s'agit d'un guide sur le Tao – une philosophie de vie d'origine chinoise – écrit par feu Wayne W. Dyer et intitulé *Changez vos pensées, changez votre vie*. J'aimerais bien changer mes pensées en ce moment, justement. Ce bouquin n'était pas mon premier choix. J'avais d'abord déposé sur ma pile de bagages un autre livre qui traitait de la puissance de la pensée positive dans notre vie. La veille de mon départ, à la dernière minute, après avoir visionné *Wild*, j'ai changé pour ce livre-ci sans trop savoir pourquoi. Comme si je le sentais plus approprié sans même en avoir lu une seule page. «On verra bien...», que je me dis en ouvrant la première.

On y explique d'office que «Tao» signifie «La Voie», la réalité suprême. Que le Tao n'est pas une religion, mais bien une façon de voir la vie, d'agir et de croire. Depuis plusieurs années, j'aspire justement à développer ma spiritualité et à définir ce en quoi je crois, ma vision de la vie, du monde, de la mort aussi. Cette ribambelle de concepts n'est pas encore limpide dans ma tête. Je sais pourtant que je crois en quelque chose. Dieu? Je ne sais pas trop comment l'appeler, mais oui, quelque chose du genre. Pas nécessairement le Dieu chrétien, mais plutôt une force plus grande que nature qui cherche à pousser notre âme à devenir meilleure. Je crois aux vies antérieures et à la réincarnation, aussi. J'aime lire toutes sortes d'auteurs à ce sujet afin de me forger éventuellement une opinion plus précise.

Je replonge dans ma lecture. «Le Tao n'a ni commencement ni fin, ne fait rien, et pourtant anime tout ce qui existe dans le monde[II]...» Bon, ça semble plutôt vaporeux comme définition de départ, mais je crois comprendre de quoi on parle ici. Il décrit une force supérieure qui ne fait qu'être et aimer, sans conditions. Ce n'est pas la première fois que je lis à propos de ce genre de force «*full* amour». Inutile de s'inscrire ou d'adhérer à un groupe pour pratiquer cette

---

II.   Dr Wayne W. Dyer, *Changez vos pensées, changez votre vie*, Paris, Éditions J'ai lu, 2009, p. 15.

philosophie de vie. Pas de formulaire, pas d'entrevue ni de processus d'admission. Comme l'indique l'auteur: «Si vous consacrez une longue période de temps à étudier et à travailler sur vous-mêmes, vous entrerez dans le Tao[12].» Nous devons donc être une tabarouette de grosse gang dans le Tao, parce que je connais plein de gens qui travaillent sur eux-mêmes. Depuis quelques années, on dirait que chaque personne que je croise mentionne vouloir «devenir une meilleure personne», «apprendre sur soi», ou «guérir ses démons pour atteindre le bonheur». On dirait que tout le monde nage dans le même courant.

Je suis d'ailleurs venue marcher la Compostelle pour travailler sur moi-même, trouver des réponses. Suis-je dans le train rapide vers le Tao? «OK, tous ceux qui sacrent leur vie en l'air pour aller marcher pendant des semaines, on leur accorde une place VIP dans l'express pour La Voie». Ce serait bien. Une espèce de *FastPass*, comme à La Ronde? Tiens, voilà. On doit, en effet, rencontrer beaucoup de montagnes russes sur cette belle route du Tao...

À Barcelone, scène 9

Mon regard fuit vers le large. C'est splendide. J'ai choisi un resto de tapas en bordure de la mer. La meilleure table de l'endroit s'est libérée comme par enchantement au moment où je mettais un pied sur la terrasse, le nez fouineur en l'air.

---

12. *Ibid.*, p. 19.

J'ai sans plus attendre commandé quelques bouchées qui devraient arriver sous peu : un pain au camembert grillé, une salade aux tomates cerises en verrine et des moules-frites. J'agrémente le tout d'un verre de sauvignon bien frais pas piqué des vers. Je jouis d'un paysage lacustre remarquable. Si quelqu'un immortalisait la carte postale qui s'offre à mes yeux, elle ferait sans l'ombre d'un doute la une du *National Geographic* le mois prochain. Suis-je heureuse dans ce tableau panoramique irréprochable de plaisirs de la vie sur pilotis ? Non. En fait, je suis mortifiée depuis que j'ai mis les pieds en Espagne. Un mal-être gris foncé me ronge par en dedans, sans que j'arrive à en identifier l'origine.

Je me situe actuellement à un niveau de paix intérieure et de sérénité aux antipodes de ce que préconisent Wayne et son Tao. Je dors mal. Je ne m'émerveille pas. Je n'apprécie rien, comme si j'attendais après quelque chose. La trame de fond de ma vie intérieure ressemble à un film de Xavier Dolan. « Bang, Bang, *io sparo a te*. Bang, bang, *tu spari a me*. Bang, bang... nananana, nana... »

Tout le monde m'avait avisée de prévoir au moins quatre jours à Barcelone pour tout voir. Je les ai écoutés, mais je n'ai rien visité ; je ne fais qu'errer sur La Rambla en pensant à tue-tête. Je me suis interrogée aujourd'hui, à savoir si je n'avais pas trop voyagé dans ma vie. Est-ce que l'on devient blasé, à trop voyager ? Est-ce que j'ai tellement vu de pays que ça ruine mon enthousiasme ?

Non, ce serait comme envisager qu'Edgar Fruitier se fasse pousser les cheveux pour *rocker* sur du System of a Down. Impossible (et/ou épouvantable). Je n'avais pas mis les pieds hors du pays depuis des lustres et la perspective de ce voyage m'enivrait. Alors pourquoi suis-je aussi morose? Peut-être que mes attentes de bonheur sont irréalistes? Je l'ignore. Et Bobby? Qu'est-ce qui va nous arriver? Je lui donne des nouvelles durant mon voyage ou pas? Au départ, je me disais que non, mais là, ici, loin, je me sens nostalgique, seule. Je ne sais plus ce que je veux.

Mon repas arrive. Je photographie le tout pour l'envoyer à ma mère qui aime tant la cuisine. Je mange d'un appétit indifférent ce repas qui mériterait beaucoup mieux. Je sirote un autre verre de sauvignon en fixant le décor mi-nuageux, mi-aquatique tranché en plein centre par une ligne de bâtiments gris comme mon âme. Un sandwich visuel dont on apprécie davantage le pain à la garniture. À voir ma tronche mélancolique, mes voisins immédiats – des couples aux yeux remplis de cœurs – doivent spéculer que je m'apprête sans tarder à plonger tête première par-dessus le rempart de la terrasse.

Je prends mon livre de notes pour me changer les idées. Une histoire d'amour peut-être, inspirée de Janie dans l'avion...

C'est l'histoire d'un couple en voyage en Espagne qui...

Ah non... pas un couple déjà formé. Je veux qu'il y ait beaucoup, beaucoup de romantisme.

~~C'est l'histoire d'un couple en voyage en Espagne qui...~~ C'est l'histoire d'un couple qui se rencontre en Espagne et qui tombe follement amoureux...

Les personnages se rencontrent où? Pas sur la Compostelle, certain. Dans le centre de Barcelone peut-être? Des touristes ou des gens d'ici? Je fixe mon carnet pendant un instant. À vrai dire, ce début d'histoire me branche zéro. Ce n'est pas ça. Je ne le sens pas. En plus, l'histoire de Janie m'a inspirée sur le coup, mais j'ai déchanté grave à la fin du vol...

La fois où j'ai perdu toute inspiration dans l'avion

Comme les lumières de l'allée s'allument, Janie, qui dormait, remue avec fainéantise près de moi. Après mon brin de lecture, j'avais décidé d'écouter un film que je n'aurai malheureusement pas le temps de terminer, car nous atterrirons bientôt. Je lui souris et j'enlève mes écouteurs. Elle souffle :

— Ffff! J'ai pas assez dormi, je suis super fatiguée.

Je tente de la motiver un peu en lui rappelant :

— Oui, mais tu vas voir ton amoureux dans moins de trente minutes!

— Bah... fatiguée de même, c'est poche.

Mais non, là. Elle ne peut pas être marabout. Son homme, qu'elle n'a pas vu depuis des siècles, l'attend en ce moment à l'aéroport, une gerbe de fleurs fraîches à la main. Elle n'a pas le droit d'être grincheuse par manque de sommeil.

— J'espère qu'il a rien organisé aujourd'hui, je veux juste dormir.

Ouf. Elle est d'une belle humeur massacrante en se réveillant, la Janie. Pauvre gars. Il va venir cueillir une face de bœuf à l'aéroport. Ça pète comme d'un seul coup ma bulle à propos de son histoire d'amour. Je pensais assister au réveil d'une fille ravie, voire euphorique, d'arriver enfin à bon port. La voir courir à la salle de bain pour se faire une beauté afin que l'homme de sa vie puisse apprécier ses attraits les plus enviables. Non. Elle arbore l'air sympathique d'une porte de prison. Eh bien. La vie, ce n'est pas comme dans les films, Mali, ni comme dans les romans.

À Barcelone, scène 10

De retour dans ma spacieuse chambre de huit par dix pieds de grandeur (pourquoi vouloir plus quand on peut habiter dans un garde-robe?), je relève les genoux pour m'asseoir sur le petit lit de chat. Misère. Je suis longue, moi, au cas où l'Espagne ne le savait pas. Ce n'était pas une bonne idée d'opter pour une chambre aussi minuscule que le cabanon de la maisonnette du Schtroumpf grognon. Au moins, l'endroit comporte une fenêtre esseulée – plus étroite que mon hublot d'avion, mais bon, je bénéficie à tout le moins d'une vue enviable sur les conteneurs à déchets. Sans blague, quelqu'un le moindrement claustrophobe – Coiffeur numéro 2, par exemple – ferait une crise de panique à bord du *Titanic* ici. Seule une demi-porte coulissante permet d'obtenir de l'intimité dans la salle de bain. Or, pour la refermer, il faut entrer et se glisser de biais entre le lavabo et la cuvette, sinon on s'accroche dans le porte-serviette. Aussi bien tenter de plier un dinosaure pour le faire entrer dans la poche de son veston.

Je m'insère dans la microscopique salle d'eau pour me laver les mains et enlever mes verres de contact avant de me mettre au lit. Le robinet de l'eau chaude me fait alors la joyeuse taquinerie de rester dans ma main. Bon. Une chance, l'eau ne coulait pas. La robinetterie de la douche s'avère tout aussi défectueuse. J'ai mentionné ce problème hier à la réception et aucune démarche ne semble avoir été entreprise pour y remédier. Je pense que c'est très espagnol, ce non-interventionnisme[13]. Je me résigne donc à utiliser une douche commune située dans le corridor. Il ne faut pas s'en faire outre mesure avec de tels détails en voyage. De toute façon, mon hamster qui roule à cent milles à l'heure dans sa roue occupe tous mes temps libres.

J'ouvre la fenêtre et je m'y sors la tête et l'avant-bras afin de fumer une cigarette incognito. Je sais, c'est mal. Je m'en fous. Écrasant mon mégot dans ma carte d'embarquement repliée, c'est mon cœur que j'ai l'impression d'écrabouiller. J'ai le cœur desséché comme une feuille d'érable collée sur le béton à la fin octobre. Pourquoi ne suis-je pas heureuse comme je le présageais ?

Me traînant les pieds, je tourne en rond dans la boîte de sardines qui me fait office de chambre. Mes yeux s'emplissent de larmes. Mais qu'est-ce que j'ai, bon sang ?

Je m'empare alors de mon téléphone pour écrire un message à Sacha, alors que mon cadran espagnol affiche 22 h 30, ce qui signifie qu'il est 16 h 30 au Québec. Quand je file un mauvais coton, mon premier élan se dirige toujours vers Sacha, répondante de première ligne pour les états de crise de tout un chacun. De plus, nos intérêts communs pour

---

13. Beau mot ! Vous connaissez la chanson...

la spiritualité et le développement personnel se recoupent beaucoup, tandis que Cori et Ge se sentent moins interpellées par le sujet.

Espérant ne pas la déranger, je lui texte :

> Le soleil ne brille pas tant que ça en Espagne… ☹

Elle me récrit dans la minute :

> Et toi ? Brilles-tu, mon amie ?

> Non… je suis grise, il pleut dans mon cœur.

> Appelle-moi.

Apaisée qu'elle soit disponible, je lui obéis sur-le-champ.

Lorsqu'elle répond, je renifle.

— *Oh boy!* Ça va pas bien, pis c'est vrai…

— Tu sais le pire, je sais même pas pourquoi je pleure ! Je suis comme malheureuse, sans raison. Je comprends pas, Sacha. Je suis pourtant en voyage. Ça m'est jamais arrivé de ma vie de brailler pour rien. Et en début de voyage, en plus, alors que je devrais plutôt me sentir excitée comme pas une.

Je me remets à pleurer de plus belle.

— Mali... Moi, je pense que t'as de la peine pour plein de raisons que t'as emmenées dans tes bagages. Ton sac est peut-être léger, mais ton cœur est lourd. Je pense aussi que t'es nerveuse face à ce voyage de marche, plus que tu le penses. T'es devant l'inconnu, mon amie, ça t'insécurise... tout comme le statut non défini de ta relation avec Bobby.

— Je suis donc ben pas sécure dans la vie, moi!? C'est con, à mon âge...

— Les filles, on gère mal les histoires pas claires, on n'aime pas ça. On veut tout connaître, tout savoir, tout contrôler.

— Je veux pas contrôler rien, simonaque, je veux juste être en vacances et heureuse! Présentement, je suis à Barcelone et on dirait que ça m'énerve. Je fais rien, je visite rien, je m'en sacre. J'ai pas le goût d'être ici. Il me semble que je devrais me lancer sur le chemin de la Compostelle avec une belle énergie, mais en ce moment, c'est de la grosse marde, mon état.

— Va-t'en, alors! Quitte Barcelone. Va marcher, Mali!

— Je suis censée partir après-demain. Tout le monde m'avait tellement recommandé de rester ici plusieurs jours parce que c'était méga génial... Mais avec mes deux paires de shorts et mes espadrilles, je me sens tellement pas d'attaque pour des restos de tapas, des musées ou du magasinage.

— T'es pas dans un mode de fille de ville *jet-set* pantoute, mon amie!

— Tellement pas, ark...

— Change ton billet de train pour demain.

— Tu crois ? (silence) Oui... T'as raison, je veux commencer tout de suite ce pour quoi je suis venue ici.

— Voilà !

— Aaaaah, merci, Sacha c'est exactement ce que j'avais besoin d'entendre.

— Appelle-moi n'importe quand pour des crises faciles à régler de même. Pas de trouble ! Je t'aime, bye !

— Encore merci, bye !

Pour vrai, Sacha est tombée pile-poil sur le problème. Je m'étais fait préprogrammer à rester ici et à profiter de Barcelone alors que, au fond, j'aurais dû partir pour la Compostelle dès mon arrivée. Comme j'avais déjà acheté mon billet de train sur Internet avant de quitter le Québec, je me sentais coincée ici. Prise au piège. Je me suis moi-même séquestrée dans un horaire castrant.

« Je pars demain. Si je ne peux pas modifier la date de mon billet, j'en achèterai un autre, voilà tout. »

Je me sens libérée, je respire à nouveau. Mon malaise était assez élémentaire, mais puisque j'avais les deux pieds dedans, je n'y voyais pas clair. Mon Dieu que c'est complexe, l'auto-compréhension de *son* soi-même. Le nez collé sur les pages du livre, difficile d'en distinguer les mots. Demain, en début d'après-midi, je prendrai le train pour commencer ce pèleri-nage. Enfin.

À Barcelone, scène 11

En me levant ce matin, j'étais une autre femme. Le jour et la nuit. Une fille neuve, énergique, enchantée, remplie d'espoir, de projets et de positivisme. Je suis aussi une femme, comment dire, très menstruée. Ça remet un tantinet les pendules hormonales à l'heure concernant les origines de ma quasi-dépression des derniers jours. Est-ce mon maudit œstrogène hystérique de femelle-en-plein-cœur-de-son-SPM qui a tout manigancé? Si oui, au secours, quelqu'un. J'ai besoin d'assistance immédiate. Suis-je la seule à vivre mon SPM comme si je me désintégrais en morceaux tel un astéroïde qui se décroche de la Voie lactée pour aller mourir en explosant dans l'immensité de l'Univers? C'est tellement intense, mon affaire; je remets en question mes choix, ma vie, mon existence. Plus je vieillis, pire c'est, on dirait. La sagesse, la maturité et l'expérience n'atténuent pas du tout ma folie mensuelle. Un calvaire. Trois à cinq jours, pas plus, mais impossible d'y échapper.

Aussitôt debout, j'ai bouclé mon sac en quatrième vitesse et je l'ai confié à la réception de l'hôtel, qui le gardera pour moi jusqu'à mon départ en train. Ce matin, je me mets dans l'ambiance de la Compostelle en allant visiter la cathédrale de Barcelone. Ce sera au moins ça. Une attraction touristique spectaculaire, à ce qu'il paraît. La seule que je verrai.

À proximité du porche de Sainte-Croix, je constate avec étonnement son étendue monstrueusement solennelle. Vraiment. Beaucoup de monde traîne sur le parvis, mais je ne remarque aucune file d'attente pour y entrer. À peine un pied posé dans la grande maison de Dieu, la paix commune à toute énergie sacrée m'envahit. L'immensité de la structure minérale qui se referme sur nous pénètre l'esprit comme un souffle intrigant. Un souffle un peu inhabituel, qui inquiète et apaise les cœurs à la fois, sans trop qu'on sache pourquoi. Un murmure sans mot. Les sanctuaires chrétiens, se voulant depuis toujours des lieux de rassemblement réconfortants, dégagent une certaine froideur, comme si à travers le mutisme de ses entrailles, les âmes se perdaient. Peut-être est-ce juste-ment le but? La vocation divine de ce lieu s'avère noble, mais ses murs sont froids comme de la glace sèche. Dans ma tête, la divinité, c'est bleu-blanc et tiède, pas froid et gris.

J'aperçois à ma droite une petite chapelle intérieure recluse dans le mur de la cathédrale. Une messe semble y être en cours. Je veux y assister. Ça fait longtemps que je ne suis pas allée à l'église. La dernière fois, c'était pour les funérailles de ma grand-maman maternelle, il y a trois ans. Sur la route pour atteindre mon but, un garde à l'entrée dresse son bras devant moi. Il me renseigne en espagnol: «Désolé, la messe est réservée aux Barcelonais.» Vraiment? C'est du racisme ça, ou quoi? Ai-je une tête de touriste à ce point? Je ne porte pourtant pas de chandail «*I love Barcelona*». Hum. Mon sac banane a dû vendre la mèche, par contre... J'ai si honte. Le port du sac banane devrait être interdit par la loi, avec possibilité de demander une dérogation de quelques semaines seulement quand tu marches la Compostelle; ça divise de façon équitable le poids sur les hanches, mais ça demeure un morceau d'équi-pement rien de moins qu'affreux. Pire que les bijoux de Cori. Ceci dit, cet homme me discrimine-t-il à cause de mon sac banane? Si oui, j'entame les démarches pour déposer une plainte au Pape François sur-le-champ!

Insultée au maximum, je pince les lèvres comme une vieille tante offensée d'avoir pigé un article à connotation sexuelle dans l'échange de cadeaux à 20 $ du temps des Fêtes et je relève un menton ostracisé en direction du type xénophobe, question de rattraper un peu de dignité. Je rebrousse chemin en balayant tout de même les lieux du regard, à la recherche d'une brèche pour entrer illégalement dans le sanctuaire. Je ne peux quand même pas fracasser un vitrail avec un cierge liturgique ? Je vais trouver un moyen. De loin – mon courage augmentant à chaque mètre franchi –, j'exécute une moue de défi ultime à l'agent fasciste en me retenant de lui crier par la tête qu'il ira en enfer pour entrave à la foi d'une brebis égarée. Les gens peuvent bien décrocher de l'Église de nos jours, on leur en refuse carrément l'accès.

Je vais me recueillir en avant de la grande chapelle pour me calmer le pompon sacré, question de lui prouver que ma démarche ecclésiastique était franche comme l'or. La vue de tant de détails d'une aussi grande beauté me ravive illico la bonne humeur matinale. C'est si ravissant. Je n'y connais rien, mais la forme du toit, les fresques murales, la disposition des objets et même les matériaux étonnent. L'ensemble est dépourvu d'artifices en bois, on observe partout juste de la pierre. En somme, l'architecture s'avère bien différente de celle de nos églises de colonisés, faites de bois d'œuvre 100 % *Canadian*. Dans l'histoire des trois petits cochons, nos sanctuaires québécois ne feraient pas long feu à côté de ceux des Espagnols.

Après avoir passé presque vingt minutes à observer les menus détails de la cathédrale en toute béatitude, je me dirige vers la sortie. Or, je remarque que le garde de sécurité staliniste de la messe ultra VIP n'est plus à son poste. Tiens donc. Sans plus de balivernes, je fonce vers son remplaçant. À la vitesse de l'éclair, je passe devant – la tête haute – en dégageant l'aplomb de la fille super-locale-habituée-de-la-place, tout en dissimulant un peu mon sac banane dans mon dos. Le menton frôlant presque le plafond de pierre, j'avance en ne daignant même pas le regarder. Comme il ne s'interpose pas, je surgis balourdement dans la pièce, dérangeant ainsi la célébration en pleine lecture de l'évangile selon saint Luc. Hon. Je me garroche à corps perdu dans un des derniers bancs sans accorder de regard au garde, craignant qu'il me sorte de là à grands coups de pied au derrière. Non, mais, ce n'est pas possible? Me voilà à la messe – je dis bien, «à la messe» –, nerveuse comme si je venais d'effectuer un *hold-up* à la Central Bank of New York armée d'un bazooka pour voler 1,3 milliard de dollars de diamants bleus. Du calme, Seigneur! La nervosité engendrée par mon introduction par effraction dans une cérémonie cléricale prenant toute la place, je tente tout de même de me concentrer sur le prêtre à l'avant. La messe se déroule en espagnol, bien entendu. C'est étrange. Je connais bien l'espagnol et le parle passablement bien, mais en ce moment, je ne comprends rien à ce qu'il raconte. Il marmonne trop vite. En voyant le célébrant sortir les hosties et le calice, je réalise que la fin approche déjà. «*El cuerpo del christo. Amen*» Mon expérience n'aura pas duré bien longtemps, si je songe au souci que je me suis imposé en usurpant frauduleusement mon droit de passage.

À la fin de la célébration, je sors de la chapelle en proie à une félicité encore plus grande que lors de mon arrivée. Quel accomplissement de vie! Je viens de faire un «*break-in*» dans une église pour me ressourcer en assistant à une messe. La fin ne justifie pas les moyens, mais tout de même. J'espère que le Tao a perçu à quel point j'étais motivée par ma démarche d'évolution spirituelle. Je marque des points au compteur de la réussite, non? C'est sans aucun doute la chose la plus illégale que j'ai commise de ma sainte vie. Je n'en suis pas peu fière.

C'est l'histoire d'une fille qui «breake-in» une messe pour convaincre le Tao du sérieux de sa démarche...

Hish. Je vais aller prendre mon train, je pense.

La veille du Grand départ, scène 1

Lorsque le taxi me dépose devant l'auberge – ou *albergue*, en espagnol – je tremblote de fébrilité. On me remettra mon *credencial*[14], puis je partirai tôt demain. Enfin, pas si tôt, je ne suis pas vraiment une fille du matin. Dans mon livre à moi, se lever avant 8 h devrait être interdit par la loi. Je compte justement en glisser un mot à Justin Trudeau pour qu'il mobilise son ministère de la Justice afin de le forcer à se pencher sur le sujet[15].

Beaucoup de gens se pelotonnent dehors près de la porte du bâtiment situé à côté de l'église de Puente la Reina. Des dizaines de *perlins* arrivant de l'étape précédente. La Compostelle n'a pas de point de départ. On commence où l'on veut, quoique sur le *Camino francés*, la plupart des gens partent

---

14. Passeport du pèlerin, dans lequel chaque auberge ou église étampe le passage du marcheur pour officialiser son parcours.
15. Des parents aimeraient aussi le dépôt d'un projet de loi à l'AETQ?

de Saint-Jean-Pied-de-Port. Comme j'ai choisi de sauter quelques étapes pour épargner mes pauvres genoux de vieille trentenaire, je débarque au beau milieu du feu de l'action. Les marcheurs arrivent tous des Pyrénées. Les observer me plonge dans l'énergie du *Camino* pour la toute première fois depuis mon départ de Montréal. Les sacs à dos multicolores, les bâtons de marche qui s'entrechoquent, les bottes dégoulinantes et les chaussures crasseuses de toutes sortes. Tous arborent le même coquillage accroché à leur baluchon. Les marcheurs semblent, pour la plupart, plus âgés que moi.

Un homme d'Église – je le déduis en raison de son col romain noir et blanc –, en fonction derrière un pupitre de bois à l'entrée, effectue les admissions. Je ne sais pas trop comment ça fonctionne.

À mon tour, je lui demande tout d'abord un *credencial*. Sous mes yeux émus, il remplit le document avec minutie avant d'y apposer ma toute première étampe. La lenteur de ses gestes me prouve qu'il comprend ma fébrilité et qu'il agit dignement en ce sens. J'aurais le goût de me ruer sur son épaule pour pleurer ma joie, mais je me retiens pour ne pas ternir sa chemise blanche immaculée. En me lorgnant par-dessus ses petites lunettes de père Noël, il constate mon émotivité que je peine à voiler et me sourit. Je lui paie les cinq euros requis pour m'installer dans le dortoir et il me tend l'accordéon de papier en me disant en espagnol: «*Buen camino, Mali. Usted tendrà que caminar no solo mi hijo, Dios siempre estarà a tu lado*[16].»

---

16. Bonne route, Mali. Vous ne marcherez jamais seule, mon enfant, Dieu sera toujours à vos côtés.

Mes yeux inondés s'accrochent à ses deux prunelles pieuses. Un regard marqué par le temps, mais d'une bonté sans borne. Sans même le connaître, je confierais tout ce que je possède à cet homme. J'incline la tête en guise de remerciement. Une femme derrière moi soupire pour témoigner de son effort physique du jour, ce qui me fait reprendre contact avec l'instant, et donc réaliser que je dois me déplacer pour céder la place au suivant. Le visage illuminé d'un vent nouveau, je me détourne et je grimpe l'escalier.

Ma destination suivante est le dortoir numéro 2. Tout en haut des marches se trouve une immense étagère à chaussures où reposent déjà des dizaines et des dizaines de paires de bottes et d'espadrilles bien encrassées. Un, deux, trois, quatre, cinq dortoirs... Combien sommes-nous à dormir ici? En entrant dans la pièce qui m'a été assignée, je remarque que trois femmes s'y trouvent déjà. Elles occupent le bas des quatre lits superposés trônant dans chaque coin de la pièce. Je me sens comme si je me trouvais à un camp d'été des scouts et guides, durant mon enfance. Je prends possession du dernier «bas de lit» disponible – j'ai toujours préféré cela que de dormir au-dessus de quelqu'un et risquer de le réveiller chaque fois que je bouge. Je crois dur comme fer qu'un lit superposé qui ne craque pas, n'existe juste pas sur cette terre. C'est intentionnel dans la fabrication.

Je salue les femmes d'un mouvement de tête timide. Est-ce que je dois me présenter où vais-je avoir l'air de me chercher des amies de manière exagérée? Si je passe outre les conventions d'usage, croiront-elles que je suis imbue de moi-même? Encore cette peur du jugement social... J'attends plutôt de voir ce qu'elles feront. Je défais mon sac en étudiant les alentours. Une des voyageuses besogne comme moi tandis que les deux autres demeurent avachies sur leur lit, l'air d'avoir tout juste franchi la ligne d'arrivée à un double marathon aux Olympiques. Je ne veux pas juger personne, mais il me semble que la randonnée ne doit pas être si pénible que ça. C'est juste de la marche...

Je prépare mon lit[17] et je m'assois dessus. Les femmes à l'agonie semblent à présent en phase terminale aux soins palliatifs. Faut-il appeler leur famille immédiate ou quoi? J'ai peine à y croire. Elles ne sont vraiment pas en forme.

La veille du Grand départ, scène 2

Après m'être rassasiée à ventre déboutonné dans un petit resto sympathique, je demande qu'on m'apporte un dernier verre de blanc dans un récipient jetable afin de le ramener avec moi à l'auberge, qui ferme ses portes à 22 h. Je me sens si excitée pour demain que je crains de mal dormir – je mise donc fortement sur l'efficacité du somnifère-chardonnay. Je m'assois devant la bâtisse pour terminer mon digestif en grillant une cigarette. J'observe les gens qui fument aussi sur le porche du bâtiment ainsi que ceux à la cuisine, que j'entrevois par de grandes fenêtres me faisant face. La scène donne l'impression que tout le monde se connaît. Ça placote, ça rigole, ça boit un verre de vin. Certains mangent et d'autres

---

17. Les couvertures ne sont jamais fournies, il faut emmener les nôtres. Par contre, la literie de base du dortoir comprend heureusement un oreiller muni d'une taie. Le sac de couchage en coton, donc mini, est une bonne option.

jouent aux cartes. Je perçois une vibrante fraternité s'élever dans le ciel au-dessus de ce rassemblement de fin de soirée. Je me demande si je ferai de belles rencontres en chemin. Pour l'instant, je ne ressens pas le besoin ni de me présenter ni de parler à quiconque. Telle une louve solitaire, j'épie à distance, comme si je ne faisais pas encore partie de la meute.

À 22 h tapantes, je constate que le clan se disperse en douce. Ce principe de couvre-feu demeure étonnant pour moi. Nous sommes des adultes, tout de même, pas des ados délictueux en réclusion au centre jeunesse à la suite d'un jugement de la DPJ. Il paraît que c'est partout pareil sur le chemin. Je me demande à quelle heure les gens quittent les auberges, le matin? Je suis si excitée de partir que je ne respecterai pas ma propre règle qui stipule de ne pas se lever avant 8 h – je mettrai le cadran pour 7 h. En prenant mon cellulaire, qui est connecté au WiFi de l'endroit, je remarque un iMessage.

> Bonjour, ma belle grande marcheuse!!!! Je sais pas si ton périple est commencé, mais je te souhaite une très bonne route!!! Je pense à toi très très très fort... Bobby xxxx

Bon. Voilà que se manifeste Bobby, accompagné de ses «très» en quantité industrielle et de sa horde de points d'exclamation. Qu'est-ce qu'il veut, au juste? Je m'étais promis de ne pas le traîner dans mes bagages – sous ses conseils, dois-je le rappeler. Il semble pris de remords. J'écoute mon instinct et je choisis de ne pas lui répondre. J'assèche mon verre d'un trait, comme pour me donner le courage d'assumer cette décision.

Le regard giratoire comme un personnage des *Têtes à claques*, je me brosse enfin les dents devant un des miroirs surplombant les deux vanités mises à la disposition des soixante-quinze pensionnaires de l'endroit. Oui, vous avez bien lu: deux lavabos pour soixante-quinze. J'ai fait la file pendant quinze minutes en observant sans trop le vouloir une Coréenne, un Italien et une Française faire leur toilette du soir au grand complet. C'est embarrassant un tantinet, avouons-le. D'un côté comme de l'autre.

La brosse à dents dans la bouche, je lève le menton en direction de mon voisin de lavabo, alias un roux d'une cinquantaine d'années qui me sourit à grandes dents, la bouche débordante d'écume de dentifrice bleu royal. C'est de la proximité intime, ça, mes amis. «La vie de commune, puissance mille, te souhaite la bienvenue, Mali.»

Je m'allonge sur le matelas, ambivalente quant à comment je me sens. Excitée, mais craintive. Frétillante, mais angoissée. Prête, mais dans le néant total face à ce qui m'attend. Je suis un chat d'eau douce devant un aquarium rempli de poissons d'eau de mer.

Le Grand départ, scène 1

Dès que je perçois un premier bruit de souris dans le corridor, je tends l'oreille. Il est 5 h du matin et je n'ai pas fermé un foutu œil de la nuit. Pas un. Parfois, il arrive qu'on ait l'impression de ne pas avoir dormi, mais notre cerveau s'est tout de même reposé un peu. L'insomnie paradoxale, qu'on appelle. Dans mon cas, ce fut une nuit blanche immaculée. Une longue traîne de mariée à la couleur de la chemise de l'ecclésiastique à l'accueil, hier. Une sciante blancheur dans la noirceur.

C'est qu'il s'en passe, des choses dans un dortoir, la nuit, je vous en donne mon billet. À environ minuit, la femme du lit supérieur en biais du mien s'est mise à ronfler comme un gars-de-chantier-obèse-au-nez-bouché-faisant-de-l'apnée-du-sommeil. Doux Jésus. Je ne concevais même pas qu'une femme digne de ce nom puisse émettre autant de décibels. Une résonance nasale à mi-chemin entre un moteur diésel artisanal de tracteur des années 1950 et une moissonneuse-batteuse industrielle. Pour ajouter à l'ambiance tapageuse, une Française s'est mise à parler dans son sommeil. Elle répétait sans cesse : «Ah bien! dit donc! Ah bien! dit donc! Ah bien! dit donc!» comme si elle recevait un fabuleux cadeau à répétition. La Coréenne au-dessus de moi s'est alors mise de la partie en nous régalant à l'aide d'un discours tiré de la bande sonore du film *Les Minions* : «Nawana tawana, chic bayana...» Pour couronner le tout, croyez-le ou non, une Slovaque s'est à son tour immiscée dans la partouse nocturne. «Rucha, rouanacha, chakyak...» Je n'en croyais pas mes oreilles – avec bouchons, je précise – de fille qui ne dormait pas. Avec comme musique de fond la femme qui vrombissait, les continents du monde entier conversaient dans leur langue d'usage, tranquilles, comme si de rien n'était.

Étant donné les bruits de souris qui s'intensifient dans le corridor, j'en déduis que des marcheurs s'avèrent bel et bien debout. Je dois filer d'ici sans déranger mes consœurs qui somnolent toujours. Je place mon sac à dos ouvert sur mon épaule, je rassemble mon bazar au centre de ma couverture que je tiens en baluchon et je me glisse par la porte tel Barabbas venant de ramasser tous les objets de valeur du dortoir au grand complet.

Dans le corridor, six personnes ont fait de même. Les effets personnels de tout un chacun sont éparpillés sur le plancher longeant les portes closes des dortoirs. Je souris à tire-larigot à la fille à ma droite qui range son sac les paupières quasi fermées. Somnolente, elle ne remarque même pas ma présence sur terre. Souhaitant alors communiquer mon enthousiasme débordant à mon voisin de gauche, je pivote la tête vers lui tel un hibou. Ce dernier me réplique un sourire diagonal peu convaincant et inachevé, puisqu'il baille maintenant à grande bouche. Tout le monde peine à se réveiller. Je ne suis donc pas du tout au diapason, moi qui n'ai pas dormi de la nuit. Je décide par conséquent de contenir mes ardeurs de fille *over*-motivée qui s'apprête à débuter sur la Compostelle. Je souris finalement à mon fidèle sac Osprey en tetrissant[18] mes vêtements à l'intérieur.

Les gens s'activent autour de moi. Je me retrouve propulsée par cette énergie comme par une cloche qui sonne pour annoncer le grand départ de la Course destination monde. La louve esseulée se sent à présent incluse dans cette meute mystérieuse. Je brosse mes dents près d'une Coréenne encore léthargique qui me sourit tout de même un peu. Enfin, elle devait se sentir obligée; mon sourire plein de dentifrice blanchâtre s'avère de la taille d'une chaloupe.

---

18. Du jeu *Tetris*, bien entendu.

En sortant de là, je suis fin prête. Je remarque trois jeunes femmes qui font des étirements en se servant du mur comme point d'appui. Saperlipopette. Elles sont intenses, elles. Je les juge un peu, en vérité. « C'est pas un triathlon Ironman, les filles. » En plus, elles possèdent toutes des bâtons de marche. Je ne comprends pas trop. Je n'en ai pas acheté, car dans ma tête, ce genre de truc sert à faire de l'escalade, point.

Le soleil n'est pas encore levé, mais le jour perce en veilleuse. Je ne suis pas heureuse, je suis carrément euphorique. En m'envolant presque devant l'église, je m'immobilise pour faire un *selfie* avec elle, question d'officialiser mon départ. Je décide alors de me donner comme défi de prendre une telle photo avec chaque église que je croiserai sur ma route. Il paraît qu'il y en a beaucoup. Ce sera une bonne façon de marquer mon progrès.

Après avoir bu debout un capuccino en trois gorgées, j'achète une pâtisserie pour manger plus tard. Je demande alors à la *barista* du café d'immortaliser une fois de plus mon départ en me prenant en photo. Bras levés. Clic ! Je suis bel et bien prête à faire mes premiers pas officiels sur le *Camino francés*.

Je pars. Les rues sont désertes, seules les fenêtres ornées de pots de fleurs en terre cuite multicolores assistent à mon départ. Les oiseaux chantent fort afin d'honorer ce moment mémorable. J'avance en fixant mes pieds, prenant le temps de savourer mes tout premiers pas sur la Compostelle. Le rêve de ma vie. Du moins, un rêve flou inscrit sur ma liste depuis déjà un bon moment. Le soleil apparaît au loin pour me dire « Bon matin, Mali, et bonne route ». Des larmes emplissent mes yeux. J'ai peine à y croire. J'avance. Je suis là. C'est vrai. Il n'est plus question de reculer ni de changer d'idée.

Je suis ici.

Je suis *perline*.

Mes yeux s'envolent vers le ciel. Une larme roule sur ma joue, puis une autre. Des larmes de joie, de gratitude. Émotive, je remercie l'Univers à haute voix.

— Merci...

En bifurquant dans une rue, je cherche une des fameuses flèches jaunes qui indiquent le chemin tout au long de la route. Je regarde à gauche. À droite.

— Voyons ? dis-je à voix haute.

Je tourne la tête, je n'en vois pas. Aucune.

— Voyons ?! que je m'inquiète à présent.

Un homme qui passe à bicyclette m'exécute un signe de la main me désignant la direction opposée à celle que j'ai empruntée.

— Quoi ?

— *Camino...*, m'indique le type en tendant le bras vers le même endroit.

Je rebrousse chemin pendant plusieurs mètres, mais je n'aperçois toujours rien. Selon mon livre, le chemin passait vraiment par là. Mon euphorie du moment redescend d'un cran. C'est pas sérieux ? Suis-je perdue ? Vraiment ? J'ai à peine franchi cinq cents mètres sur le chemin de la Compostelle et je suis déjà perdue !? Wow. Ça augure super bien pour l'ensemble de mon périple.

Le bon samaritain à vélo, qui a dû craindre le pire en voyant ma mine éberluée, revient vers moi pour m'éviter une dramatique déconfiture au fil de départ. Il m'explique plus précisément les directions à suivre. Bon. Je n'étais pas un peu perdue, j'étais complètement dans le champ de patates gauche. Je ne m'en allais pas du tout à la bonne place. C'est n'importe quoi.

En remarquant la première flèche jaune peinte à l'aide d'une bombe aérosol sur un muret de pierres, je respire mieux. Je la photographie pour créer un ancrage dans mon cerveau.

« Suis les flèches jaunes, Mali. Suis seulement les flèches jaunes. »

Le Grand départ, scène 2

Après un peu moins de trois heures de marche dans un décor tournicoté de vignes vertes matures, mais dont les grappes de fruits s'avèrent encore très menues, je commence à avoir légèrement mal aux jambes. Déjà ? La moitié de mon objectif du jour n'a même pas encore été atteint ; je n'ai parcouru que douze kilomètres. Je me sens tout de même bien ; le corps humain est génétiquement conçu pour marcher.

Je n'ai pas aperçu un chat sur le *Camino* depuis mon départ ce matin. J'ai croisé deux petits villages qui semblaient désertés de toute vie humaine. Je ne comprends pas trop pourquoi, il était passé 8 h du matin lorsque je les ai traversés.

Les habitants respecteraient-ils ma règle du 8 h ? Ces villages fantômes contribuent à exacerber le sentiment de solitude profonde qui m'enivre. Au nombre de gens qu'il y avait à l'auberge hier, je craignais un véritable *trafic jam* sur le chemin. Mais non, personne. Où sont-ils tous ?

Le gravier du chemin crisse sous mes pas. Les yeux bien ancrés le plus loin possible dans le panorama verdoyant qui m'entoure, j'entends alors du bruit derrière moi. Y aurait-il de la vie humaine sur cette Compostelle ? En me retournant, j'aperçois une femme au loin. Elle marche seule. Je me demande quelle est son histoire. Pourquoi est-elle ici ? Faire la Compostelle est aux antipodes d'un voyage au bord de la mer pour y lire deux ou trois bouquins, une Corona bien fraîche à la main. Pourquoi les gens choisissent-ils ce genre de périple ? Même pour moi, la raison de ma présence ici n'est pas si claire ; ce ne l'est peut-être pas pour les autres non plus ? Malgré tout, j'aurais envie de savoir. Curieuse Perline, va.

J'ignore s'il existe un code de conduite concernant les échanges entre marcheurs. Les gens se saluent-ils courtoisement d'un signe de la main comme les personnes à moto en passant leur chemin ? Si je l'aborde et qu'elle veut la paix pour maximiser son éveil spirituel, vais-je l'agresser ? À l'inverse, si je ne lui adresse pas un mot et qu'elle me trouve bête comme mes deux pieds – qui commencent à élancer de plus en plus, d'ailleurs –, ira-t-elle aviser la meute qu'une louve antisociale se trouve parmi eux ? Les conventions et moi, encore...

Ladite fille avance d'un pas visiblement plus rapide que le mien, étant donné qu'elle me rattrape. En surgissant dans mon angle mort, elle me salue d'emblée en anglais :

— *Hello!*

— *Hello!* que je réponds en lui souriant.

— Très belle marche aujourd'hui, n'est-ce pas?

— Oui, c'est beau. C'est ma première journée!

— Ah mon Dieu! C'est excitant. Bravo!

Je lui raconte un peu mon périple pour arriver ici, ainsi que mon départ de ce matin.

— As-tu visité la Sagrada Familia à Barcelone? C'est si magnifique!

Voilà la deuxième fois qu'on me pose cette question en deux jours. Un homme m'a demandé la même chose dans le train, hier. Comme je me sens un peu honteuse de ma non-implication touristique barcelonaise – je blâme en secret ma dépression hormonale passagère –, je réponds, la tête basse:

— Non... juste la cathédrale.

Mon interlocutrice me fait des yeux désolés, gros comme des ovnis. Le type d'hier semblait tout aussi atterré d'apprendre la vérité. Ai-je commis un crime de lèse-majesté en ne visitant pas ce lieu de culte? Elle me relance aussitôt.

— T'as vu le parc Güell, au moins?

— Le quoi?

Son regard ne peut s'empêcher de me juger de nouveau un court instant, puis elle enchaîne avec la question qui tue:

— Pourquoi es-tu ici?

Ah, d'accord. On entre dans le vif du sujet en moins de temps qu'il n'en faut à Denis Lévesque pour claquer des doigts, à ce que je vois. Pas de gants ni de bas blancs. On plonge à grands coups de brasse dans la flore interne des gens croisant notre route.

— Je suis auteure. Je cherche une idée de roman et je veux aussi apprendre à lâcher prise en général, dans la vie.

«Ai-je l'air trop intense?»

Elle semble apprécier ma réponse franche d'un signe de tête. Je lui renvoie alors la délicate question. À l'aise, elle se tourne vers moi et me raconte une petite parcelle de sa vie.

Stephany est originaire d'Australie. Elle m'explique son métier en anglais, mais son accent prononcé m'empêche de tout comprendre aisément. En gros, avant de quitter son pays pour un voyage indéterminé, elle faisait du *coaching* personnel. Elle désire éventuellement élargir son *credo* aux entreprises afin d'augmenter le bonheur et le rendement du personnel. Un truc du genre. Intéressant. Avant de partir, elle a tout vendu et elle veut recommencer à neuf à son retour. Ça me parle... Sa pause de plusieurs mois en Europe – après la Compostelle, elle poursuivra son périple dans d'autres pays – lui servira de tremplin pour un nouveau départ. Elle me confie ensuite sans détour qu'elle possède un don. Elle communique avec les entités et elle sent des choses. Aaaaah. Booooon.

Au chapitre des aptitudes ésotériques, je crois que le bon grain se mêle à l'ivraie. Il faut donc tamiser les personnes qui prétendent posséder de tels dons à petits coups de bon jugement. Par exemple, la tireuse de cartes qui affirme des généralités comme : «Vous avez un mal de dos...» «Quelque chose vous préoccupe du côté cœur...» ou «Vous avez perdu un être cher...» a de fortes chances de frapper droit dans le mille. Ce sont là des sujets de préoccupation courants pour la majorité des gens. Bref, Stephany fait-elle partie du grain ou de l'ivraie ? Je l'ignore encore.

Elle m'explique ensuite être célibataire depuis des années et trouver ça pénible. Elle espère tant rencontrer quelqu'un sur le chemin. Vraiment ? Quelle ambition étrange. C'est bien le dernier endroit sur terre où je penserais rencontrer un amoureux potentiel. Voilà un lieu de *flirt* bien singulier. Dans ma tête, les gens ne parcourent pas le *Camino* dans ce but du tout. Ceci dit, elle se cherche, elle aimerait trouver quelque chose, mais elle ne sait pas exactement quoi. Des réponses. La plupart des pèlerins partagent probablement la même quête. Quand tu choisis de venir marcher ta vie pendant des jours, des semaines, voire des mois, le but ultime n'est pas le sport.

En passant près d'un banc de parc en bordure du chemin, un homme assez âgé nous interpelle de la main. De son accent *british* bien senti, il nous salue avant de nous poser une question technique concernant la ville suivante. Stephany, qui semble au courant, lui répond. Nous papotons un instant avec lui, profitant du moment de discussion pour prendre une petite pause. Mes mollets, mes cuisses, mes chevilles et mes pieds commencent vraiment à ressentir l'effort. Notre nouveau compagnon s'amuse en remarquant mes mouvements de jambe manquant quelque peu de fluidité. En me touchant l'épaule avec compassion, il nous révèle :

— Vous savez, c'est la troisième fois que je marche sur la Compostelle. Vous devez retenir une chose, mes gentes dames : peu importe le nombre de kilomètres parcourus, votre route se divisera toujours en trois étapes bien distinctes. Le premier tiers du chemin constitue un défi physique où l'on apprend à gérer la douleur, à l'accepter, à vivre avec elle et à reconnaître ses limites. Le deuxième tiers du parcours se transforme en un défi moral, où le mental prend le contrôle de la démarche... et pas toujours pour le mieux ! Cette étape pénible est essentielle, car, pour le dernier tiers, le mental s'essouffle et lâche prise pour céder la place à l'aspect spirituel. C'est à cet instant que le pèlerin prendra vraiment conscience des différents messages et enseignements que le chemin avait à lui partager. Une transformation qui s'élève de la racine des pieds jusqu'à l'âme. Acceptez donc chaque étape comme un passage, une nécessité, et gardez en tête que le vrai chemin débute seulement quand nous terminons de le marcher.

Nous buvons ses paroles comme deux jeunes novices se faisant instruire par le maître souverain. S'il dit vrai, l'aventure sera intense, je le sens.

Le défi physique, scène 1

Au moment où nous passons devant une terrasse dans un petit village, Stephany salue de la main un grand gaillard qu'elle reconnaît. Sans aucune hésitation, il se lève et se joint à nous pour poursuivre la route. « Le monde marche-t-il toujours en groupe comme ça ? » Le type se présente à moi comme étant Andrea, mais il enchaîne en disant qu'il préfère que nous l'appelions Ginger Ninja. Il précise, tout en montrant du doigt son panache roux carotte, que sa force herculéenne et ses cheveux sont à l'origine de son sobriquet. Il a seulement dix-huit ans, ce qui me surprend beaucoup. Je ne m'attendais pas à rencontrer une telle jeunesse sur cette route. Trois amis, qui ont disparu des parages pour l'instant, l'accompagnent pour ce pèlerinage qui doit marquer le passage de leur vie d'ado à celle d'adulte. À l'automne, ils quitteront tous leur maison sud-italienne-familiale pour intégrer l'université. Sans les connaître, j'aime déjà cette bande de jeunes gars qui se sont lancés dans une démarche spirituelle de ce genre, rien de moins qu'en groupe. Il me semble que le commun des mortels de cette tranche d'âge opterait plutôt pour un *rave*-beuverie-orgie-sur-l'*ecstasy* filmé et mis en ligne sur YouTube pour souligner leur transition à la vie adulte. J'exagère à peine...

Nous discutons tous les trois à bâtons rompus pendant des heures, jusqu'à ce que le jeune homme s'arrête au début d'un village. Il compte y attendre ses amis, plus lents, qui arriveront, il espère, sous peu.

Je ne sais pas si je le reverrai. C'est dommage, car je le trouvais divertissant. Apercevant dans un champ une chèvre qui broutait accotée sur les rotules de ses pattes avant, il l'avait félicitée pour son ingéniosité à haute voix. Partageant avec nous sa baguette de pain, il nous avait raconté l'avoir achetée d'une femme ayant deux bosses suspectes dans le dos. Des ailes d'ange, selon sa déduction. Je l'avais relancé en lui racontant que ma tante et mon oncle possédaient un ours polaire comme animal de compagnie[19] quand j'étais jeune. Il m'a crue avec grand plaisir. Stephany, non. Bref, il fut facile de s'attacher à ce jeune homme touchant, qui nous avait confié croire dur comme fer que Dieu lui avait confié la mission de faire rire chaque personne qui croiserait sa route sur le *Camino*. Dans mon cas, ce fut réussi. Je le serre dans mes bras avec chaleur avant que notre chemin se sépare.

Merci, Ginger Ninja...

Le défi physique, scène 2

Bon an, mal an – car nous marchons vraiment à pas de tortue – Stephany et moi poursuivons vers la ville suivante en rigolant. À quoi bon se fouler la rate. Mon corps brûle de partout. Un brasier de chair ardente. Tantôt ça faisait un peu mal; à présent c'est effroyablement douloureux. Chaque pas enflamme mes muscles. L'étape 1, le défi physique, disait le type. Je me repends, la tête bien basse, ô saint Jacques. Ce matin, j'ai jugé sans vergogne les femmes qui faisaient des étirements sur le mur et, hier, celles qui étaient à moitié mortes sur leur lit. En ce moment, je peine à placer un pied devant l'autre et je ne vaux pas mieux qu'elles. «Juste de la marche...», que je me disais. La brebis égarée que je suis regagne le troupeau de moutons éclopés en faisant acte de contrition. Comment

---

19. Je racontais ça à tous mes amis quand j'étais au primaire. Ouin... Dans les faits, elle avait une crèmerie appelée: L'ours polaire. Légère déformation de la réalité, ici.

ai-je pu me fourvoyer à ce point ? Les blogues consultés ne mentionnaient rien d'aussi éprouvant, il me semble. J'ai fait à peine vingt-trois kilomètres aujourd'hui, et je crains de ne pouvoir me rendre à une auberge sans m'échouer de tout mon long sur le pavé. Je pourrais toujours ramper comme un serpent ?

En arrivant au centre de la ville d'Estella, qui compte quinze mille âmes, le bruit des voitures et de l'animation environnante nous déroute complètement. Nous avons passé la journée en nature, avec comme seul bruit de fond les oiseaux qui gazouillent, les roches qui se querellaient entre elles sous nos pieds et les raisins qui poussaient. Là, c'est la cacophonie. J'observe tout autour, sous le choc. J'arbore avec brio la tronche stupéfaite d'une fille élevée par des ogres dans un marais pendant trente ans, voyant la civilisation humaine pour la toute première fois. Stephany affiche la même tête ahurie que moi. Nous échangeons un regard complice, avant de sourire sans mot dire.

À l'aide de mon guide de voyage, j'ai déniché une *albergue* où je désire me rendre. Stephany a prévu séjourner dans un endroit différent. En traversant un boulevard menant à l'intersection où nous devons nous séparer, elle avance vers moi pour me faire une accolade.

— Bonne soirée, Mali. Peut-être à une prochaine fois...

— Oui, bonne soirée à toi aussi.

— Bye !

Ah, voilà donc la façon dont on s'y prend pour donner congé à la personne avec qui on a marché toute une journée et que l'on ne recroisera peut-être jamais. C'est tout. Pas plus complexe que ça. En m'éloignant un peu, je songe aux moments uniques partagés avec cette Australienne. Ensemble, nous avons vu une immense carte du monde taillée dans un champ à flanc de montagne, un oiseau aux plumes brunes qui chantait comme une chèvre à l'agonie, et une femme très âgée attachée à sa chaise avec des foulards pour éviter qu'elle tombe (on présumait que c'était pour cette raison... on l'espèrait, du moins). J'ai marché avec Stephany en poussant mes premières plaintes de douleur. À l'aide de sa métaphore – comme quoi la vie est un combat où l'on peut décider de ne pas se battre du tout –, Stephany m'a partagé une belle leçon sur le lâcher-prise. En retour, je lui ai confié que, lorsque j'étais petite, je m'étais fabriqué un ascenseur avec des collants dans mon garde-robe et que celui-ci devait me permettre d'aller sur la Lune (je ne me souviens pas du contexte de cette tranche de vie enlevante).

Propulsée par une grisante et soudaine reconnaissance, je me tourne et je l'interpelle.

— Stephany ?!

Sur le trottoir plus loin, elle se retourne.

— Merci ! que je lui crie, assez fort pour couvrir le bruit des moteurs de voitures qui pétaradent.

— Merci aussi, gentille Mali !

Je souris. Elle sourit. Nous nous sourions. Bonne route, Stephany. Que le chemin t'apporte les réponses que tu cherches...

Le défi physique, scène 3

L'air de me mouvoir comme un canard avec des pattes en deux par quatre de chêne massif, je gravis à grand-peine une immense pente. Un cauchemar à paliers. Mes genoux meurtris forcent ma carcasse entière à compenser en s'arquant de toutes les façons inimaginables afin de réduire la pression qui compresse mes rotules. Éviter de plier les genoux et hausser exagérément les hanches à chaque pas font partie des stratégies privilégiées par ma charpente osseuse pour contrecarrer la douleur. Ça fonctionne plus ou moins, car je commence à avoir un point dans le haut de la cuisse droite. «Le corps est génétiquement conçu pour marcher...» Mon œil, oui. Mon état actuel s'avère presque intolérable. Voyons donc? Il faut que ça passe dans les jours à venir, sinon je ne verrai jamais le bout de ce foutu chemin.

Dieu soit loué, j'atteins enfin la réception de l'*albergue*. La tenancière m'accueille gentiment et rien de moins qu'en français. Rapidement, les étapes d'enregistrement sont complétées et on appose une nouvelle étampe sur mon *credencial* de pèlerine. Allons. Qu'on en finisse avec les formalités. Je veux juste prendre une douche bien chaude dans le plus bref délai.

La chambre comprend quatre lits simples, dont un seul utilisé pour le moment. La pièce s'apparente à une ancienne salle de classe transformée en refuge. On y retrouve d'ailleurs des pupitres de bois dans deux coins de la pièce. Je me sers de celui le plus près de mon lit pour étendre mes trucs en défaisant mon sac.

Mes articles de toilette en main et ma serviette sur l'épaule, je rampe telle une limace jusqu'aux douches communes. L'endroit me paraît désert. Je me lave en automate. L'eau chaude apaise provisoirement mes muscles endoloris. Pas assez longtemps à mon goût.

En sortant, je démêle mes cheveux devant un grand miroir, la serviette nouée au-dessus de ma poitrine. Cette salle d'eau commune me fait penser à celle de mon école primaire d'enfance. Je m'inspecte dans la glace. Au lieu d'y percevoir mon reflet, je revisite ma journée comme si elle défilait dans le miroir magique de Blanche-Neige. Les nouvelles rencontres, la douleur à son paroxysme, le sentiment de félicité indescriptible qui m'habitait en atteignant cette ville. Sans avertissement, une grande extase m'envahit en même temps qu'une grande pression se libère dans mon corps tout entier. Sensation unique que je n'ai jamais ressentie. J'explose en larmes. Des perles confuses de satisfaction, de douleur, de joie, de fierté de je-ne-sais-trop-quoi en réalité, mais je considère ces gouttes comme précieuses. J'ai l'impression de ne jamais m'être sentie autant à ma place qu'ici, maintenant, dans cette salle de bain commune à la salubrité que correcte, devant ce miroir, les jambes en compote. Je DOIS être ici. Je le sais maintenant, je le sens. Je ne saurais trop en expliquer la raison, mais cela se révèle en mon for intérieur comme une évidence.

Je pleure et je pleure encore, libérant à la fois l'anxiété précédant mon départ, la peur de l'inconnu, la peine vécue dans ma vie de couple. Cet assortiment hétérogène d'émotions semble se déverser par des ouvertures dans mon cœur pour ensuite tomber au sol en flaques libératrices dans lesquelles mes pieds affligés pataugent. Les orteils gigotent, les orteils barbotent. Bon sang que c'est libérateur. Je veux marcher ainsi pour le reste de ma vie.

Le défi physique, scène 4

— Allo?

— Je t'entends mal, Mali... Allo?

La connexion WiFi n'étant pas super performante, la ligne coupe.

— Sacha? que je tente, la voix un peu tremblotante.

Depuis la fin de ma douche, je pleure comme une Madeleine. Je me sens envahie d'une émotion inconnue sur laquelle je ne semble avoir aucun contrôle. Une émotion nouvelle. Sans nom. Quelque chose de plus que la libération, tout en étant pas très loin du désespoir lucide.

— Mali? Tu pleures? Mon Dieu! Qu'est-ce que qui s'est passé?

— Rien, rien. Je... je...

— T'es pas blessée, toujours? Rien de grave?

— Non, je suis juste heureuse, mon amie...

— Aaaaaah! Fallait le dire avant, cibole! J'étais sur le point de contacter l'ambassade canadienne...

— J'aime tellement ça. C'est une révélation. Je *devais* venir ici. Comprends-tu?

— Voyons? La dernière fois, tu m'appelais en pleurant parce que t'étais pas heureuse, et là, tu pleures ton bonheur d'être là. T'es parfaite, je t'aime, bipolaire de même...

— Il fallait que je le partage avec quelqu'un. Aucun psy ne pourra jamais me reprocher de refouler mes émotions.

— Je suis vraiment contente pour toi. J'étais sûre que ça te ferait du bien de partir. Mais là, est-ce qu'on pourrait se parler une autre fois, mon amie? Je suis dans le salon, les bras pleins de linge à plier, les enfants sont dans la cuisine et c'est le calme plat. C'est trop louche. Un mauvais coup est en préparation, je le sens...

— Oui, vas-y, on se reparle plus tard!

En raccrochant, je fixe le mur devant moi dans la salle de séjour commune. Un cadre présente un marcheur de dos qui progresse sur la Compostelle. Je souris en le détaillant. Des larmes se remettent à couler de plus belle. Misère. Je suis pas sortie du bois, c'est vrai. Je vais me déshydrater comme ça pendant combien de temps, encore? Jusqu'à obtenir la consistance du raisin sec?

Un message texte qui entre dérange ma séance de pleurnichage. Sacha lance une conversation de groupe:

> Bout de viarge! Je pensais que le coup de l'enfant qui enlève sa couche et qui beurre le frigo de caca, c'était juste dans les films, ça!?!

Un rictus perce mes larmes.

Ça, c'est le vrai filleul à sa tati Coriande!!

Ah wow! Trop *cute*! Dis-lui que matante Ge est très, très fière de lui!!!

Pour se venger de notre solidarité avec Théo, Sacha nous fait suivre une photo vraiment très dégueulasse du massacre au caca, notre ti-pou d'amour posant au milieu de la scène de crime en semblant se délecter de la situation d'un petit air moqueur. Cori s'offusque :

ARRRRRRK! Montre-nous pas ça!!!

Vous êtes fières de lui? Vous allez en subir les conséquences! Dans vos dents, bande de matantes inadéquates! BOUM!

Pour ne pas être en reste, je lui témoigne mon amusement :

Hahaha!

Hé, Mali!? Je me demandais, comment c'était la fameuse Sagrada Familia à Barcelone? Il paraît que c'est vraiment beau!

Bon, voilà Cori qui se met de la partie. Misère.

Pas eu le temps d'y aller...

Voyons??? C'était LA chose à visiter à Barcelone!?

C'est comme une mauvaise blague, cette histoire-là. Un complot mondial pour me faire sentir ridicule de n'avoir rien visité à Barcelone. J'étais trop occupée à être malheureuse, bon. Laissez-moi tranquille avec votre *familia*-truc. Je n'irai même pas voir sur Internet de quoi il s'agit, question de ne pas tourner le fer dans la plaie.

Pour me reprendre, je souligne avec grande fierté :

Mais la cathédrale était belle. J'ai même *breaké-in* une messe de façon super illégale...

Wow! Méchante rebelle déchaînée. T'es prête pour ton baptême dans les motards!

Le WiFi coupe encore. Je me déplace un peu pour tenter d'améliorer la connexion. Je m'assois dans les escaliers puis, tandis que je patiente, je me remets à pleurer. Certains font du *scrapbooking* dans leurs temps libres, moi je pleure. Respectons les loisirs de tous sans jugement. Au moment où la connexion semble rétablie, je compose sans réfléchir le numéro de Bobby, assaillie à nouveau par un puissant élan de partage de mon état émotif confus. Comme je ne suis pas très belle à voir, les yeux tout bouffis, je tente un simple appel et non un Facetime. En moins de deux, il répond :

— Allo ?

— Allo..., que je couine, fondant encore plus en larmes au son de sa voix.

Comme pour faire exprès, la connexion coupe encore à ce moment précis. Bon. Au moment où ça revient, je l'entends au bout du fil :

— MALI ? Qu'est-ce qui va pas ? Allo ?

— Ah, ça va..., que je le rassure en reniflant.

— Tu pleures ? Pourquoi tu pleures ?

— Je suis heureuse, je suis contente d'être là. J'ai marché pour la première fois aujourd'hui et... aaaaah ! la Compostelle, c'est merveilleux.

— Franchement !? J'étais inquiet en t'entendant pleurer de même...

Bon sang. Les gens ne comprennent vraiment rien à mon état d'esprit.

— Tu m'appelles, tu pleures, ça coupe. Crisse, j'étais pour appeler l'ambassade !

En plus, tout le monde veut contacter l'ambassade. Les gens ne sont vraiment pas prêts pour des pleurs de joie, c'est trop d'extravagance.

— Non, je t'assure, je suis vraiment heureuse.

— Mais tu pleures? C'est bizarre, ça.

Ses gênes de *Cromo erectus* l'empêchent de saisir ce comportement émotif étrange. Pour un gars: rire = joie; pleurer = tristesse. C'est tout, on a fait le tour de la palette d'émotions incluse dans leur spectre de compréhension humaine. J'exagère à peine...

— En tout cas, tant mieux si t'aimes ça.

— Oui.

— Je voulais te dire que je suis fier de toi.

Hein? Pourquoi est-il «fier»? La fierté, n'est pas tout à fait ce à quoi je m'attendais de sa part. Il me prend de court, mais je ne le laisse pas en plan:

— Eh bien, merci...

Et la ligne coupe. Cette fois, je perds carrément l'appel. Tant pis. J'extirpe mon livre sur le Tao de mon – toujours aussi honteux – sac banane.

Avant de plonger dans ma lecture, je songe à Bobby. Qu'est-ce qui va nous arriver? Allons-nous nous quitter officiellement et ce sera la fin de notre histoire? Les choses s'arrangeront-elles, de sorte que nous trouvions un terrain d'entente pour que je puisse lui faire confiance à nouveau? Vais-je redevenir célibataire? Je ne sais pas, je ne sais plus. Je me rends compte que je vis une grande insécurité face à la possibilité de me retrouver seule. Un genre d'anxiété assez intense.

Le chapitre où je suis rendue s'intitule : « Vivre le mystère ». Je parcours quelques pages. Mes yeux s'arrondissent en queue de pelle. Chaque fois que j'ouvre ce foutu livre, j'ai l'impression que le chapitre répond précisément à mes questionnements du moment, comme un oracle. On parle ici du mystère comme des « réponses ». On explique que plus nous tentons de trouver des réponses précises, moins nous les trouvons. « Laissez le monde se révéler à vous sans toujours essayer de tout comprendre. Par exemple, acceptez vos relations comme elles sont, puisque l'ordre divin finira par s'imposer de toute façon[20]. » Qu'est-ce que ça signifie ? Ne pas se poser de questions, voilà ce que ça veut dire. Qui serait capable d'accomplir cet exploit ? Levez la main. Pas moi, en tout cas. Me poser des questions est un emploi à temps plein. « Qu'est-ce que tu fais comme métier, Mali ? Moi ? Je pense trop, et ensuite, quand il me reste du temps, je suis écrivaine. » Misère. Parlant de mon deuxième métier, il faudrait bien que l'idée miracle jaillisse de ma petite tête de nœud avant que j'en fasse des cauchemars.

Une Coréenne arrive alors comme mars en carême dans la salle de séjour. Elle me salue de son plus beau sourire bridé. Un gars de la même nationalité entre à son tour dans la pièce, suivi d'une deuxième fille, et ainsi de suite jusqu'à ce que sept personnes aient envahi l'endroit. Tous me détaillent en souriant de toutes leurs dents. Ils sont si attachants. Voyageant parfois en Asie, je reconnais tellement ici la gentillesse des Asiatiques et leur politesse inconditionnelle envers les étrangers.

---

20. *Ibid.*, p. 28.

Je prends mon calepin de note.

C'est l'histoire d'un groupe de touristes coréens qui partent faire la Compostelle...

Bof, non... un roman se passant sur la Compostelle, ce serait forcément ennuyant[21]. Il ne se passe rien de bien spécial. Imaginez un roman avec des gens qui marchent pendant des heures, tous les jours. *Boring*.

En me levant pour retourner à ma chambre, mes genoux ne suivent pas du tout mon mouvement et une douleur ressemblant à un plâtre de clous se resserrant autour de mes rotules me transperce. Sous cette torture aiguë, je fléchis les genoux et je m'immobilise en prenant appui sur le mur. Tel le chœur d'une chorale *gospel*, le groupe de Coréens livre un interminable « Ooooooooh » criant de compassion.

— *It's OK...*, fais-je pour les rassurer en clopinant afin de sortir de la pièce.

Sérieusement, «*It's NOT OK!*», ça n'a même aucun bon sens. Je voulais sortir en ville pour souper, mais je ne crois plus pouvoir me déplacer. Je devrai me rabattre sur le menu des pèlerins[22] offert sur place. Je monte à ma chambre pour prendre un comprimé de Celebrex, un anti-inflammatoire puissant. Mon *pusher* de père, qui en obtient sous ordonnance pour soulager un mal de dos chronique, m'en a refilé avant que

---

21. Cacophonie de bruits de criquets.
22. Les auberges offrent des menus spéciaux destinés aux marcheurs et comprenant, pour environ dix euros, l'entrée, le repas, le dessert, le pain et le vin. Le vin agissant ici à titre d'analgésique.

je parte, au cas où. Techniquement, ce trafic de drogue intrafa-
milial devrait être répréhensible, mais que Dieu et le Tao nous
pardonnent, je vais mourir de douleur sinon. Je gravis une à
une les marches, comme un bébé venant tout juste de réussir
ses premiers pas. Je songe pendant un instant à monter sur les
fesses, à reculons. À ce point-là, oui. J'espère de tout cœur me
rétablir pour demain. Après tout, il s'agit juste du jour i.

Je décide de partager une photo de moi sur Facebook. J'ai
deux profils: un privé avec mon nom modifié et un public
pour ma carrière d'*écrivine*. Comme j'aime bien faire voyager
mes lectrices avec moi, je place sur ce dernier une photo prise
par Stephany dans un genre de tunnel, de dos.

À peine trois secondes s'écoulent que je reçois un message
privé sur mon Facebook personnel.

> Hé ! Allo, la grande vedette ! T'es sur la Compostelle,
> wow ! Comment c'est ?

Ah non. Pas lui.

Je connais à peine ce gars; une simple connaissance de
mon frère Chad de l'époque du ballon chasseur à l'OTJ, pour
vous donner une idée. Il est devenu super *groupie* depuis que
je suis romancière. Il a dû voir la photo sur ma page publique.
J'ai zéro envie de lui parler. Aucun intérêt. En plus, il me pose
une question à développement. Un vrai ou faux, ça ne lui
tentait pas? J'ai tout de même développé une technique que
j'emploie dans de telles circonstances pour couper court à la
conversation: une réponse courte, sans détails, suivie du mot
de la fin.

> Oui, c'est cool! Bye!

Assez bref, merci, hein? Je suis certaine que je ne suis pas la seule aux prises avec des gens pas rapport qui veulent tout le temps jaser sur Facebook. Il me renvoie un simple bonhomme sourire. Bon. En réalité, il n'est pas SI fatigant, mais il m'écrit juste trop souvent. Et chaque fois, je lui réponds aussi succinctement. Facebook c'est le *fun*, mais mon Dieu qu'il y a du monde inadéquat qui divague là-dessus.

Ça me fait penser au congrès de Gatineau, ça...

La fois où on a tenu un congrès à Gatineau

Après une autre pinte de bière accompagnant des questions face à l'ordre du jour, toutes plus idiotes les unes que les autres, les délibérations cessent enfin. Nous pouvons donc poursuivre avec le congrès en tant que tel, en papotant de choses plus sérieuses avec les congressistes présentes à la table.

Le téléphone de Sacha tinte pour annoncer la réception d'un message. Elle jette un œil inattentif avant de s'exclamer:

— Aaaaaah!

— Quoi? que je lui demande.

— Ç'a tellement pas rapport Vous souvenez-vous de Bruno, au secondaire?

— Bruno Charland? Le fumeux de *pot* qui avait les cheveux gras?

Sacha explique:

— Oui, lui. Il m'a trouvée sur Facebook la semaine dernière et, pour être fine, je l'ai accepté dans mes amis. Trois jours après, il m'a écrit en message privé: «Allo!» et j'ai pas répondu. Hier, il m'a réécrit «Allo!?» et j'ai répliqué: «Je suis occupée. Bonne journée». Là, il vient encore de m'envoyer un «Allo!».

— Ark! Fatigant!

— Et ça, c'est sans compter ses *pokes*... Eille, franchement! C'est quoi ça, un *poke*, premièrement?

— Pour moi, c'est comparable à une «bine» sur l'épaule dans un moment inopportun.

— Ou quelqu'un qui te rentre les maudits doigts dans les flancs sans prévenir...

— Personne ne *poke* personne dans la vie. Je suis certaine que les administrateurs de Facebook se disent depuis des années: «Ouin, ça fait plus de cinq ans que personne n'a *poké* personne sur toute la planète, il faudrait peut-être penser à supprimer cette option du système», spécule Ge.

— Personne *poke*, certain.

— Je suis pas d'accord! Je trouve même qu'on devrait se *poker* plus souvent. Il faudrait ramener le *poke* à la mode, que je m'oppose, tout feu tout flamme.

— Regarde mon autre... les *pokes* ont JAMAIS été à la mode, explique ma consœur.

Claudie, qui habite toujours notre village natal où ce type réside aussi, nous révèle :

— Il va pas super bien, ce gars-là. Il prend du *speed* à longueur de journée.

— C'est triste pareil, il a trente-huit ans, je pense.

— Je lui réponds pas, décide Sacha en posant son cellulaire sur la table.

— Il a été fouiner sur ton profil, et là, gelé raide, il tripe sur toi. Tu le barreras, au pire, suggère Claudie.

— Ouin... Bon ! On continue ?

Au même moment, Sacha reçoit un autre message.

— Aaaaah ! Gossant ! l'injurie-t-elle d'emblée en saisissant son cellulaire.

Elle regarde l'écran puis pousse un cri de désespoir en mettant sa main libre devant sa bouche.

— Quoi ? lui demande-t-on à l'unisson.

— Il m'a envoyé une photo... de son zizi !??

— Ben voyons donc ?! que je fais, les yeux exorbités.

— MONTRE ! crie Ge en lui arrachant l'appareil des mains.

— HA ! HA ! HA ! rit Claudie. Montre, moi aussiiiii !

— Il se polit le chinois ou quoi? C'est trop inadéquat! s'offusque Cori en arrachant à son tour le cellulaire des mains de Ge.

Dans le branle-bas de combat de curiosité morbide qui s'ensuit, tout le monde s'enlève à l'arraché le téléphone des mains pour examiner ledit phallus virtuel.

— ARKKKKKK-EEEE! se désole Claudie, secouée de spasmes de rire.

Curieuse à mon tour, je m'en empare avec trop grande motivation. Bien évidemment, l'engin du gars apparaît en gros plan, mais je remarque surtout un détail non négligeable:

— Mais là, Sacha, tu l'encourages. Tu lui as répondu un *thumbs up*...

— Comment ça, un *thumbs up*?

Sous la photo du gars, un géant pouce en l'air se dresse. Un classique de la messagerie Facebook. Je tourne l'appareil pour le lui montrer.

— Calice!? Qui lui a envoyé un *thumbs up*?

— Pas moi, affirme Ge. J'ai rien touché.

— Moi non plus, se défend Claudie.

— *Shit*, il est ben gros! commente Cori.

— Le pouce ou son zoui-zoui? demande avec pertinence Claudie.

— Les filles!? C'est pas drôle... Qui a fait ça?

— Il était déjà là quand j'ai regardé, que je lui assure.

Sacha reprend son cellulaire pour voir s'il n'y a pas moyen de réparer le désastre.

— Ah! *My god!* Il vient de me renvoyer un bonhomme sourire... Il est content! ARKKKKK! Au secours! Faites de quoi!?

— Ha! ha! ha! *Shooters!* s'esclaffe Claudie à s'en déboîter les dents de sagesse.

— Quelqu'un a dû accrocher l'icône sans faire exprès, suppose Ge.

Assurément. Aucune des filles n'aurait trouvé amusant de faire ce genre de blague. Cette option sur la messagerie est la première en bas à droite, il est donc facile de l'accrocher[23].

Sacha, qui saisit à nos tronches angéliques offusquées qu'il s'agit vraiment d'un accident, demande:

— Je fais quoi pour ramener ça?

J'éclate de rire à mon tour en récapitulant la scène:

— Imaginez le gars gelé *big time*, assis dans son salon. Il envoie son pénis à son ancien fantasme du secondaire, certain que ce sera un gros *hit*... Ha! ha! ha!

---

23. À main levée, à qui est-ce déjà arrivé?

— Et là, je lui renvoie un *thumbs up* : « *Yeah !* mon gars ! Je suis trop heureuse de recevoir ton zizi en photo en pleine fin d'après-midi ! »

— Explique-lui que t'as accroché le piton, propose Ge.

— Réponds rien du tout pis *flushe*-le ! suggère plutôt Claudie, plus directe.

— Tu lui dois rien, à lui.

— Ah oui, je le *flushe* ! décide Sacha, affolée à l'idée de recevoir une autre photo suggestive. Ah mon Dieu, je suis traumatisée.

Le défi physique, scène 5

Je n'y arriverai pas. Ce n'est pas compliqué, je n'y arriverai tout simplement PAS. J'ai le goût de pleurer, mais pour d'autres raisons que lors de mon heureux départ ce matin. À présent, je pleure de douleur. J'adore mon expérience, je trouve tout autour de moi remarquable, mais mes foutus genoux ne tiennent pas la route. Mes jambes au complet me font souffrir. Je ne marche plus en canard, je ne marche presque plus tout court. J'avance un pas à la fois, comme si j'avais douze tonnes et demie de briques sur le dos. Les déclinaisons montantes ou descendantes de la route, aussi petites soient-elles, s'avèrent un vrai cauchemar. Je tente depuis ce matin de faire les descentes à reculons. De cette façon, l'impact pousse moins en ligne droite sur les aiguilles de ma douleur. Je n'ai pas pris de médicament ce matin, car je ne veux pas risquer d'engourdir le mal et me blesser davantage. Je suis obsédée par ma condition physique, je ne pense qu'à ça. J'aurais bien dû me lancer dans l'ascension de l'Everest en gougounes et sans tente, je pense que ça aurait été moins périlleux. Un safari africain en unicycle dans le secteur de maternité des lions avec une ceinture de *T-bone* aurait été pas si mal non plus.

Il me reste encore quatre kilomètres à franchir aujourd'hui, ce qui correspond environ à une heure de marche. Je ne sais trop comment j'en viendrai à bout, mais je n'ai pas le choix. J'aperçois déjà la ville au loin. Mon objectif. Une oasis dans le désert. Ma destination paraît bien proche, mais c'est une illusion d'optique. Mon genou gauche – le pire des deux – est à la veille de valdinguer sur le chemin. Je pourrais toujours le pousser du pied pour le rouler jusqu'à mon *albergue*?

Je prends une pause sur un banc en bordure du chemin, mitigée face aux effets bénéfiques de ces arrêts. Parfois, lorsque je reprends la route, la douleur est encore pire. Comme si mes articulations se calcairisaient[24]. Je ressens ensuite que je dois concasser le tout pour libérer mes muscles et mes tendons flétris. Avachie sur le siège, je me désole en songeant que je ne serai peut-être pas en mesure d'atteindre le but que je me suis fixé. J'allume une cigarette pour me consoler (sacrilège). Je ne fume pas le jour, mais là, j'ai trop mal. Ça va me faire du bien, me détendre, du moins. Au point où j'en suis, je fumerais même un gros joint de pot thérapeutique avec les voisins inadéquats de mon frère. Ça ou de la morphine, du *crack*, une

---

24. En attendant la définition officielle, à paraître dans *Le Petit Dubois illustré*, je vous confirme qu'une articulation calcairisée, ça fait un mal de chien.

épidurale, n'importe quoi. Je suis partante et pas regardante sur le produit visé.

Un bruit mélodieux qui perce le doux vent dérange un peu mes espoirs toxicomanes du moment. Le son délicieux d'un harmonica. J'aperçois au loin la silhouette du responsable. Ses bottillons de la même teinte que la terre vagabondent avec nonchalance au son des notes qui s'échappent de son instrument. Une ballade, tout aussi mélancolique que joyeuse. Une mélodie polyvalente ayant la capacité de se mouler à l'état d'esprit de celui qui l'entend. Malgré mon état de décrépitude avancé, mes oreilles perçoivent avec délectation la chanson lumineuse. Le gars, qui doit avoir tout au plus vingt-cinq ans, cesse de jouer en arrivant à proximité, comme s'il craignait de me déranger. Il porte une chemise à manches courtes carrelée et un vieux pantalon cargo un peu trop court couleur vert forêt et décoloré aux genoux. Sur son oreille gauche, une cigarette roulée à la main tient en équilibre. « Du *pot* peut-être ? » Quel drôle de moineau. Je l'aime déjà.

— Bonne idée ! me dit-il simplement.

— Quoi ? De prendre une pause ou de pogner le cancer en fumant ?

— Les deux ! répond-il en prenant sa cigarette.

Ce grand gaillard *from* Tennessee vient de terminer la première portion de ses études en géologie. Logan a vingt-deux ans et il est venu faire la Compostelle *just for fun*. Hum. Il y a aiguille sous roche ou, plutôt, il y a une anguille dans une botte de foin – les aiguilles étant piquées en surnombre dans mes genoux. Sans le connaître, je doute fortement de ses motivations, car le *spring break* de Daytona Beach où l'on boit à se vomir dessus tout en offrant des colliers de Noël aux filles pour voir leurs seins existe et remplit très bien sa fonction pour la jeunesse américaine désirant juste avoir du *fun*. (Ici, je n'exagère malheureusement pas.)

Sans trop le prévoir, nous reprenons la route ensemble. Ce matin, j'avais résolu d'éviter de marcher avec les gens, car je crains que leur présence constante constitue une entrave à ma démarche spirituelle personnelle. Malgré le plaisir que j'ai eu à cheminer avec Stephany et Ginger Ninja la veille, j'ai déterminé qu'il me fallait vivre de la solitude pour être capable de me recentrer. Pour aller à la rencontre de mon vrai *moi*, il fallait que je puisse vivre dans le moment présent, que je puisse arrêter la cassette mentale débilitante qui tournait sans arrêt dans ma caboche. Simplement regarder un arbre ou un oiseau sans penser à rien d'autre que de suivre les fameuses flèches jaunes. Voilà ce que j'ai envie de vivre comme expérience de contemplation méditative. En marchant avec quelqu'un, je crois que c'est plus difficile d'en arriver là.

Malgré tout, je suis ravie de la compagnie de Logan en cette fin de parcours pénible. Il ne reste qu'une heure avant d'arriver à la prochaine étape, après tout. Sa présence me décentre un peu de ma souffrance. Il boite aussi de la jambe droite. Dans son cas, le problème provient de son talon d'Achille. Ça doit faire assez mal, merci, ça aussi. Nous jasons ensemble de tout et de rien. Il a également rencontré Stephany. C'est drôle, un autre gars croisé ce matin m'a parlé d'elle. Cette Australienne sociable connaît tout le monde ou quoi? Bien entendu, si elle souhaite rencontrer l'âme sœur en chemin, ce n'est pas en restant tapie dans son coin qu'elle y parviendra.

En foulant les dalles de béton de Los Arcos, mon corps se réjouit d'être enfin arrivé. Alléluia! *Mamma mia! Allegria!* Sonnez les cloches et sortez la cervoise! Je suis si heureuse – soulagée. Devant l'église du petit village s'étendent deux immenses terrasses extérieures regorgeant déjà de pèlerins arrivés à bon port. J'aperçois illico Stephany qui lève les deux bras en nous voyant. En parlant de la louve. Deux autres gars l'accompagnent, dont un que j'ai croisé ce matin qui possède un sac à dos exagérément petit, semblable à un sac d'école pour enfant. Je veux bien voyager léger, mais ce format lilliputien est ridicule.

Je m'assois auprès d'eux. Après les présentations d'usage, le gars à ma droite me dit en anglais:

— Tout le monde pense que je suis en route pour l'école à cause de mon sac...

— Eille! J'ai vraiment cru ça, moi aussi! que je confesse, fière de faire partie de la masse.

— Ha! ha! ha!

— Sans blague, il n'y a rien dans ton sac, avoue? le taquine Stephany.

— Ouin, pas grand-chose, en effet. Mais si je lave mes trucs tous les jours, je manque de rien!

Je l'admire. Son lot de peurs est digne d'envie.

— Et puis, Mali? Vas-tu te décider à faire le chemin au complet ou quoi? me demande Stephany, sans détour.

Hein ? Il n'a jamais été question de ça. Allonger mon voyage de trois semaines pour marcher les sept cents kilomètres au complet... Je ne peux pas. J'ai des choses à faire. Un livre à écrire. Je ne peux pas, parce que... Je ne peux pas et c'est tout, bon.

— Non... je peux pas.

— Tu devrais, je suis certaine que tu peux et même que tu vas le faire. Je le sais déjà, en fait...

Je la fixe comme si elle était exposée au musée. Le gars au sac riquiqui me dévisage de biais, comme s'il espérait aussi que je change mes plans pour poursuivre ma route comme eux. Je lève mon verre de bière au centre de la petite table et je me tourne ensuite vers Logan, mon partenaire de marche pour cette fin de journée douloureuse. Celui avec qui j'ai vu un nuage en forme de dragon volant et un papillon aux ailes de couleurs différentes – on n'était pas certains d'avoir bien vu. Le charmant jeune homme avec qui j'ai marché, accompagnée par une odeur insupportable de purin de porc pendant presque un kilomètre au complet. Logan, qui m'a expliqué l'origine de la constitution calcaire des montagnes nous entourant et à qui j'ai raconté que, quand j'étais petite, je faisais croire aux amis de ma classe que ma tante avait un ours polaire comme animal de compagnie. (Encore, je sais. Que voulez-vous, cette histoire-là connaît toujours un franc succès.) Logan, qui a apaisé ma douleur avec son énergie candide et qui m'a réchauffé le cœur en me gazouillant *Ring of Fire* de Johnny Cash avec son harmonica.

Je choque mon verre contre le sien :

— Merci, Logan...

Le défi physique, scène 6

Un enfer sur terre. La situation, qui jusqu'à maintenant me paraissait anguleuse, s'avère à présent insoutenable. En ce huitième jour, je viens d'atteindre un record de souffrance jamais égalé. N'est-ce pas fantastique? Venez me chercher, quelqu'un. Je suis trop jeune pour mourir. J'aimerais au moins avoir la chance dans ma vie d'accomplir quelques rêves de ma longue liste, comme méditer sur la Grande Muraille de Chine, plonger dans les fonds marins de la mer Morte au Proche-Orient, ou encore, dormir en cuillère avec un panda.

C'est particulier, la dualité intérieure qui m'habite en ce moment; d'un côté, j'adore l'aventure, les paysages, les gens que je rencontre et tout, mais de l'autre, mon corps ne suit pas du tout la musique. Le défi physique «où l'on apprend à gérer la douleur, à l'accepter, à vivre avec elle»... Accepter que je vais mourir, c'est ça? Et dire que je commençais à envisager sérieusement de faire le chemin jusqu'au bout, comme ma sorcière australienne le présageait. Elle a semé une graine d'idée. Mais dans mon état actuel, j'ignore si je serai même en mesure de marcher demain. En ce moment, je parcours les derniers milles d'un vingt-huit kilomètres. C'était beaucoup trop ambitieux, compte tenu de ma condition, mais à cause des distances entre les villes, je n'avais pas le choix.

Tantôt, Logan nous a rejoints, mais lui et ses grandes pattes de géologue en forme ont finalement accéléré. Son talon d'Achille va mieux, car en deux minutes, il n'était qu'une petite bille mobile au loin. Steve, alias l'écolier de la Compostelle qui m'accompagne, est très mal fichu aussi. Dans son cas, ce sont des ampoules sur tout le contour des pieds qui le font souffrir.

Nous avançons donc côte à côte, en traînant de la patte, tout de même moqueurs face au triste portrait que nous offrons aux passants. J'ai l'air de Terry Fox en fin de vie, mais avec deux jambes de métal sans rotules au lieu d'une seule. Steve, quant à lui, semble marcher en tentant d'éviter de briser la douzaine d'œufs qu'il trimbale dans ses espadrilles.

Sans crier gare, il s'immobilise et s'assoit par terre afin de changer ses bas. Il s'efforce de le faire toutes les trente minutes pour éviter d'empirer son état. À chacun ses petits bobos sur la Compostelle. Je me rends compte de tout l'espace que le corps et la douleur physique occupent dans le quotidien de tous. C'est majeur, voire le sujet chaud de l'heure. En rencontrant quelqu'un que tu connais sur le chemin, les conversations ressemblent toutes à: «Allo! Comment va ton pied? Ta cheville? Tes mollets? Tes ampoules? Tes genoux? Ton dos?» Je connais les problèmes physiques de tous et vice versa, comme si on portait l'étiquette de notre diagnostic en plein front. Ce matin, j'ai même croisé deux Coréens ne parlant pas un mot d'anglais qui faisaient des signes de contrôleur de la circulation pour me demander comment allait mon genou parce qu'ils me voient boiter sur le chemin depuis le tout début. J'ai vu des gens quitter l'aventure avant-hier. Un jeune Autrichien et un gars de Londres sont rentrés à la maison; leur talon d'Achille capricieux a eu raison d'eux. Je pense que la tendinite reste la pire complication. Au moins, je n'ai pas ça. Du moins, pas encore.

Comme Steve est Espagnol, il vient de réserver des chambres pour nous avec son téléphone. Une chambre privée pour moi, une autre pour lui et un lit dans le dortoir pour Logan. C'était chouette de sa part de le proposer. Logan et moi n'avons pas de réseau cellulaire. Nous n'aurons pas besoin de marcher une heure de plus en plein trafic pour dénicher un toit en arrivant à Burgos, une des quatre plus grosses agglomérations du chemin, avec ses cent quatre-vingt mille habitants. Aujourd'hui, j'ai besoin de paix, de calme, d'une bonne nuit de sommeil et, surtout, d'une salle de bain pour moi toute seule. Je crois que le fait de ne dormir qu'à moitié, dans les dortoirs toujours trop bondés, n'aide pas ma dégénérescence physionomique. Je suis vieille, moi, et mon sommeil léger de matante nécessite des conditions optimales pour être réparateur.

En apercevant la ville qui se révèle peu à peu derrière de petites collines de vignes, Steve et moi scandons des cris de joie digne des derniers milles d'un tour du globe complet.

— *OH MY GOD!!!*

— *YEAAAAAH!*

Plusieurs kilomètres plus tard – c'est toujours plus lointain que ça en a l'air – nous y sommes. Logan nous attend en jouant de l'harmonica sur un banc de parc au milieu d'un carrefour giratoire. Il doit être arrivé depuis déjà plus d'une heure, le pauvre. C'est Steve qui détient l'adresse de l'endroit où il a réservé pour nous. En voyant mon état de robot désarticulé, Logan émet un « Maliiiii... » de compassion en flattant mon épaule avec affection. C'est simple, je place un pas devant l'autre, les jambes raides comme des barres de fer, grimaces de douleur pas très chics en prime. Comme si l'énergie de ces deux gars qui m'accompagnent me permettait de me surpasser, je souris tout de même à travers ma contorsion faciale.

Je constate à mon grand désarroi en arrivant à l'*albergue* que la réception est située au quatrième étage. C'est une blague ou quoi? Ils font exprès? Misère. Une marche à la fois, en me tenant à la rampe comme si ma survie en dépendait, je fais signe aux deux gars – qui me regardent encore avec grand-pitié – de passer droit sans m'attendre. J'ai poussé le bouchon trop loin cette fois, je ne suis plus capable.

Je me résigne à monter de reculons et assise sur les fesses. Oui. Vraiment.

— Mali... je voudrais pouvoir te porter jusqu'en haut moi-même, me dit un charitable Logan à travers de grands yeux bleu-vert altruistes.

— Ça va... On se rejoint pour manger dans, disons, deux heures?

— OK, parfait! Donne-moi au moins ton sac, je vais le laisser à la réception.

— Merci, Logan.

Lorsque Steve passe près de moi, il me touche le bras pour me témoigner sa solidarité. Steve, un gars bien comique avec qui j'ai marché une bonne partie de la journée. Avec lui, j'ai vu un grand arbre brûlé en plein milieu d'une petite forêt intacte en bordure du chemin et un genre de limace géante jaune fluo enroulée sur elle-même qui ressemblait étrangement à un coquillage préhistorique. J'ai marché à ses côtés comme un pantin de bois pendant près de deux heures pendant qu'il me détaillait ses horaires de fou en tant qu'agent de bord pour une compagnie aérienne européenne desservant l'Australie – une drôle de vie sens dessus dessous. En contrepartie, je lui ai raconté le pire vol international que j'ai eu l'occasion de vivre lorsque j'avais attrapé la dengue en

Inde et que j'avais vomi pendant sept heures consécutives sur un vol Londres-Montréal. Il a ri aux éclats quand je lui ai expliqué que je sentais que les agents de bord avaient tous envie de me balancer incognito par-dessus bord pour éviter de contaminer à mort tout l'avion. Des discussions et des rires focalisant l'attention ailleurs, quelques secondes à la fois.

— Ce fut un plaisir, Mali.

— Merci, Steve...

Le défi physique, scène 7

— Non, tu comprends rien. Je serai pas capable, Bobby. J'y arriverai pas. Ça me fait tellement chier !

— Va t'acheter un vélo, tiens ! Termine le trajet à vélo ! Voilà !

Hon... Il est tellement inadéquat avec ses suggestions alternatives. Pourquoi je lui parle, au juste ? Parce que, en arrivant à ma chambre tout à l'heure, je me suis étendue sur le lit. Après trente minutes de relaxation immobile, je n'étais même plus capable de me lever. J'ai comme été prise de panique. Je me suis alors tournée de peine et de misère en roulant sur le côté pour me retrouver la face contre le plancher, afin de me hisser sur mes jambes à l'aide du lit et du rideau à la fois. Je l'ai ensuite appelé. Comme le WiFi ne fonctionne pas bien dans ma chambre, je suis en ce moment affalée de tout mon long tel une peau d'ours épilée au beau milieu du corridor et en pleurs. Je cherche un peu de compassion, tandis que mon autre me propose de faire du vélo. Je ne fais PAS de vélo.

Je lui annonce, pour le mettre à jour au niveau de mes loisirs et objectifs du moment :

— Bobby ? Je fais jamais de vélo ET je suis venue faire la Compostelle à pied.

— Vas-y en autobus alors, ou en taxi.

— Mais non, c'est pas ça le but.

— Je sais pas quoi te dire moi, d'abord, Mali !

Le voilà maintenant impatient. Ah wow ! merci. Maudits hommes à marde, avec leur recherche de solutions... En ce moment, j'ai besoin qu'il m'écoute, qu'il me rassure, qu'il m'enveloppe de douceur. Lui, il cherche une solution facile qui mettra fin à mes pleurnichages. Je lui explique :

— Je voulais juste que tu m'écoutes.

— Je t'écoute, mais qu'est-ce que tu veux que je te dise ? T'as mal, achète-toi un vélo, rentre à la maison, fais du pouce ! Je l'sais-tu, moi !

— Bon, je vais te laisser. Bonne journée ! que j'articule, irritée autant par lui que par mes rotules.

— Non, mais, qu'est-ce que tu veux que je te dise ?

— Rien. Tout va bien. Merci beaucoup. Bye.

Puis je raccroche, en beau fusil. Non, mais, c'est quoi son problème d'avoir la tête aussi près du bonnet ? Décidément, ce n'était pas un bon réflexe de l'appeler. Je ne devrais plus tenter d'entrer en contact avec lui. Il ne me fait pas de bien, au contraire. Mais bon, le sentiment de solitude amalgamé à la douleur m'ont fait paniquer et j'ai tenté de me faire rassurer par du connu. Mauvais automatisme, patiente Allison.

Je décide de ramper jusqu'à ma chambre pour prendre un antidouleur. Je ne serai pas en mesure de rejoindre mes amis pour le souper. Dévaler quatre étages ET devoir les regrimper après le repas, s'avérait équivalent à se lancer le défi de trouver un être humain sur la planète détestant viscéralement Fred Pellerin. C'est inconcevable. Peut-être que je devrais prendre une journée de pause pour permettre à mon corps de se reposer?

De nouveau allongée sur le lit, je garde mon cellulaire en main. Je m'ennuie des filles, mais je n'ai plus le goût de placoter au téléphone. Je décide de *poker* chacune d'elles sur Facebook pour les faire rire.

Juste de lire : «Vous avez envoyé un *poke* à Sacha», me fait descendre la pression d'un cran. C'est si insignifiant. Je prends mon calepin. Je me sens inspirée.

C'est l'histoire d'un jeune archéologue qui découvre quelque chose dans une grotte...

Ah non, pas un livre d'aventures, ça ne me ressemble tellement pas. En plus, il faudrait que je fasse des recherches sur l'archéologie. Ark, juste d'y penser, je suis déjà blasée du sujet. À moins que...

C'est l'histoire d'un jeune archéologue qui ~~découvre~~ veut découvrir quelque chose dans une grotte...

Formulé ainsi, il est en quête. Il cherche. Il parcourt le monde. Mais ça ne fonctionne pas, il faudrait tout de même que j'acquière des connaissances minimales en archéologie et ça ne me tente vraiment pas. Mauvaise idée de départ, de toute façon.

J'agrippe mon livre sur le Tao. Le verset où je suis rendue s'intitule: Vivre dans le contentement. On y parle d'*ego*, une notion qui s'avère plus complexe que l'image qu'on s'imagine d'emblée en pensant à quelqu'un d'égoïste ou qui se pense supérieur aux autres. L'*ego* renferme un paquet de joyeux *patterns* de notre enfance, des peurs, beaucoup d'orgueil et de jugements de valeur aussi. L'*ego* parle fort, il veut être reconnu, cajolé, regardé, admiré. Il souhaite posséder des choses, du matériel – beaucoup de matériel, il n'en a jamais assez – et il aime montrer SES choses aux autres. «Regardez-moi tout le monde!» Il veut performer, l'*ego*. Être le meilleur. Est-ce que je suis là-dedans? Le livre explique: «Arrêtez de vous pousser à la limite. Éprouvez plutôt de la gratitude et de l'émerveillement pour ce qui est[25].» Hum... Je songe à ma nouvelle vie d'auteure, à la pression que je me mets pour me surpasser en écrivant toujours le meilleur *hit*. À moins que ce soit mon *ego*, qui s'imagine ça pour se faire croire qu'il est important? Est-ce mal? Suis-je aux prises avec un défi de performance en ce moment? Peut-être. Ou pas. Ai-je de la difficulté à concevoir de prendre une pause parce que je m'impose des critères de rendement?

Je songe à Bethany l'Australienne, que j'ai croisée ce matin et qui m'a avoué, super embarrassée, que son nom n'était PAS

---

25. *Ibid.*, p. 43.

Stephany. Je lui ai crié par la tête : «Voyons donc ? Pourquoi tu me l'as pas dit avant ?» Respectueuse, elle était gênée de le faire devant les gens. J'ai ensuite insinué que je considérais son accent bizarre de kangourou comme responsable de ce quiproquo.

J'apprécie beaucoup la spiritualité de Bethany, une fille qui est sans aucun doute ma meilleure amie sur le chemin de Compostelle. Nous avons l'entente de ne jamais se donner de rendez-vous, elle et moi. Nous nous croiserons quand le *Camino* décidera que nous devons le faire. Nous avons remis notre relation entre les mains astrales de ce saint Jacques et de son coquillage. De toute façon, les hasards n'existent pas.

Le défi physique, scène 8

— Ayoye, je vais mourir, c'est certain ! que je m'apitoie, les mains sur le visage, les yeux dans l'eau.

Deux larmes roulent sur chacune de mes joues en un picotement agaçant. Même si j'ai proclamé ma mort en français et qu'elle n'a rien compris, Bethany me touche le bras et me désamorce :

— Respire. Respire. Ça va bien.

— Ayoyeeeee ! que je crie à nouveau.

À première vue, je vous l'accorde, j'ai l'air d'être au département de la natalité en train d'accoucher de mon premier, mais je vous rassure, tel n'est pas le cas. Je suis plutôt étendue de tout mon long sur l'assise d'une table de pique-nique, les jambes écartées devant Rob, qui m'encourage avec douceur :

— Pousse, pousse, pousse...

— Aïe, aïe, aïe...

(Hish... je conviens que ç'a vraiment l'air d'un accouchement, mon affaire.)

— C'est bon, relâche, relâche...

Rob est physiothérapeute, Californien et pèlerin. Je l'ai rencontré il y a quelques jours et nous nous croisons de façon aléatoire depuis. Il m'a proposé ce soir de « travailler » mes genoux selon sa médecine. Sur le coup, je me suis dit : « Hon oui ! Un bon massage... » Erreur. J'étais loin de me douter qu'il allait me faire souffrir à ce point.

— À cause de l'inflammation, le sang circule mal dans tes jambes, Mali. Il faut que je presse pour désengorger tes muscles.

« Désengorger » ? Ce n'est sûrement pas le bon mot. On le croirait en train de faire des patates pilées avec mes fibres musculaires.

Il fallait pourtant en arriver à ça. Physio, ostéo, acuponcture, *tuina*, amputation... je serais prête à tout pour améliorer ma situation. Hier soir, incapable de me traîner bien loin, mais affamée, j'ai bravé les escaliers comme une guerrière en fin de vie pour aller me cueillir un sandwich dans une machine distributrice au deuxième étage de l'hôtel. Pour faire changement, j'ai très mal dormi cette nuit. J'ai développé un réflexe nocturne emmerdant : lorsque je me retourne pendant mon

sommeil, je m'autofais mal et je crie au meurtre. En entendant mes cris de mort, je m'autoréveille, je re-bouge, donc je
re-gueule de douleur, et ainsi de suite *all night long*. C'est sans
issue. À ce stade-ci de ma prise de conscience du phénomène,
ce n'est pas clair si c'est la douleur ou mes lamentations de
chèvre des montagnes qu'on égorge qui me réveillent. Le fait
demeure : mes nuits sont loin d'être de tout repos.

Ce matin, après cette nuit désastreuse où je n'ai pas réussi
à récupérer une miette, je me suis levée en me disant : « Voilà !
Je respecte mon corps et je prends une journée de congé. » Un
peu plus apte à me déplacer que la veille, j'ai attrapé mon livre,
mon carnet de notes et je suis allée me réfugier dans un café.
J'avais mentionné au réceptionniste de l'hôtel que je garderais
ma chambre pour une nuit supplémentaire. J'ai tenté d'écrire...

C'est l'histoire d'une fille qui cherche une idée de roman et
qui...

Ah non. C'était poche. En plus, si j'écris une histoire dont le
personnage principal est auteure, tout le monde pensera que
j'en suis réellement l'héroïne[26]. J'ai trouvé l'idée nulle au point
d'arracher la page.

J'ai terminé mon café. J'observais tout autour. Je ne
savais pas quoi faire, on dirait. Je me sentais intérieurement
démunie, comme si ma vie s'avérait dénuée de sens. Je voyais
les marcheurs passer, prêts à attaquer leur journée de pèlerinage, leurs bâtons de marche bien en main. J'ai analysé avec
intérêt les bulles de lait dans le fond de ma tasse de café en

---

26. Solo de criquets.

espérant y lire mon avenir. Je me disais que c'était peut-être le même principe que les feuilles de thé. J'y ai alors décelé une forme humaine ressemblant à un marcheur avec un bâton et... Non. Ce n'est pas vrai, mais ç'aurait sans doute été plus simple, car je n'arrivais pas à mettre le doigt sur les raisons de mon état, à le décrire, à le comprendre. Je n'étais pas bien, comme inconfortable dans un vêtement hyper serré. Pour soulager ce malaise inconnu, je me suis levée, j'ai payé et je suis retournée à l'hôtel. Sans réfléchir, j'ai bouclé mon sac en ouragan et je suis partie sur les chapeaux de roue. Bah, pas si vite que ça, quand même, car j'avais encore très mal. En tout cas, j'ai filé. Le tenancier de l'hôtel m'a regardée arpenter le corridor en me tenant aux murs, l'air de se dire : « Méchante *perline* bipolaire, elle ! »

En réalité, mon subconscient me dictait de marcher. Pas à cause d'un esprit de compétition tenace, pour abattre des kilomètres. Non, rien de tout cela. Ma décision de rester une journée à ne rien faire m'avait plutôt causé un grand vertige irrationnel. Mon cerveau était-il désormais conditionné à marcher ? Ce parcours agissait-il comme une drogue, ou quoi ? Certains de mes amis prenaient pourtant une journée de congé, dont Bethany et Rob. Partir malgré tout signifiait donc que je ne les recroiserais peut-être jamais sur le chemin, puisqu'ils ne pourraient combler en marchant l'écart que je creuserais entre nous. Peu importe. Je devais partir.

J'ai parcouru tout au plus douze kilomètres aujourd'hui, soit la moitié de ce que je fais d'habitude. J'ai atterri dans ce petit hameau n'abritant qu'une seule auberge, j'ai fait mon lavage et, en étendant mes vêtements au soleil dehors, quelle ne fut pas ma surprise d'entendre : « Mali ! » Je me suis retournée et j'ai aperçu Bethany qui s'amenait. N'était-elle pas censée prendre une journée de repos elle aussi? Elle m'expliqua que, la veille, Rob et elle étaient sortis avec d'autres amis et qu'ils avaient un peu abusé de l'alcool. Cependant, le même phénomène s'était produit pour elle et une forte impulsion l'avait propulsée à poursuivre la route, ne serait-ce que quelques lieues, malgré son état de lendemain de veille. Quelques minutes plus tard, Rob est arrivé en tenant un discours similaire. Nous vivons donc tous la même chose. Intéressant.

Voilà pourquoi je me retrouve ici, écartelée comme un veau chez le boucher, à subir les assauts des mains puissantes de Rob.

— C'est assez pour aujourd'hui.

— J'espère. En passant, je ne suis pas certaine de vouloir de traitement supplémentaire... Je préfère me tourner vers l'aide médicale à mourir, à la place.

Non, mais, à la fin, Perline a besoin de repos.

— Demain, tu auras encore plus mal, mais après-demain, ça ira un peu mieux. Et achète-toi des bâtons, bon sang! Ça t'aidera.

Demain, j'aurai encore plus mal? Impossible. Personne ne déteste Fred Pellerin. Et après-demain, je me sentirai juste un peu mieux? Rien que des bonnes nouvelles au programme, à ce que je vois. Et des maudits bâtons en plus...

Bethany m'observe tandis que je me redresse.

— Qu'est-ce que les genoux représentent pour toi, Mali?

— La souffrance! Non, un calvaire, oui, c'est ça, un beau calvaire!

— Non, je veux dire à un niveau plus spirituel... Les genoux supportent le corps, le tronc, mais surtout, ils représentent la flexibilité, la souplesse, ils plient.

Hum... que tente-t-elle de me faire comprendre? J'y réfléchis. La réponse ne se fait pas prier.

— Je suis un peu rigide dans la vie, dans mes attentes, mes principes, mes buts. J'organise les choses.

— Exact. On est tous un peu comme ça... Tu sais, j'ai une image d'ancrage que j'aime bien lorsque je veux me souvenir d'être la plus souple possible dans la vie, c'est celle du palmier. Tu sais, les palmiers ne cassent jamais, car comme ils poussent souvent en bordure de mer, donc au grand vent, ils plient. Ils s'adaptent à leur environnement.

— J'aime ça.

J'adore, en fait. Cette image me parle beaucoup.

— Sans vouloir t'offenser, je vois ici, à travers ta douleur, une belle leçon de flexibilité. Ton corps n'en a plus, pour le moment, mais ton esprit lui, oui.

Mon regard se sauve au loin pour grimper ensuite tout en haut de l'église nous faisant face.

— Tu devrais d'ailleurs exercer ta flexibilité dès maintenant en changeant ton billet d'avion pour terminer ce chemin!

Je rigole. Le pire dans tout ça, c'est que je songe plus que jamais à reporter mon retour pour parcourir le chemin au complet. Ma seule crainte reste sur le plan physique, car j'ai décidé que je pouvais me permettre une absence prolongée. Quelques semaines de plus, alors que je suis déjà ici. La vie n'est pas très dispendieuse sur le chemin. Personne ne m'attend au Québec. Depuis ma chicane à distance avec Bobby, qui me conseillait de me mettre au cyclisme compostellien[27], je n'ai reçu aucune nouvelle. Rien. Pas même un petit : « Dis-moi juste que tu vas mieux ? » ou « J'espère que tu vas bien. » Non. *Niet*. Que dalle.

J'ai parfois l'impression qu'il affectionnait notre mode de vie séparé – chacun notre demeure –, car cela l'empêchait de subir mes épisodes plus gris. Comme s'il désirait seulement les beaux aspects de la chose ; LA Mali super en forme et drôle, sinon, bof ! reste donc chez toi. Comme en ce moment, avec ma douleur. « Garde donc ça pour toi, Mali ! » LWT, plutôt ? Comme dans : *Living without trouble*.

Rob et Bethany regardent ensemble une vidéo sur le téléphone de celui-ci, tout en me jetant parfois des regards inquisiteurs. Ils doivent bien se demander ce qui me rend aussi songeuse. À vrai dire, je pense si fort qu'ils doivent m'entendre.

Je fixe toujours le clocher de l'église devant moi. De petites hirondelles tourbillonnent autour en piaillant. Elles s'amusent, les hirondelles. Pourquoi suis-je toujours revenue avec Bobby, malgré nos multiples ruptures ? Parce que je l'aimais.

---

27. Naturellement, toutes les déclinaisons possibles de Compostelle sont permises et elles se retrouveront dans mon dictionnaire.

Je voulais que ça fonctionne. J'y croyais. Et là? Est-ce que j'y crois encore? Je m'autodissèque. Les hirondelles s'amusent, elles. Peut-être que je ne suis juste plus à la même place que j'étais à ces différentes époques. En même temps, lorsque je songe que Bobby pourrait s'écarter de ma vie, j'angoisse dingue. Il fait partie des meubles depuis des lunes. J'ai peur d'être seule. Suis-je une dépendante affective? Ah mon Dieu. C'est épouvantable. Je ne veux pas être comme ça.

Rob entre à l'intérieur pour aller se chercher une bière. Je dévisage Bethany avec la trombine d'une actrice jouant dans un film de cataclysme planétaire. Je lui fais part de ma triste prise de conscience du moment :

— Je suis rigide ET dépendante affective. *Fuck.*

— Oh wow! Tu viens de lire ça dans les fissures du mur du clocher de l'église, ou un oiseau te l'a chanté à l'oreille?

— C'est terrible!

— Mali...

Puis, elle pose sa main de sorcière à plat sur ma tête. Je lui vomis le marivaudage de mon discours mental. Je l'avais au préalable mise au parfum de ma situation amoureuse désastreuse, donc elle en connaît les grandes lignes. À la fin de mon allocution, elle me déclare, comme si c'était simple comme bonjour :

— Mali, t'es une femme un peu insécure, tout comme plusieurs, d'ailleurs. T'as besoin d'un homme rassurant à tes côtés qui t'enveloppe pour te faire sentir en sécurité. C'est tout!

— C'est tout?

— Oui, c'est tout! proclame-t-elle avant de cogner son poing sur ma caboche et de s'éloigner.

Je la suis des yeux. Elle tâte ses vêtements suspendus, qui sèchent près des miens au soleil en plein milieu de la rue de pierre.

Elle ajoute, sans se retourner:

— Et, tu sais quoi? Il n'y a rien de mal là-dedans. C'est toi, ta personnalité, comment tu es. Avant toute chose, il faut que tu t'acceptes sans te juger. Tant que tu vas refuser d'être comme ça, tu n'avanceras pas, Mali. Souplesse...

Donc, je me juge en plus? Hon... Oui... Je me juge tellement. Je voudrais être forte, tout le temps. N'avoir besoin de personne.

— Est-ce que tu traînes ta pierre?

— Quelle pierre?

— C'est un rituel de la Compostelle de trimballer une roche, une pierre qui incarne ce que tu veux laisser derrière toi à la fin de ton pèlerinage: un deuil, des insécurités, une relation, une peur. Tu la portes avec toi dans ton sac et, à Santiago ou à la fin de ton parcours, tu la laisses quelque part. Tu t'en débarrasses pour toujours.

— Grosse comment? Ça va un peu à l'encontre du fait qu'on tente de voyager le plus léger possible, non?

— Il n'y a pas de grosseur en tant que telle. En fait, c'est un peu ça l'idée; il faut porter l'objet de notre souffrance sur notre dos et le laisser quelque part en refusant de s'y identifier à nouveau. C'est symbolique.

— OK... Je la trouve où ? Je prends n'importe quelle roche sur le bord du chemin ?

— Tu n'as même pas besoin d'y penser. C'est elle qui te trouvera.

Ah bon. Même les hirondelles s'étonnent.

Le défi physique, scène 9

Les mini-auberges de ce genre sont si conviviales. Ce soir, nous sommes six à être hébergés ici : mes deux amis, une femme seule, un couple de retraités, et moi. La propriétaire de l'endroit cuisine pour nous. Le temps s'égoutte en douceur. En longueur. Le crépuscule qui descendra bientôt m'apaise le cœur. Malgré tous mes questionnements, je me sens exactement à la bonne place, parmi ces personnes, à déplacer le porte-vêtement pour le maintenir dans la mire du mince filet de soleil restant encore. Rob, Bethany et moi sommes dehors, à la table de pique-nique donnant sur le village, désert à l'exception des hirondelles qui piaillent plus que jamais entre elles. Un moment de perfection. Je ne désire rien de plus que cette soirée intime.

La propriétaire nous appelle pour manger en cognant une cuillère de bois sur un chaudron pour nous amuser. Telle une famille réunie par un beau samedi soir, nous prenons tous place à table, prêts à attaquer le copieux repas que nous serions incapables de terminer en d'autres circonstances. On dépense tellement de calories en marchant qu'il faut ingurgiter beaucoup plus de nourriture qu'à l'habitude. Des glucides, surtout. L'entrée de ce soir s'avère classique : une immense salade fraîche composée de laitue, tomates, concombres, poivrons verts, de thon blanc et d'un œuf à la coque coupé en quartiers. Une baguette tranchée et du vin rouge complètent le tout. Ce soir, nous ne choisissons pas le menu. C'est ça et c'est tout. Les convives, la face dans leur plat, apprécient néanmoins chaque particule nourrissant ce corps qui a travaillé si fort.

L'assiette principale sort un peu de l'ordinaire et ressemble à un mijoté de poulet et légumes. La présence d'une autre viande un peu brunâtre pique ma curiosité. Je pense que c'est du lapin. Je ne mange pas beaucoup de viande normalement, mais c'est délicieux. J'esquisse un sourire discret, le nez plongé dans mon assiette. Ça me rappelle un souvenir comique du congrès. Sacrée Claudie...

La fois où on a tenu un congrès à Gatineau

À la suite d'une interminable série de votes à main levée, nous statuons de tenir le premier décorum dans la voiture sur le chemin du retour. Comme personne ne saisit réellement ce qu'est un décorum, on choisit plutôt d'adopter une banale minute de silence. L'art de s'enfarger dans les bouquets de fleurs du tapis.

Accompagné d'un succulent Prosecco et de saumon fumé mariné sur croûtons, le cocktail se déroule dans l'harmonie. Claudie nous pose toutefois beaucoup de questions sur les valeurs de l'organisation, le fondement et les origines de celle-ci... tellement que ça accapare la majeure partie de nos échanges. Sacha s'impatiente :

— Je suis tannée de tes questions. On t'enlève ton droit de poser des questions durant le cocktail.

Ge tape du poing sur l'îlot en guise d'acceptation. Toute la consœurie la seconde en applaudissant avec l'intensité de fillettes de douze ans hystériques au spectacle de Justin Bieber. À peine *too much*.

— Je me tais, je me tais... Je veux seulement en savoir le plus possible avant de rentrer dans votre secte. Est-ce que vous allez me demander de vous donner ma paie ?

— Pas au complet, non, que je déconne.

— Bon ! Je pense qu'on doit poursuivre pour rattraper notre retard sur l'ordre du jour, continue Coriande. J'y pense, on a passé par-dessus le point concernant mes bijoux laids.

— Justement, j'ai eu une idée. Tu dis simplement que tu les as oubliés au Canada ! propose Ge.

— J'aurais peur que ton chum demande à la personne chez qui tu les as oubliés de te les envoyer par la poste, que je remarque.

— C'est vrai... Faudrait que tu les perdes d'abord ? cogite Ge.

— Non, il va lui en acheter d'autres ! crie Sacha comme s'il s'agissait du pire scénario de la terre.

— Il faut qu'il sache que tu les as oubliés, mais qu'il croie que tu les retrouveras à un moment donné. Il doit rester dans l'attente, dans le flou, que j'analyse.

— Tu dois demeurer nébuleuse, pour gagner du temps, approuve Sacha.

— Vous êtes en couple? Vous vous aimez? Vous êtes complices? Tu lui dis: «Mon amour, c'est laite, crisse!» C'est tout! suggère une fois de plus Claudie.

— Aaaah! c'est plus compliqué que de peigner une girafe! se plaint Cori.

— Je l'ai! Tu retournes en France, tu dis rien. Un jour, il allume: «Les bijoux sont où?» Tu fais l'innocente: «Ouin, je me demandais ça, je sais plus...», donc tu gagnes encore du temps. Quand il t'en reparle une deuxième fois, tu fais: «Mautadine, ils sont chez Geneviève...» et tu laisses les choses aller. Encore du temps. Et, la troisième fois, tu dis: «Bon, Ge les trouve plus, je vais lui redemander...» Sérieux, tu peux faire sans problème un an ou deux en niaisant de même.

— C'est bon, ça. Et s'il propose de t'en acheter d'autres, tu fais: «Ah non, c'est eux que j'aimais...» en croisant les doigts qu'il ne demande pas à son amie hippie de te faire des répliques sur-le-champ. Rendu là, ce sera à la grâce de Dieu. On sera dans l'impuissance.

— Vous vous compliquez ben trop la vie pour rien. *Anyway...* on passe au point suivant?

— Tu peux pas gérer le temps dans le congrès, Claudie...

— Oui, parce que c'est à mon tour de parler, il faut que je me présente! *Yeah!* Donc, bonjour, mon nom est Claudie. Je suis une fille super gentille et charmante. Je suis petite, mais tassez-vous de là quand je passe. Moi, dans la vie, je protège les animaux et je trouve dégueulasse la façon dont on humilie les cochons au Festival du cochon de Sainte-Perpétue. Les manteaux Canada Goose m'écœurent aussi. La bordure des capuchons est faite avec de la fourrure de vrais coyotes, tués sauvagement avec des pièges qui se referment sur leurs petites pattes de bébés coyotes, et ça me dégoûte, bon!!

Elle respire, puis poursuit:

— Parfois, j'aimerais ça aller vivre dans le bois, mais pas toujours. J'ai un tempérament festif instable. Mon chum croit que je suis folle quand je suis en SPM, mais c'est lui qui devient inadéquat, je trouve. Ce qui m'énerve le plus par contre, c'est quand ma fille prend mon linge sans me le dire... Donc, voilà qui je suis. Je travaille comme adjointe administrative dans une *shop* de construction parce que je m'entends bien avec les gars. C'est pas compliqué, des gars. Des filles, ça chiale, ça se parle dans le dos, ça gosse pour rien, ça discute de sacoches et d'autres trucs du genre. Ça me ressemble pas! Bon! Mais vous autres, vous êtes pas de même et c'est pour ça que je vous aime et que j'aimerais ça que vous m'acceptiez dans votre consœurie de mongoles. Merci de m'avoir invitée, je vous aime. *SHOOTERS!*

— Ooooooh! Wow! Vraiment touchant.

— BRAVO! BRAVO!

— Les pépites, hourra! que je crie.

— C'est pas «les pépites», c'est «hip! hip! hip!», me reprend Ge en m'assenant un coup sur l'épaule.

Un coup franchement trop fort. Par son intervention et son geste violent, elle ternit un peu le moment de réjouissance qui suivait le discours de la nominée. Je réplique :

— Aïe! Moi, j'ai décidé que c'est les pépites, comme dans «les pépites de chocolat». Ça mérite pas un coup de poing!

— Nouille, me renvoie-t-elle.

Je passe outre son insulte, qui n'avait d'ailleurs pas du tout lieu d'être.

— On peut maintenant passer au second décorum.

— C'est celui qui est mondain, je pense, affirme Sacha, qui semble avoir plus d'intérêt pour celui-là que le précédent.

— Allons-y!

Sacha adopte un silence de cimetière. Elle porte son verre à ses lèvres, l'air de se demander ce qu'elle doit faire au juste. Je me mets à siffloter. Cori, près de l'îlot, se balance sur ses talons de l'avant vers l'arrière. Ge tousse un peu sur le revers de sa main. Un silence coulant se répand sur le quartz ébène recouvrant ainsi toute la surface du comptoir. Notre énergique nominée coupe ce coulis en deux avec une hache de guerre :

— En passant, vous faites rien pantoute, là.

— C'est le décorum.

— On sait toujours pas c'est quoi!?

— On t'enlève ton droit de poser des questions durant les décorums.

Après un bon deux minutes exempt de bavardage, durant lesquelles tout le monde poursuit le point «décorum» sans même savoir de quoi il s'agit, Cori enchaîne:

— Bon, le décorum est fini. Alors là...

— On a faim!

— C'est maintenant!? crie Coriande en me volant la feuille des mains comme si elle devait le voir pour y croire.

— Je propose de discuter de la candidature de Claudie durant la préparation du repas.

— Parfait!

— *SHOOTERS!* Là, c'est le temps pour de vrai, on va cuisiner!

Nous alignons donc une rangée de gobelets et y versons de la vodka-limette. Un brouhaha s'installe ensuite en cuisine. Tout le monde met la main à la pâte. La préparation va bon train, jusqu'à ce que Ge dise:

— J'ai apporté des lanières de lapin pour la fondue...

— QUOI? Pas un beau petit bébé lapin? Il gambadait, heureux, en forêt, avec ses amis lapins, et ça me rend triste de savoir qu'on l'a tué..., pleurniche Claudie d'une petite voix, à deux doigts d'exiger une sortie médiatique à la Brigitte Bardot.

— Mais non, Claudie. C'est pas du vrai lapin, voyons. Ge s'est trompée! C'est du tofu de poulet, que je la rassure en lui caressant le dos.

— Oui, du tofu de poulet élevé librement dans la joie, ajoute Sacha.

— Du tofu de poulet heureux, qui a eu une belle vie pleine d'accomplissements, de projets et de réussites, précise Cori.

— Du tofu de poulet mort de vieillesse en forêt, entouré de ses proches, conclut Ge, les mains jointes sous son menton.

— Vous me le jurez?

— Oui, oui, oui...

Je susurre alors assez fort pour que tout le monde entende:

— Ça va vraiment être bon, du lapin de Pâques... Mmmmm.

Le défi physique, scène 10

Alléluia! *Yahoo!* Youpi! *Yabba dabba doo!* Les pépites, hourra[28]! Êtes-vous prêts pour la grande nouvelle? J'ai PRESQUE plus mal. Ah mon Dieu. Je ca-po-te. Tantôt, j'ai voulu sautiller un peu sur place pour fêter le miracle, mais une partie non identifiée de ma jambe droite a craqué, donc je me suis calmée le pompon. Il ne faut quand même pas pousser la

---

28. Juste pour gosser Ge...

grand-mère à la prostitution, comme dirait mon frère Chad. Fidèle aux prédictions de Rob, le jour suivant son intervention manuelle a été incroyablement douloureux et le subséquent un peu moins. Or, je marche dans la félicité depuis ce matin.

Hier soir, je suis débarquée dans une petite *albergue* où Rob, Logan et Bethany s'étaient arrêtés le temps d'un rafraîchissement. Ginger Ninja et ses compatriotes italiens étaient aussi présents. Bethany et Logan ont choisi de poursuivre leur route et les autres sont restés sur place pour y passer la nuit. Les jeunes Italiens nous ont concocté des linguines à la crème fraîche et aux lardons dans la cuisine commune de l'endroit. Ensuite, sur le toit du bâtiment, nous avons bu un verre en jouant à une espèce de jeu de poches des années 50 où nous devions lancer des anneaux dans la bouche de grenouilles. Bref, du gros plaisir en vrac, jusqu'à ce que les deux genoux m'enflent en surprise comme deux ballons de football. POUF! On aurait dit que je venais de les gonfler avec une pompe à pneus de vélo. Peut-être le jeu des grenouilles était-il trop intense? (#*NOT*) Je ne comprenais rien. Comme j'étais en bermuda, Rob a constaté mon état lamentable. Il m'a chicanée:

— OK, Mali, c'est assez. C'est trop enflé. Ce soir, tu dois prendre un anti-inflammatoire, et demain, tu dois faire porter ton sac si tu veux marcher...

— J'ai acheté des bâtons aujourd'hui! que j'ai proclamé fièrement, comme si cela annulait du coup la *pitoyabilité*[29] de mes genoux.

---

29. Ça c'est pas fort, fort comme état. À paraître malgré tout dans le *PDI*.

Vous savez, la plupart des complications physiques qui affligent les pèlerins sont attribuables au port du sac. Le poids, si dérisoire soit-il, traumatise la structure osseuse et musculaire de tout le corps. Si j'étais une Africaine habituée depuis sa tendre enfance à porter des cruches d'eau sur sa tête, je n'aurais pas ce genre de problème (il serait probablement aussi le moindre de mes soucis). Dans notre société industrialisée douillette, nous n'avons jamais l'occasion de trimbaler des trucs sur notre tête pour renforcer nos petits genoux de blancs-becs (hormis le genre de couvre-chef douteux mis en vogue dans les années 90 par 4 Non Blondes dans leur clip *What's Up*...).

Ceci dit, il est possible de faire livrer son sac à la ville suivante de notre itinéraire pour la modique somme de cinq euros. Nos amis italiens sont abonnés à ce système de portage. Rob, cordonnier mal chaussé des genoux, a recours à cette stratégie un jour sur deux depuis le début de son pèlerinage. Moi? Laissez-moi y penser... NON! Je ne voulais pas. Je connais l'existence de ce service depuis le début, car plein de gens m'en ont parlé, mais je refusais ferme d'y adhérer. Pour moi, c'était comme tricher. Je m'entêtais donc depuis le début à porter mon sac. Par orgueil, je crois. L'*ego*, sûrement. Par contre, hier soir, sous les conseils autoritaires de mon physio privé, j'ai déclaré forfait : « OK, OK, je me rends ! Tout le monde est content, là ? »

J'ai pris cette difficile décision. Je me suis couchée en tentant de me convaincre que de faire porter mon sac une fois ne constituait quand même pas un échec en soi. Je respectais simplement mon corps. Je fléchissais, comme le palmier de Bethany. Je posais un genou par terre en admettant une limite. Je repensais à ma lecture récente sur le lâcher-prise ; il était temps de mettre en pratique le concept. Maudine que c'était difficile. Je me suis endormie, la culpabilité bien enfouie sous mon oreiller et débordant par les côtés, mais avec une fierté au cœur de respecter mon corps. Et c'est à ce moment précis que Dieu (ou le Tao, ou les deux) m'a choisie pour accomplir ZE miracle.

Croyez-le ou non, traitez-moi de Capitaine bonhomme tant que vous voulez, mais je me suis réveillée ce matin après une courte nuit de cinq heures et je n'avais plus mal. Je me suis tout de même levée du lit en faisant attention, comme si mes genoux étaient de porcelaine, par réflexe, et j'ai constaté la presque absence de douleur.

Je restais sceptique.

Toujours résignée à l'idée de le faire porter, j'ai fait mon sac et je suis descendue pour prendre un café et remplir le document servant à officialiser son transfert à bon port. Dehors, j'ai salué des Coréens qui semblaient tous partir en même temps aujourd'hui, et j'ai bu mon café, debout – la fille du resto n'ayant pas encore sorti les chaises sur la terrasse. J'ai observé mon corps de plus près. Sensationnellement parlant, bien sûr. Je me suis mise à plier les genoux de toutes les façons imaginables, en me pendant à la table, en levant les jambes dans les airs, en me poussant vers le haut sur les orteils. J'avais sûrement l'air bizarroïde dans mes postures de yoga amateurs, sans compter le fait que j'émettais des soupirs de jouissance digne d'un orgasme inespéré en pleine période d'ovulation. J'entrecoupais le tout de monosyllabes saccadés de bonheur. Haaaaaaaan! Hooooon! Une autre Coréenne est sortie à ce moment de l'auberge et j'ai eu envie de la serrer dans mes bras. Bref, j'avais peine à croire ce qui m'arrivait.

«Je ne fais pas porter mon sac!», ai-je décidé sans ambages. La culpabilité m'a assaillie illico. «Et si je marche à peine cinq kilomètres et que j'ai très mal à nouveau, j'aurai l'air bien maligne.» En même temps, je me raisonnais en me rappelant que je portais mon propre sac depuis le tout début et que je n'étais pas encore morte, à ce que je sache. J'ai hésité un bon deux secondes et je suis partie, mon sac sur le dos.

Le défi physique, scène 11

Ça fait trente kilomètres que je parcours aujourd'hui et je me sens au sommet de ma forme. Gros changement, hein? C'est comme renaître de ses cendres. J'accomplis de grands pas chassés, le nez en l'air, trop fière de me déplacer sans grimacer. Depuis tôt ce matin, je vole sur le chemin comme une patineuse artistique en pleine chorégraphie solo durant la finale des Olympiques. Quelle libération au bas du corps (aucun rapport avec les contusions mystérieuses de Carey Price en fin de saison passée). Je me sens revivre comme jamais. Je n'ai vu personne que je connais aujourd'hui, sauf les Italiens qui m'ont indiqué que l'*albergue* de Boadilla del Camino où j'arrive dans quelques minutes est vraiment *top*, comportant notamment une piscine. C'est une des auberges préférées des pèlerins en Espagne, à ce qu'il paraît.

En y mettant un pied, je comprends d'emblée pourquoi. La vaste cour entourée de saules pleureurs est aussi conviviale que ravissante. Déjà plein de visages connus s'y trouvent. J'entrevois justement Rob, prenant place à une table avec un gars que je ne connais pas. Ils boivent tous deux un calimocho, un cocktail espagnol (que je trouve assez dégueulasse, merci) composé de vin rouge et de Coca-Cola à parts égales, servi sur glace.

Je le salue à la va-vite au passage et j'entre pour m'informer de la disponibilité d'une chambre privée simple. Je commence à m'habituer à la tranquillité de mon espace versus les dortoirs surchargés. J'apprivoise mon petit côté *perline*-deluxe. La femme assise à la réception, qui semble débordée, me confirme qu'il en reste une, au tarif de trente-cinq euros. Ouin. Depuis le début, je débourse plutôt vingt...

Ambivalente, je ressors de là sans réserver, mon sac sur le dos. Je sais que la prochaine ville est située à cinq kilomètres d'ici, ce qui correspond à un peu plus d'une heure de marche supplémentaire. «Qu'est-ce que je fais?» Je me stationne près de la table de Rob, qui s'informe de mon état rotulien.

— Ah! ça va super bien, Rob! Je suis guérie!

— Tant mieux! Content pour toi! Cette *albergue* est trop parfaite, non?

— Oui, oui...

Je balaie du regard les alentours. C'est bondé, ça grouille. Toutes les tables de la terrasse sont occupées. Des gens prennent le frais couchés dans le gazon, un peu partout, tandis que d'autres pataugent dans la piscine. Un genre de *resort* chic sur la Compostelle. Des dizaines et des dizaines de pèlerins, maintenant en mode relaxation, sirotent un verre. Les cordes à linge chargées ornent l'arrière de la grande terrasse comme des drapeaux tibétains flottant dans les vagues de la brise. Des conversations dans toutes les langues s'élèvent vers le ciel dans une cacophonie rythmée bien singulière. Plantée devant

Rob, je me laisse porter un moment par cette énergie unique qui tournaille. La première réflexion qui me vient est : « Ai-je envie de passer ma soirée avec plein de gens ? » La réponse ne se fait pas prier. Non. J'annonce donc aux deux gars devant moi, comme si je devais leur rendre des comptes :

— Je crois que je vais continuer jusqu'à la ville suivante.

L'inconnu en face de Rob me décoche un regard d'éperlan frit, avant de me lancer dans un anglais au fond d'accent italien :

— T'es folle ? Il est 15 h 45 et il fait trente-cinq degrés. La prochaine ville est à cinq kilomètres. Tu ne vois pas autour de toi ou quoi ?

— Je sais, mais je me sens en forme.

Il me juge, lui ? C'est quoi son foutu problème ? Euh, vivre et laisser vivre sur le chemin de Compostelle, chose bine.

— Bye, à bientôt ! que je les salue avant de quitter le plateau, enchantée par ma décision.

À voir tous les gens que je connais ici, je serai vraiment seule ce soir. Et puis après ? Je m'en fous. Je suis en forme et je marche, bon. En passant les frontières de la ville, je songe à ce miracle. C'est quand même incroyable. Hier, j'avais les genoux gros comme deux ballons de football, et là, je déambule presque comme si de rien n'était. Ma douleur s'est volatilisée à l'instant même où j'ai fait preuve de lâcher-prise, c'est-à-dire quand j'ai pris la décision de faire porter mon sac. Au moment où j'ai accepté de m'adapter à ma condition. De plier. Peut-être que je divague grave, mais c'est tout de même spectaculaire qu'une douleur aussi vive ait disparu comme par magie en une seule nuit. Rob le physio a sûrement quelque chose à y voir, mais je préfère imaginer qu'une force ésotérique s'en est aussi mêlée. Que le chemin m'enseigne des choses.

Prise dans mes pensées en mirant au loin une rangée d'arbres matures qui ballottent au grand vent, mon New Balance droit bute sur quelque chose.

— HIP!

Dans un réflexe peu gracieux de rattrapage de dignité, je bloque mon corps à l'aide de ma jambe gauche pour éviter de m'étendre de tout mon long sur le gravier. Mon espadrille gauche, qui absorbe tout le poids, glisse un peu dans la grève, mais mes bras battant dans les airs telles les ailes d'un pygargue à tête blanche me permettent de maintenir mon équilibre. Je suis douée pour ne pas tomber.

— Voyons?

Je me retourne pour identifier l'objet responsable de ma quasi-chute.

Une pierre. Je reviens un peu sur mes pas et je me penche pour l'inspecter de plus près. Grosse comme une orange, la roche présente un côté gris cimenté et un autre en quartz blanc, presque transparent. Elle est très spéciale.

— Oh mon Dieu! s'illumine ma cervelle bouillante.

«M'a-t-elle choisie, comme sorcière Bethany le présageait?» Je dois avouer que je considère sa façon de signifier sa présence comme un peu brutale. J'aurais espéré que ma roche se fasse plutôt connaître en se cachant sous ma chaise sur une terrasse ou encore qu'elle me soit livrée par une grande cigogne qui serait venue la déposer à mes pieds, avant de repartir dans une envolée spectaculaire en me disant : « Une offrande du Tao pour toi, chère Mali ». Or, cette pierre a presque tenté de me casser une jambe. Elle m'a carrément fait une jambette. Ceci dit, c'est l'heureuse élue, pas de doute là-dessus.

Qu'est-ce qu'elle représente ? La première chose qui me vient en tête est le mot : insécurité. Oui, cette pierre symbolise mes insécurités. C'est exactement ce que je veux traîner et ensuite laisser derrière. Réussir une fois pour toutes à m'affranchir des appréhensions, des doutes et des peurs qui me tiennent en otage.

Je glisse ma *précieuse* dans la petite poche latérale en filet de mon sac. Malgré ce qu'elle représente, je dois la chérir, car elle m'accompagnera pour le reste de mon aventure.

Le défi physique, scène 12

Après trente-sept kilomètres bien tapants et bien marchés, j'aboutis dans la petite localité de Frómista, reconnue pour ses charmantes écluses. Je croise finalement un couple de Français retraités que j'ai rencontrés lors d'un souper de groupe. Ils ont débuté leur périple en France, il y a de ça plus de mille trois cents kilomètres. Curieusement, la femme répète toujours tout en double.

— Ah bien ! Ah bien ! dis donc ! La voilà ! Bonjour, la belle Mali !

— Allo ! Vous allez bien ?

— Oui, nous, ça va, ça va. Toi, tu sembles mieux, on dirait bien.

— Oui, je suis guérie !

— Tant mieux ! Tant mieux ! Et puis, dis-nous ? Tu vas le terminer ou non, ce chemin, finalement ?

— Effectivement, j'ai pris la décision de me rendre jusqu'à Santiago.

— C'est super ! Super !

Il y a quelques jours, en plein cœur de ma douleur, j'ai appelé la compagnie de voyage sur un coup de tête et j'ai changé la date de mon billet de retour. Comme je n'étais pas convaincue que ce soit la bonne chose à faire, j'avais au préalable formulé un de mes fameux paris avec la vie : si la modification à mon itinéraire coûtait plus que deux cent cinquante dollars, je laisserais tomber. Le prix proposé étant inférieur au plafond que je m'étais fixé, je reviendrai finalement au Canada trois semaines plus tard et je terminerai le chemin jusqu'au bout, ce qui représentera au final une randonnée de sept cents beaux kilomètres et des poussières. Tout ça demeure abstrait dans ma tête. Ce serait comme marcher de Montréal à Niagara Falls. De même. Juste pour le *kick*. Vais-je réellement marcher tout ça ? Dire que j'ai déjà accompli près de la moitié du circuit.

Je ne l'ai dit à personne encore. Je l'annoncerai aux filles et à mes parents ce soir. Vais-je informer Casper-Bobby ? Peut-être. Ou peut-être pas.

Une fois le ventre bien rempli, je contacte les filles pour les mettre au courant des derniers faits saillants de ma vie. Je commence sans détour par les priorités :

> Il y a du pus vert qui sort de mon gros ongle d'orteil gauche. Fantastique !

En sortant de la douche tantôt, j'ai constaté cette réalité indéniable, car en mettant ma sandale, c'est devenu trempé. Oui, je vous l'accorde, j'aurais pu vous épargner ce détail répugnant. En fait, j'ai un ongle rouge sang et l'autre vert Shrek. De spectaculaires teintes de Noël. J'en suis venue à la logique conclusion que je les perdrais dans un délai de moyen à long terme. Cori et Ge, dans un élan de compassion palpable, me textent :

> ARK ! Tu m'écœures vraiment, Mali ! J'étais en train de manger... je vais aller vomir, je reviens !

> Ah mon Dieu ! Moi aussi, tu me dégoûtes tellement... on NE veut PAS le savoir !

Touchée par leurs réactions réconfortantes, je réécris :

> Merci, les filles, vos messages d'encouragement me font chaud au cœur...

Sacha, quant à elle, me prodigue les premiers soins à distance :

Sérieux, désinfecte bien, sinon les champignons vont pogner là-dedans et tu vas devoir te faire amputer l'orteil et peut-être même une partie du pied à ton retour... j'ai déjà vu ça à l'hôpital.

Ge me suggère, en toute affection :

Si t'es pour revenir avec une gangrène grimpante, reste donc là-bas ! ;)

Le soutien et l'amour de ses proches dans les moments difficiles, c'est précieux.

C'était justement là où je voulais en venir ! Je reste ici trois semaines de plus pour terminer le chemin au complet !

Cori et Ge me font parvenir des émoticônes aux yeux ronds. Sacha enchaîne d'une seconde remarque médicale constructive, se voulant rassurante :

Juste te dire que le gars qui s'était fait amputer le pied n'avait pas besoin de souliers spéciaux ou d'orthèse après, alors ce sera au moins ça de gagné !

Cori, qui se trouve sur le même continent que moi, se désole :

J'aurais tellement aimé aller te voir en Espagne, mais je peux pas…

Moi aussssssi je veux y aller ! Ah non, c'est vrai, j'ai fait le choix de vie d'avoir deux enfants qui étendent leur caca sur mon frigo à la place de voyager et d'avoir du plaisir.

T'es heureuse quand ils font ça, arrête donc de te plaindre !

Sacha renchérit :

Je pense sérieusement à les vendre pas cher, pas cher.

Bonne idée !

Ge l'encourage elle aussi en ce sens :

De toute façon, jeunes de même, ils ne s'en souviendront même pas.

Je me décide finalement à aborder un sujet délicat, mais nécessaire :

En passant, les filles, quand je vous *poke* ce serait le fun que vous répondiez. Je trouve ça un peu humiliant…

Ge répond :

Je répondrai JAMAIS à ça et si jamais tu me *repokes*, je te jure que je te barre de mon Facebook ! !

Coriande semble plus enthousiaste, quant à elle :

Aaaah ! J'avais pas vu ton *poke* ! Merci ! Je vais te *repoker* !

Une notification apparaît alors en haut de mon téléphone pour me signaler que «Coriande vous a envoyé un *poke*». J'abrège alors notre surenchère de niaiseries pour donner des nouvelles à mes parents.

— Bye, ma belle grande fille !

— Bye.

— Il faut le fermer ici pour qu'elle disparaisse ?

— Voyons ? Il y avait un piton tantôt ; il est où ?

J'observe avec amusement mes parents embêtés quant au fonctionnement de leur iPad. Mon père crie toujours comme un perdu devant l'appareil.

— Elle est encore là, regarde! Mali?

— Oui, pa, je vous regarde, et je ris... Touche l'écran avec ton doigt et le piton rouge avec le petit téléphone va réapparaître.

Il le fait, voit la touche et appuie dessus sans même me dire au revoir. Fin de la conversation. Abrupt comme salutation... Malgré tout, ils se sont dit tous deux ravis de ma décision. Ma mère m'a confié qu'elle se doutait déjà que je resterais pour terminer le chemin au complet. Suis-je si prévisible ou est-ce ma mère, qui me connaît trop bien étant donné qu'elle m'a tricotée? Après que mon père m'ait expliqué de long en large la structure de sa nouvelle remorque, il m'a ensuite balancé sans mettre la table: «Ton chum doit trouver ça long, que tu partes comme ça?» J'ai répondu une série d'onomatopées désordonnées du genre: «Moooon... Aaaah! Beuh! Pfft! Hum, hum, hum...» pour ensuite rire à ventre déboutonné sans raison. Je tentais juste de dire: «Pas du tout». Mes parents me dévisageaient à l'unisson comme deux douaniers perplexes devant une cargaison de farine emballée sous vide. J'ai finalement marmonné: «Meuh... Il est habitué!»

En réalité, je ne leur ai rien dit à propos de ma relation de couple qui bat des deux ailes. On dirait que c'est la dernière chose dont on a le goût de discuter avec nos parents, non? Ça et le sexe. Deux sujets tabous qui n'existent pas. Mon histoire comprenait les deux: «Écoutez papa, maman, je pense que Bobby baise d'autres filles, dont une de la Côte-Nord avec qui il semble entretenir carrément une relation de couple. La

situation me rend folle à lier et je dérape sans arrêt! Voilà!»
Non. Ce type de confidence pourrait causer tout un froid si
Bobby et moi poursuivons notre relation, et mes parents
auraient de la misère à lui faire confiance à nouveau. Mon père
voudrait délicatement le tuer, pour tout dire.

Parlant du loup, il ne m'a pas redonné de nouvelles hormis
un «Bonne journée» *cheap* se voulant aimable, accompagné
de trois becs, envoyé par texto il y a quelques jours de ça.
Je sais par contre qu'il doit être occupé. Si ma mémoire est
bonne, sa tournée de spectacles comprenait quelques festi-
vals d'été. En moins de deux, je me retrouve à inspecter à la
loupe fine sa page Facebook d'artiste... Quoi? C'est dur, de ne
pas aller espionner de temps en temps. Arrêtez de me juger.

Deux nouveaux statuts apparaissent; l'un annonçant sa
présence à un festival et le deuxième présentant des photos
de lui sur la scène quelques jours plus tard. Je lis un peu les
commentaires que les gens ont inscrits en bas des deux statuts.
Ils l'encouragent, le remercient, lui disent qu'ils l'aiment. Ça
va. Ensuite, je vais voir les photos «publiées sur son mur»,
donc celles que n'importe qui peut ajouter. Deux nouveaux
clichés le montrent posant avec des *fans*, probablement après
son spectacle. «Ah? Il a coupé ses cheveux? C'est une nouvelle
chemise, ça?» Finalement, je fouine dans les messages que les
gens ont écrits. Une femme lui demande s'il sera en spectacle
à Québec bientôt, un gars annonce sa moto Yamaha à vendre
et une autre fille lui dit avoir été bien heureuse de le croiser
chez Costco (en train d'abuser des kiosques de dégustations,
probablement). Des classiques. Une dernière admiratrice
lui écrit: «Je viens de lire dans un article que tu prendras
quelques semaines de congé cet été! J'espère que tu trouveras
du temps pour venir voir ta petite femme sur la Côte-Nord!
Hi! hi! Bonnes vacances!!;)» QUOI? C'est une blague? Encore

cette histoire de fille de la Côte-Nord ? Ça fait deux personnes distinctes qui lui écrivent des messages à ce propos ; l'autre fois, Jacinthe, et maintenant, Manon. C'est n'importe quoi. Qu'une femme ait entendu des rumeurs et qu'elle divague sur Facebook, ça passe encore mais deux femmes ? Ça prend pas la tête à Pinocchio pour comprendre.

En colère, triste et, surtout, humiliée, je sape une bonne gorgée de mon vin blanc qui passe aussi de travers que si j'avais décidé d'avaler une scie à onglets. « Crisse !? » Il entretient une relation avec une fille là-bas, c'est maintenant évident, voyons donc. Délicatement le tuer, disais-je... Trop loin pour aller lui livrer une salade de phalanges et trop en maudit pour pleurer, je commande plutôt un autre verre de ribeiro – la meilleure option selon ma situation géographique et mon état émotif. Je me perds dans la contemplation du clocher de l'église devant moi. Les hirondelles qui piaillent encore et toujours en tournoyant autour me radoucissent le cœur. Qu'est-ce que je peux faire ? Rien. Me calmer. Oui.

J'attrape mon livre magique en espérant plus que jamais obtenir une réponse instantanée pour apaiser mon tumulte intérieur. J'ouvre à la page où je suis rendue et j'aperçois le titre du huitième verset : Vivre au gré du courant. « Facile à dire, Wayne. » Je poursuis ma lecture. L'auteur souligne dans ce passage l'importance de l'eau pour le Tao. Il explique l'interrelation divine qui existe entre l'humain et l'eau. Naturellement, en tant que Poisson et plongeuse sous-marinière[30], ses propos

---

30. Bon, ça fait un peu « moules marinières » mon affaire, mais je l'inclurai tout de même dans mon dictionnaire, dans la section « Expressions bizarres », à l'endroit où figureront les franchouillardises curieuses de Cori.

aquatiques me rejoignent beaucoup. Il mentionne que nous devrions aborder la vie à la manière dont l'eau circule. Insaisissable et fluide. S'en inspirer. «Vivez comme l'eau vit, puisque vous êtes eau. Laissez vos pensées et vos actions se dérouler en douceur en accord avec la nature de toute chose[31].» La philosophie de base promulguée par l'auteur demeure le lâcher-prise, mais cette façon de le présenter me touche parti-culièrement. L'eau. «Essayez de la presser entre vos mains, et elle vous échappera[32]...» Cela suscite forcément un sentiment d'impuissance. Que peut-on faire? Rien. Il faut la laisser aller.

Les mots de Dyer m'apaisent, tout autant que ces chères hirondelles qui badinent. Le vin espagnol aromatique aidant peut-être, aussi. J'analyse cette philosophie à la lumière de mon dilemme actuel: si Bobby a choisi de mener une double vie, je ne détiens aucun pouvoir sur la situation. Si de surcroît il s'est mis en tête de me cacher la vérité coûte que coûte, je ne peux rien y faire non plus. Il coulera entre mes doigts, sans que je puisse le saisir. Mon choix semble clair à présent: devenir folle ou laisser l'eau s'échapper.

Le défi moral, scène 1

Mon attention se perd dans le panorama environnant. C'est plat, plat et plat. Les flèches jaunes se suivent et se ressemblent. Je me trouve au début de la Meseta, un haut plateau aride aux vocations agricoles. Cette étendue se traduit par une série

---

31. *Ibid.*, p. 80.
32. *Ibid.*, p. 79.

d'étapes redoutées par les marcheurs. Il fait quarante-cinq degrés Celsius et je me déplace en regardant par terre depuis trois jours, sans croiser personne que je connais. La face me frotte sur la rocaille du chemin, tellement j'ai le caquet bas. Des champs échevelés, du blé surtout, des éoliennes m'entourent et c'est tout. Découvrir la présence de coquelicots rouge sang en bordure du sentier s'avère un événement digne d'être célébré avec des bulles Moët & Chandon impérial brut. On est vraiment loin du jardin d'Eden. L'air est si craquant que, l'autre jour, je me suis rafraîchi l'âme en zieutant des canaux d'irrigation emplis d'eaux usées et puantes qui serpentent le long des champs. Vingt minutes. Sans interruption.

Je me questionne sans relâche ; je me demande ce que je fais ici. Comme si plus rien n'avait de sens. Bref, mon état général est si lamentable que je me sens éteinte. Le décor platonique ne m'aide pas du tout à me rallumer, je vous jure. Il y a à peine quelques jours, les montagnes et les vignes abondantes égayaient mon parcours, mais à présent, j'avance dans un décor jaune terne et sans vie, en passant de longs moments au bord d'autoroutes ou de grosses artères de bitume. C'est déprimant rare. On surnomme ces étapes « le chemin de croix du marcheur » sur le *Camino francés*. Pas besoin d'explications. C'est réel et non une métaphore. Avec cette chaleur, mon sac semble effectivement peser aussi lourd que la croix de Jésus-Christ. Il ne manque que la couronne de ronces.

En apercevant une Coréenne que je croise presque tous les jours sur le chemin, je la salue avec un semblant de gaieté qui prend racine dans je ne sais quelle source d'énergie vitale. En vérité, je tente de me racheter pour un épisode survenu plus tôt aujourd'hui où je me suis montrée peu charitable. Je souris profusément à la Coréenne, comme si ma survie dans cette traversée du désert en dépendait. Étant donné qu'elle se lève de la petite chaise où elle prenait place, je lui propose de marcher avec moi en lui faisant un signe de la main trop intense, trop insistant, trop tout. Je pense qu'elle ne parle pas beaucoup anglais. Peu importe ce que je partage, elle rit toujours de bon cœur. Je commence à en déduire qu'elle y comprend à peine un petit rien tout nu.

Il ne reste plus que cinq kilomètres avant d'arriver à la ville où je veux m'arrêter pour la nuit. Je formule comme une question le nom complet de la ville en prenant soin de détacher chaque syllabe au bénéfice de mon accompagnatrice. Pas de sujet, pas de verbe ni de complément. Je le fais en articulant telle l'Honorable femme du ministre mondial *british* de la langue anglaise, tout en étendant la main vers l'horizon pour qu'elle comprenne ma question, qui est en réalité : « Je vais dormir là. Toi ? » Elle me répond d'un sourire grand comme l'Espagne avant d'éclater d'un rire bridé franc. Bon. *Fais-moi un dessin.*

Nous clopinons pendant un peu plus d'une heure à travers cette moiteur brûlante. Il fait si chaud que j'ai l'impression de respirer de la matière solide. Je distingue à l'œil l'imperceptible de l'air. Mon sac à dos frotte sur mes omoplates suintantes. Les zones de friction épidermiques commencent d'ailleurs à bien ressentir l'usure.

Comme tous les pèlerins de sa nationalité, ma voisine fait le trajet vêtue d'un grand chapeau avec un foulard par-dessus pour lui couvrir les oreilles, un pantalon long, un chandail à manches longues, ainsi que des gants. Imaginez-vous ? Des gants. De nombreux Asiatiques sont obsédés par le soleil. Un reportage visionné sur Moi & Cie indiquait que ce ne sont pas seulement des raisons de santé – par peur du cancer, par exemple – qui motivent ces précautions, mais aussi des raisons d'ordre esthétique. Ils prisent les peaux super pâles, souvent associées à un statut social mieux nanti. La pauvre femme, dont le sang doit bouillir comme dans un Presto, ressemble au Petit Chaperon rouge – en jaune et bleu –, parti faire une balade sur la toundra arctique pour aller porter des biscuits à mère-grand en plein mois de janvier polaire. Or, sans considérer son accoutrement étrange qui me donne si chaud pour elle, elle constitue la partenaire idéale pour moi en ce moment. Elle ne parle pas. En fait, on ne se comprend pas. Elle émet beaucoup de sonorités et de gazouillis, par contre. J'aime bien. C'est comme une sérénade exotique à mes oreilles, ça me rappelle mes voyages en Orient; des contrées peuplées de vocalises remplies de voyelles rafraîchissantes. Des «ohhhhh», des «hooonn», et parfois même des «aaaaaaiiiih» pour les plus excentriques.

Sa compagnie ne m'irrite pas le moins du monde – tout le contraire de ce que j'ai vécu plus tôt en présence d'un monsieur avec qui ce n'était pas tout à fait l'harmonie. Vous savez, le genre de type qui s'exprime fort pour attirer l'attention? J'étais en train de manger sur une terrasse quand cet Espagnol, ayant tout au plus cinquante ans, s'est pointé avec deux autres marcheuses. Il parlait très bien anglais et me regardait un peu du coin de l'œil, essayant manifestement de me faire réagir. Bref, sans trop interagir avec lui, j'ai mangé, payé ma facture et je suis partie en saluant de manière polie les randonneurs sur la terrasse.

J'étais rendue à la frontière de la ville lorsque j'ai entendu crier derrière moi. Je me suis retournée et je l'ai aperçu, courant comme un orignal disloqué pour me rejoindre. Je me suis dit:

«Ah non... j'ai tellement pas le goût de jaser...» Je sais, ce n'est pas très sympa, mais je prévoyais lire un peu en marchant, étant donné que la route est très peu dénivelée. Je planifiais aussi m'arrêter pour faire un peu de méditation en bordure du chemin, question de me recentrer dans une meilleure énergie que celle qui m'habite depuis les derniers jours. Comme il criait à pleins poumons, les baguettes en l'air, je me suis arrêtée. En arrivant près de moi, il m'a annoncé: «T'es partie trop vite! Je veux marcher avec toi! Je m'appelle Miguel!» Ah bon!? Et moi? Est-ce que je veux marcher avec toi? Prise en souricière, j'ai souri à l'envers et nous avons commencé à avancer. La série de questions-réponses traditionnelles a débuté illico: «Tu viens d'où? Tu fais quoi? Depuis combien de temps marches-tu? Pourquoi ce voyage?» et patati, et patata.

J'en ai marre de ces sempiternelles questions. Mon nom de profil *compostellien* devrait s'afficher ainsi: **Mali Allison Complet**. Je considère avoir rencontré assez de gens sur le chemin à qui j'ai déjà fourni les grandes lignes de mon histoire. La cour est pleine. Avec eux, les échanges sont à présent faciles; plus besoin d'expliquer ma vie de long en large. De plus, Miguel parle beaucoup. Beaucoup. Beaucoup. Après une heure de ce supplice auditif, je suis devenue silencieuse, voire carrément froide, et il a compris que je désirais poursuivre seule. Il a même eu le culot de larguer cette bombe au centre du salon: «Bon, je vais te laisser tranquille. Je pense que c'est ce que tu souhaites.» Je suis devenue super embarrassée, ne sachant trop comment mettre fin à notre compagnonnage forcé. Lorsque nous sommes arrivés au village suivant, je suis entrée dans un restaurant pour aller aux toilettes et, quand je suis ressortie, il avait disparu.

Je me sens super coupable. En même temps, je ne devrais pas. Bon sang, c'est lui qui est entré dans ma bulle avec ses gros sabots au moment où je n'en avais pas envie. Car je crois toujours fondamentalement que, pour que le chemin – et le cheminement – soit le plus profitable possible, la route doit se faire en solo. C'est mon humble avis. Je vois beaucoup de gens effectuer le pèlerinage en groupe et je ne les juge pas. Par exemple, Bethany marche avec du monde tout le temps. C'est son choix. Vivre et laisser vivre sur la Compostelle, *please*.

Miguel... Qu'est-ce que je devrais tirer de cette rencontre? Pauvre lui, je n'ai pas été très sympathique et à présent, je m'en veux. Je pense que ma culpabilité provient surtout du fait que je m'étais promis, en posant le pied sur le *Camino*, de m'ouvrir aux possibilités et aux gens qui croiseraient ma route sans me poser de questions. Ce n'est pas toujours évident pour une fille organisée qui aime la structure et les cadres, même en voyage. Je me suis d'ailleurs conçu une routine en chemin et je fais souvent les mêmes choses à des moments précis de la journée.

Tandis que je me remémore le cas de Miguel, le Petit Chaperon coréen et moi entrons dans la ville, Carrión de los Condes. J'ai déjà en poche une adresse de pension où je désire me rendre. Je ne vais plus du tout dans les *albergues*, surtout pas lesdites publiques, donc tenues par l'État qui sont les moins chères, mais à tout coup les plus bondées. J'opte à présent pour les pensions, une formule qui s'apparente aux chambres chez l'habitant, avec salle de bain commune. Comme elles ne comptent jamais plus que huit ou dix chambres, on évite les interminables embouteillages pour les lavabos. Elles coûtent cinq à dix euros de plus que les dortoirs où les gens s'entassent comme les bêtes sur l'arche de Noé, mais j'y déniche une grande quiétude qui vaut mille fois ce prix. La décoration victorienne poussiéreuse, tout en fleurs ou en rayures, s'avère toujours une caresse de réconfort pour l'âme. Comme je dors peu, je mérite à tout le moins que ce soit accompli sous forme d'heures consécutives. *Por favor.*

Comme la Coréenne – dont je n'ai jamais enregistré le prénom complexe – semble un peu écartée dans Paris, je décide d'aller la reconduire à une auberge. Je lui demande en dessinant un signe de toit avec mes deux mains : «*You, albergue?*» Elle me répond en posant la main sur sa poitrine : «*Na, Corea!*» OK. Elle vient de m'annoncer, le plus sérieusement du monde, être d'origine coréenne. Bon sang, elle ne saisit rien de l'anglais à ce point? Elle croyait que je mimais quoi, comme symbole, avec mes deux mains placées en triangle par-dessus ma tête? Un chapeau chinois?! Comment fait-elle pour voyager si loin sans pouvoir communiquer? Pauvre elle. Elle doit avoir tout au plus vingt-cinq ans. Quel courage. Je lui répète le mot *albergue* en esquissant cette fois un oreiller avec mes mains jointes ensemble, sur lesquelles j'incline ma tête. Elle me balbutie un «aaaaaiiiih» mélodieux, mais dénué de contenu. A-t-elle compris? N'a-t-elle pas compris? Pense-t-elle que je lui témoigne avoir chopé de virulents oreillons? Je songe pendant un instant à carrément me coucher sur le trottoir pour lui mimer «dormir». C'est par chance le moment qu'elle choisit pour me présenter son téléphone où s'affiche un nom d'auberge et une carte de la ville.

Au coin de rue suivant, nous croisons par hasard Ginger Ninja, qui habite justement où elle désire aller. Il lui indique le chemin en improvisant de grands signes italiens avec les bras. À voir sa mine confuse, elle doit sans doute percevoir sa gestuelle comme la démonstration d'une envolée d'oiseaux migrateurs. Or, elle déambule seule sur la Compostelle depuis des semaines ; elle doit bien pouvoir se débrouiller un minimum ? Quoique les flèches jaunes restent universelles.

Je joins les mains sous mon menton pour la remercier de la balade. Elle incline une bouille reconnaissante. Gentil Petit Chaperon bleu et jaune, avec qui j'ai marché dans la poussière en lui montrant un *buen camino* écrit au sol en petites pierres noires. Charmante Coréenne, avec qui j'ai vu un soulier abandonné en bordure de la route et qui a ponctué notre découverte d'un éloquent « ooooooh » aspiré durant de longues secondes pour me témoigner qu'elle ne comprenait pas comment quelqu'un pouvait continuer avec une seule espadrille. Jeune fille passionnée, qui a pris environ quarante photos d'un talus couvert de coquelicots et qui m'a bruité avec ivresse ses émotions à chaque éolienne que nous avons croisée. Sans prononcer un traître mot, nous avons tout de même exprimé mille et une choses. Être à l'aise avec quelqu'un dans le silence le plus complet s'avère un exploit sidéral de nos jours.

Merci à toi, chère consœur *perline*...

Le défi moral, scène 2

À première vue, les serviettes de ratine turquoise à broderies de papillon ne s'agencent pas du tout au chat en porcelaine rose bonbon perché sur le chiffonnier près des portes françaises craquelées qui s'ouvrent sur la terrasse de ma chambre. Malgré tout, le décor hétéroclite me réconforte telle une berceuse de grand-mère. J'aime ce type de chambre, que l'on dirait décorée comme s'il s'agissait du grenier de cette chère vieille tante Gisèle qui collectionne depuis quarante ans les bibelots de faïence et qui fabrique des coussins à l'aide de retailles de tissu fournies par tout le village. Même les petits ballots de poussière roulant sous le lit rassurent mon enfant intérieur, qui divague dans les zones fastidieuses de la Meseta.

Je sors prendre un verre dans un bistro. Toujours la même routine ; j'arrive dans la ville, je trouve mon logis, je me change de vêtements, j'enfile mes sandales, je lave mes vêtements de marche et je sors boire une bière fraîche tout en évaluant ma journée. Je ne me douche jamais tout de suite, car il fait encore épouvantablement chaud. Je ressens davantage de satisfaction en me lavant juste avant de me glisser au lit.

En recevant ma bière pression, je suis frappée de plein fouet par un coup de poing de nullité. Ma vie est nulle. Je suis nulle. Qu'est-ce que je cherche à prouver en étant ici ? Pourquoi suis-je ici tout court ? Cet état d'esprit maussade me hante depuis des jours. Sous-stimulée par le décor taciturne, je pense tout le temps. Une boucle épineuse. S'agit-il là du fameux défi moral ? Suis-je rendue à cette étape du parcours ? Seigneur, c'est troublant. J'ai à peine le temps de prendre une gorgée que j'entends :

— Mali ! ?

La voix de mon amie Bethany résonne comme un divin analgésique dans mes oreilles. Je ne l'ai pas croisée depuis des jours. Au comble du ravissement face à ces retrouvailles opportunes, je l'enlace presque jusqu'à l'asphyxie. Reprenant son souffle, elle s'informe :

— C'est difficile, la Meseta, hein, Mali ?

Je réponds juste un: «Ouiiiii...» taciturne duquel elle s'amuse. Je lui relate ma culpabilité face à l'épisode de marche forcée avec Miguel et ma non-ouverture à l'accepter comme compagnon de route. Elle me détaille avec compassion, avant de me faire remarquer que le chemin m'a livré délibérément ce parfait défi. Une fois de plus. Elle n'a pas tort. Je sais même qu'elle a raison. Elle et moi partageons la croyance que chaque individu sert à quelque chose pour les autres pendant ce parcours initiatique que nous accomplissons tous.

Elle me fait le topo de la soirée qui se dessine. Logan, les Italiens, Geoffroy et Rob sont en ville. Tout le monde prévoit prendre un verre dans un parc situé près d'une rivière apparemment magnifique, car certains d'entre eux comptent accélérer le pas dans les prochains jours, et nous risquons de les perdre de vue pour de bon. Je ne comprends pas trop ce qui se passe, mais j'accepte avec joie l'invitation pour le soir même. Le plan tombe à point, moi qui étais sur le point de succomber au désespoir solitaire.

En arrivant à l'orée dudit parc, je rejoins avec grand bonheur la troupe qui placote à une table de pique-nique. Celle-ci surplombe une splendide rivière dont je ne soupçonnais même pas l'existence. Les gars me niaisent un peu:

— Ah! Mon Dieu! Regardez! Elle marche! s'exclame Logan, que je n'ai pas revu depuis ma guérison divine de genoux.

— C'est un miracle! ajoute Rob, les deux bras vers le ciel.

— Il est grand, le mystère de la foi, chantonne Logan en levant son verre de vin aux cieux en guise d'offrande.

— Eh oui, je marche, parlez-moi d'un phénomène étrange, hein ! que je réponds en me blottissant dans les bras de Logan.

— Mali..., me susurre celui-ci à l'oreille.

Il me serre fort. Longtemps. Je suis si ravie de le revoir. Je pense que, de tous les gars du groupe, Logan est celui avec qui mon âme connecte le plus. Je craque pour son petit air perdu, son allure simple, ses iris vert tendre comme la mer des Caraïbes, à la limite d'être éblouissants. De beaux yeux qui dissimulent par contre un secret. J'ignore pourquoi, mais je perçois en effet de la tristesse et de la retenue dans son attitude. Logan ne prend jamais le plancher, il est timide et semble réprimer avec habileté un certain chagrin en souriant à tout vent. Une certaine nostalgie bien camouflée. Une appréhension d'importuner l'autre. Un truc qu'on apprend à faire sur le tas, très jeune, pour ne pas déranger. J'ai marché quelques fois avec lui, mais nous n'avons jamais échangé sur des sujets plus personnels comme Bethany et moi l'avons fait d'emblée.

Je donne ensuite une accolade à Rob et aux autres, que je suis bien contente de voir aussi. Le seul que je connais moins, c'est Geoffroy. Je ne l'ai jamais croisé sur le chemin comme tel, mais je l'ai parfois vu jasant avec les autres à l'heure de l'apéro.

Des bouteilles de vin et des verres de plastique attendent les convives sur la table de bois. Nous trinquons à notre beau périple et à cet imminent au revoir. Les gars m'expliquent qu'ils vont augmenter la cadence pour franchir entre trente-cinq et quarante kilomètres par jour. Ginger Ninja et sa cohorte d'Italiens doivent retourner chez eux pour un voyage avec leur amoureuse. Rob doit rentrer aux États-Unis et Geoffroy, qui est guide chez les scouts, doit retourner en France pour partir en camp d'été avec un groupe. Fidèle disciple de l'organisation, il arbore toujours fièrement sa chemise et son foulard de scout en chemin. Logan ne semble pas avoir de raison particulière d'accélérer le pas, car il est en vacances pour encore plusieurs semaines.

Honnêtement, je ne comprends pas son but de suivre les autres dans cette course folle où il sera question d'abattre des kilomètres plutôt que de faire un pèlerinage. La Compostelle doit être marchée à son rythme, posément. Ce n'est pas un rallye sportif. Je trouve ça dommage qu'il semble suivre les autres juste pour le plaisir d'être avec eux. Je pense que Logan redoute de se retrouver seul. De marcher seul.

Comme le groupe se mobilise pour aller rejoindre un certain Manuel qui se trouve ailleurs en ville, je suis avec docilité le mouvement de masse sans trop poser de questions. Je ne connais pas ce Manuel, mais il doit être drôlement sympa pour que tout le monde se déplace à l'autre bout de la ville juste pour lui. En vérité, ce n'est pas la première fois que j'entends ce prénom.

En avançant vers la sortie du parc, j'en profite pour prendre Logan par un bras. En toute discrétion, je lui demande :

— Logan... Pourquoi veux-tu suivre les autres ? T'as pas besoin de marcher si vite...

— Je sais, Mali. J'ai le choix entre perdre les Italiens, Rob et Geoffroy, ou sinon perdre toi, Bethany, Manuel et les autres...

Voyez-vous? Il est vraiment anxieux de perdre de vue les personnes qu'il a rencontrées. Je peux comprendre, mais personnellement, je suis à des années-lumière de planifier ma Compostelle en fonction des gens que je croise. J'aimerais bien ne pas juger sa décision, mais je ressens tout de même le besoin de lui dire :

— Oui, mais tu vas perdre l'essence de tout ça, le but du chemin, non? En marchant seul, on comprend parfois mieux ce qu'on fait ici.

— Mali... Je sais...

Pauvre Logan. Il semble vraiment déchiré entre deux mondes. Je me sens comme surprotectrice envers lui, ce qui me pousse à lui dire :

— Je dis ça pour toi, Logan. Tu commences ta maîtrise en septembre. Tu n'auras peut-être pas la chance de faire un voyage de ce genre bientôt. Je veux juste que t'en retires le maximum, tu comprends.

— Je suis si content de t'avoir rencontrée, Mali. Je t'aime beaucoup.

Puis il m'enserre de son grand bras tout en continuant d'avancer.

Nous rejoignons Manuel devant l'auberge où tout le monde loge. Cet établissement est très religieux et l'accueil est orchestré par rien de moins que les sœurs du couvent, qui appartiennent à je ne sais quelle congrégation religieuse. Les couples de marcheurs non mariés, par exemple, sont dirigés dans des dortoirs différents étant donné qu'ils vivent dans le péché. Quand même.

À l'abri des regards, Logan me confie :

— Je vais m'ennuyer de toi, Mali...

— Moi aussi, Logan.

Voyant un type près d'une clôture, Logan crie :

— Manuel !

Le gars, qui trimbale en bandoulière une petite guitare, lève un bras. Ah, c'est donc lui ? Je le connais, alors. C'est le gars qui m'a jugée quand j'ai décidé de poursuivre ma route la journée où j'ai marché trente-huit kilomètres. Les yeux d'éperlan frit... À première vue, il avait l'air bête comme ses deux pieds, mais bon. Les hommes échangent des poignées de main chaleureuses, les femmes lui font la bise, puis on me présente enfin au fameux Manuel.

Pop ! Une autre bouteille de rouge s'ouvre. Un vin charnu aux arômes d'au revoir hâtif. Le groupe papote en se remémorant des souvenirs de nos premiers jours sur le chemin. Je raconte au cercle réuni comment j'ai rencontré Logan, cigarette à l'oreille et harmonica au bec. Tout le monde rigole.

Sans même que nous ayons vu le temps filer, une bonne sœur surgit dans la cour pour renforcer le foutu couvre-feu de 22 h et chasser les pèlerins vers leur chambre. Il ne lui manque que le balai. C'est tellement trop tôt. En Espagne, il fait noir à 22 h 30 en été, donc à ce moment-ci, il fait encore clair dehors. Quelle torture. Dans les pensions, ce genre de réglementation n'existe pas. Une chance, car je suis une couche-tard.

Sous le regard inquisiteur de la bonne sœur gardienne de la cour, s'échangent à nouveau de généreuses accolades accompagnées de «Bon voyage!» et de «Que le chemin t'apporte ce que tu espères!» Au tour de Logan, il me serre fort en me soulevant un peu de terre. Je souris. Rien d'autre n'a besoin d'être ajouté.

Voyant que Manuel attrape son étui de guitare pour quitter l'endroit lui aussi, je m'informe :

— T'habites pas ici?

— Non.

— Ah, moi non plus. Marchons ensemble, alors. Je ne sais même pas où on se trouve.

— OK.

Dans un ultime regard envoyé à nos nouveaux-anciens-amis, nous quittons la grande arrière-cour escortée par Sœur je-ne-sais-qui, qui verrouille un immense portail de fer forgé derrière nous, l'air de croire qu'une horde de pèlerins rebelles pourrait envahir l'endroit pendant la nuit pour y faire un grabuge funeste.

Manuel, d'origine italienne, est un peu plus jeune que moi et visiblement musicien. Il trimballe un genre d'ukulélé, je pense. Il a commencé au début du parcours espagnol, à Saint-Jean-Pied-de-Port. Il connaît la plupart des amis que l'on vient de quitter depuis les tout premiers jours, lui aussi.

— Je trouve ça triste de les voir se dépêcher autant pour terminer le chemin au plus vite, me confie-t-il.

— Je sais, je trouve ça dommage, moi aussi.

— Le marcher sur le chemin, bien meilleur tranquille que courir..., me dit-il dans un français assez approximatif, merci.

— Eille ! Tu parles français ?

— Je étudier la français en Italie, le cours université de langue internationale pour le commerce.

— T'es bon !

Il revient par contre illico à l'anglais, plus facile pour lui.

— J'aime le français. C'est beau. C'est comme de la musique à mes oreilles.

J'observe de biais ce Manuel, qui pose les pieds au sol avec précaution. Dans son cas, la Compostelle rime avec ampoules et il ne semble pas en reste. C'est un beau spécimen *italiano*, grand, les traits foncés, mais pas trop sévères. Son abondante chevelure est plus longue derrière et plus courte sur le dessus. Des cheveux raides et foncés, qui retombent sans effort. Ses grands yeux bruns sont caverneux et semblent un peu tristounets. Ça aussi, c'est très italien. Il porte la barbe classique de plusieurs jours que tous les gars semblent adopter sur le chemin. Le seul que j'ai vu fraîchement rasé chaque fois, c'est Geoffroy, son foulard de scout bien serré autour du cou.

Nous parlons un peu de tout et de rien jusqu'à ce que nous arrivions à proximité de ma rue.

— J'habite ici.

— Ah. Moi, c'est par là.

— Bonne fin de soirée et on se reverra peut-être sur le chemin !

— Oui, au revoir !

Puis, il s'éloigne.

Le défi moral, scène 3

Étant donné ma résistance à entrer dans le moule du dodo à 22 h, je me retrouve seule à siroter un dernier verre de blanc sur une terrasse. Je bois du vin presque tous les jours depuis que je suis arrivée dans la péninsule ibérique. L'alcool, surtout le vin, reste un mode de vie en Espagne. Disons donc que je m'adapte aux mœurs du pays. Un genre d'accommodement raisonnable inversé ; je suis pour la laïcité alcoolique. Spiritueux, ça tire son origine de spirituel, au fond. (#NOT)

Pour ceux qui ont une vie normale, nous sommes *vindredi*. Mais, en tant que *perline*, les jours de la semaine n'existent plus. La ville est animée ce soir. J'épie un groupe de cinq filles passant dans la rue. Ça parle fort, ça rit ; les copines sont visiblement en mode festif. Tandis qu'elles prennent place à une table, près de moi, je sors mon calepin de notes.

C'est l'histoire d'une gang de filles qui partent en voyage sur les plages d'Ibiza, en Espagne...

Ah non, il faudrait que j'y fasse un saut pour m'inspirer du décor et je n'ai pas le temps durant ce voyage. De toute façon, cette histoire ressemblerait trop à celle de mon roman qui vient de paraître.

Je continue d'espionner mes voisines de table. Elles commandent des tapas. Les gens de la place soupent toujours à cette heure tardive. Imaginez. Quand les auberges de pèlerins ferment, la populace sort manger. Ce doit être pour ne pas nous avoir dans les pattes.

L'une des filles attrape un crostini à la garniture confiturée et le dirige vers son amie, qui ouvre une bouche réceptive. À la dernière minute, la coquine fait exprès de lui en mettre partout sur le menton. La victime croque le tout avant de s'essuyer avec une serviette de table, qu'elle dépose ensuite pour frapper un peu sur l'épaule de celle qui lui a joué ce vilain tour. Voilà tout à fait le genre de sottises que l'on fait entre nous, mes amies et moi. La vie est trop courte pour faire constamment preuve de maturité.

La fois où on a tenu un congrès à Gatineau

— Il était bon, ton tofu de poulet, que je complimente Ge.

— Pauvres petits bébés lapins..., pleurniche encore Claudie, qui nous a accusées tout le souper de carrément faire cuire Bugs Bunny dans le bouillon.

— Tchin-tchin! Ouuuuuuh! crie Sacha en lorgnant la table de la cuisine comme si elle envisageait tout à coup de l'escalader pour y danser.

— Mon Dieu! Attachez-la, quelqu'un! As-tu fait de l'ecstasy? Quelqu'un en avait mis dans le tofu de poulet? demande pertinemment Coriande.

— Oui, du tofu de poulet bio à l'ecstasy, que je renchéris.

— Ne-non, laissez-la s'éclater. Elle a pas ses enfants, c'est encore meilleur que n'importe quelle drogue! Moi, je te comprends, Sacha, l'excuse Claudie.

Sacha avance pour exécuter deux ou trois petits pas de danse avant de crier à nouveau:

— Exactement! J'ai PLUS d'enfants! Fini, ce temps-là! Je retournerai plus jamais chez nous, bon!

— Bien contente pour toi! Parle-moi de ça, des belles résolutions! affirme Ge, en feignant d'être trop heureuse pour elle.

— Oui, madame! La vie de maman, j'ai fait le tour. «Vouloir être mère», ça fait tellement début 2012, de toute façon.

— C'est plus à la mode!

— Moi, quand ma fille est née, je voulais la vendre à toutes les semaines. Heureusement, ma mère et mon chum m'en ont empêché, souligne Claudie.

— J'ai le goût de grimper sur une chaise! beugle Sacha. On sort bientôt?

— Selon l'ordre du jour, il est temps de passer à la soirée dansante et aux activités libres, explique une rigoureuse Coriande.

— Je pense que je suis comme un peu chaudaille, réalise Sacha sous l'emprise d'une révélation divine.

— Bois pas trop vite et prends de l'eau. Tu vas tomber la face la première dans une heure, sinon, que je lui conseille judicieusement, question qu'elle puisse s'amuser plus longtemps.

Distribuer des conseils sur mesure pour mieux se paqueter la fraise, c'est ça, l'amitié vraie.

— Hugo et moi, on boit même plus. On a pas le temps, nous avoue-t-elle, sa lèvre inférieure pendouillant.

— Vous statuez mal vos priorités conjugales. Vous allez vous perdre là-dedans, s'inquiète Coriande.

— Quand Lucas vole le jouet du bébé et que celui-ci le lui revole et que Lucas décide alors d'attraper la lampe du salon pour assommer son frère sur la tête, c'est toujours à ce moment-là qu'Hugo et moi on fait : « Hum on intervient dans le conflit pour sauver la vie de notre plus jeune ou on s'ouvre un bon sauvignon ? »

— Oui, mais quand vous sauvez le petit, vous empêchez la sélection naturelle de faire son travail. Vous allez contre la nature. Si le plus vieux élimine son frère, c'est parce qu'il est plus fort. Vous devriez le laisser faire et boire du vin en quantité industrielle comme moi, suggère Coriande, qui a justement pris un peu de poids depuis qu'elle habite Paris.

Elle dit toujours à la blague qu'elle a pris dix livres d'agencement de cépages dans le derrière.

— Je sais.

Claudie approche de la table et prend un bout de carotte qu'elle plonge dans la merveilleuse trempette ranch maison de Ge. Telle une furie, Coriande s'élance du coin droit de la cuisine pour lui enfoncer la main au plus profond du bol.

— Voyons!? C'est ben niaiseux, ça!

Je ris ma vie, trop fière de Cori. Celle-ci est presque couchée par terre, prise de convulsions. Nous avons douze ans.

— C'est parce que t'es encore nouvelle, tu mesures pas bien le risque, lui explique Ge.

— T'es juste membre en probation, pas encore membre en règle, précise Sacha pour lui raviver la mémoire.

— Ah oui, c'est vrai..., se déçoit Claudie.

À la fin du souper, nous avions statué que Claudie présentait de belles qualités pour intégrer l'organisation, mais qu'elle était encore trop indisciplinée et rebelle pour que nous lui accordions le plein pouvoir décisionnel venant avec le statut important de membre en règle. Elle a donc été admise à titre de membre en probation. Elle devra accomplir une épreuve pour compléter son adhésion en bonne et due forme. On ne sait pas encore quel sera son défi.

— La main dans la trempette, c'est un rite de passage, que je mentionne en hochant une tête cérémonieuse, comme si ce codicille avait été écrit noir sur blanc dans un contrat endossé par cinq notaires et sept avocats.

— Hé, Mali! Parlant de coup pendable, j'ai eu une idée pour un de tes livres. Écoute ça. Une fille trop soûle se fait dessiner par ses amies pas fines un gros zizi dans face. Elle se lève avec ça le matin, et lorsqu'elle veut se laver, ça part pas parce qu'elles ont utilisé un marqueur noir Sharpie. Elle se promène avec ça toute la journée! Ha! ha! ha!

L'ensemble des congressistes dévisage Sacha, l'air super bête.

— C'est pas SI drôle..., que je m'oppose, déçue par sa suggestion beaucoup trop juvénile pour le public cible auquel je m'adresse avec mes romans.

— Non, c'est pas comique, m'appuie Ge, en prenant bien soin de soulever le plat de sauce d'une main pour y tremper sa carotte avec l'autre.

(C'est le truc. Si quelqu'un approche, on peut esquiver le coup avec notre coude.)

— Oui, c'est super drôle! La fille avec sa grosse quéquette dans face! Ha! ha! ha! s'esclaffe Sacha.

Mon amie trouve encore à ce jour que les simples flatulences figurent parmi les hautes sphères de l'humour mondial.

— Moi, je trouve ça un peu drôle, quand même, avoue Claudie.

Coriande grimpe sur ses faux grands chevaux :

— Ne-non. Si c'était le moindrement d'un niveau humoristique acceptable, on l'aurait déjà fait dans notre jeunesse et c'est pas le cas, donc c'est juste pas drôle. Fin de la discussion.

Le défi moral, scène 4

De retour à ma chambre, je redeviens tristounette sans trop savoir pourquoi. Peut-être parce que je viens de penser à mes amies et que je me sens seule. Le couvre-lit finement fleuri dans les tons de mauve et jaune jure avec les grosses fleurs brunes des rideaux. Malgré tout, le décor de mauvais goût ne m'apaise pas autant qu'à l'habitude. Le chat rose sur la commode me juge. «Pourquoi n'es-tu pas heureuse, Mali?» Comme je ne lui réponds pas, il s'énerve: «TROUVE TES RÉPONSES, MALI! ALLEZ!»

Satané sac à puces. Je le place museau premier au fond d'un tiroir.

Je m'assois sur le lit qui grince juste un peu sous mon poids. Qu'est-ce que je fais ici, bon sang? Qu'est-ce que ça me donne? Pourquoi je marche? On dirait que je ne ressens plus du tout la félicité du début alors que la douleur m'assaillait. Malgré la souffrance, je marchais, fière de me dépasser chaque jour. À présent, on dirait que je m'en contrefous. Comme si l'ensemble de ma démarche n'avait plus aucun sens. Ma douleur physique m'a quittée pour céder la place à un grand vide. Comme si la souffrance – malgré que c'était difficile – me donnait le sentiment d'être en vie. Elle remplissait tout l'espace disponible et, maintenant, je n'ai plus rien auquel m'identifier, plus rien à m'occuper. Je suis seule avec moi-même à traverser un plateau jaune interminable.

Je me sens l'âme en lambeaux. Comme si je mourais par en dedans. Peut-être que le fait de perdre plusieurs de mes compagnons de route me rend plus nostalgique que je le pensais. Avoir besoin des autres... Est-ce que je suis capable d'admettre avoir «besoin des autres» dans la vie? Je ne m'ennuie jamais en voyage, d'habitude. Ce doit être parce que je suis stimulée tout le temps. Là, non, je marche et marche et marche. Je commence à douter grave de l'apport bénéfique de cette expérience à ma vie. Et si je ne revenais pas mieux que j'étais avant de partir? Et si je revenais pire que j'étais? Sans rien retenir, je m'effondre sur le lit de bois, en larmes. Il grince encore plus.

Le défi moral, scène 5

Je suis ravie qu'il fasse beau et chaud tous les jours en Espagne, surtout parce que ça me donne un prétexte pour porter mes verres fumés en tout temps. Je me suis endormie hier en pleurant et j'ai pleuré un autre bon coup à mon réveil. Mes yeux ont l'air d'avoir trempé dans le vinaigre. Sans farce, j'ai pleurniché sur environ trois kilomètres en commençant ma journée de marche. Une chance, j'ai seulement croisé des cyclistes.

C'est très singulier comme phénomène. Je ne sais même pas trop d'où provient ce trop-plein. Je ne pense à rien de précis, mais je sanglote comme une fillette ayant égaré sa poupée préférée et qui la cherche depuis quatre cents kilomè-tres. Je n'ai pourtant rien perdu. J'ai l'impression de me défaire en morceaux à chaque pas que j'effectue sur le gravier. Si c'est ça, le défi moral, c'est plus éprouvant que d'avoir mal aux genoux, je vous en passe un cartable de papier. Ceci dit, un nouveau bobo vient par ailleurs de faire son apparition; mon tendon d'Achille gauche enfle de plus en plus et c'est chaud et rouge au toucher. Misère. J'ai croisé une dame française qui m'a conseillé de mettre de la glace dans chaque ville où j'arrête pour éviter d'empirer la tendinite. Chouette.

Tout compte fait, je suis tout de même plus calme, maintenant, en ce bel après-midi.

En entrant dans un village, on m'interpelle :

— Mali !

— Hé ! Allo, Geoffroy !

Il sort d'un restaurant.

— Je t'accompagne, si tu veux ?

— Oui, avec plaisir !

N'est-il pas avec les autres ? C'est étrange, je me disais justement l'autre soir que je ne l'avais jamais croisé sur le chemin.

On placote un bon moment. Geoffroy porte avec fierté son uniforme, comme toujours. Il a vingt-cinq ans. Je trouve très intéressante la dévotion émanant de son sentiment d'appartenance. C'est un garçon charmant, très bien élevé et poli. On en déduit juste en le voyant qu'il provient d'une famille aux valeurs assez strictes, prenant le thé tous les jours, le petit doigt relevé, dans un élégant jardin en Provence. L'habit ne fait pas le moine, mais c'est l'image que je me fais des auteurs de ses jours. Il doit rejoindre les autres gars dans une ville située à plus de quinze kilomètres d'où nous sommes. Il a pris du retard sur eux pour je ne sais quelle raison. C'est beaucoup trop loin pour moi. Dans mon cas, la ville suivante sera ma destination finale de la journée.

En marchant, Geoffroy placote de tout et de rien. Il marche, droit et fier. Il semble de bonne humeur, mais je lis dans ses silences que, lui aussi, la Meseta lui rentre dedans. Je ne lui partage pas au grand jour mes élans de tristesse des derniers jours afin de maintenir l'ambiance à un niveau de jovialité acceptable. Il m'imite. Il me questionne beaucoup sur mon métier d'auteure. Je lui renvoie la balle à propos du sien. Les échanges sont ronds, mais vrais. Il écoute avec grande loyauté, ce Geoffroy. Je l'aime bien. À un tel point que, en arrivant dans la ville où je vais dormir, je lui exprime ce fait :

— Écoute, Geoffroy, c'est dommage qu'on se rencontre sur le chemin à la toute fin, comme ça. Je te trouve vraiment sympathique.

— Ah ! merci, Mali. Je pense la même chose de toi !

Je ne sais pas si c'est un effet de la solitude ou de la démarche en soi, mais il me semble que je rencontre des gens vraiment exceptionnels en chemin. Peut-être que ce type de voyage attire surtout des gens très ouverts d'esprit et fondamentalement gentils. Qui sait.

Geoffroy ne s'arrêtera même pas cinq minutes dans ce village, question de filer au plus vite vers son objectif. Je me retourne à la croisée des chemins, les yeux reconnaissants. Je me sens privilégiée d'avoir pu marcher avec lui, au moins une fois. Avec ce Français trop aimable, j'ai découvert un oiseau mort en bordure du chemin – on était tristes parce que ça ne va pas du tout dans l'esprit de la démarche – pour ensuite voir une pancarte artisanale sur laquelle on pouvait lire : « Jésus t'aime ». Geoffroy et sa chemise parfaitement repassée, à qui j'ai caché mon état perturbé par peur de l'entraîner dans ma spirale sombre. Celui qui, par sa bonté, a tout de même réussi à me faire un peu oublier mon cafard. Geoffroy, avec qui j'ai confectionné une croix de bois à l'aide de deux branches de vigne séchées pour ensuite l'insérer dans une clôture à côté de milliers d'autres croix symboliques qui s'y trouvaient déjà. Un rituel silencieux commun sur la Compostelle, qui avait semblé nous apaiser le cœur à l'unisson. Ce scout à qui j'ai raconté que, quand je faisais partie des Étincelles[33], en marchant dans une rivière, une sangsue s'était collée à mon pied et l'animatrice responsable de mon groupe s'était évanouie sur la rive à la place de venir à ma rescousse. Il a ri en m'assurant que, si j'avais été dans son groupe, il m'aurait sauvée. Un début et une fin de rencontre à la fois. Gentil Geoffroy, que je n'oublierai jamais. Je le prends dans mes bras.

— Merci, Geoffroy...

— Merci à toi, Mali.

Selon un résident, il n'y a pas de pension dans cette minuscule municipalité, seulement deux auberges. Rebroussant chemin, je fonce donc vers la première *albergue* que j'ai croisée à l'entrée. Installée dans un grand champ – enfin entourée de verdure –, le tout me remue jusque dans les viscères. Chanceuse comme toujours depuis le début de ce

---

33· Le groupe le plus jeune des scouts et guides pour les filles. Dans mon temps...

périple, il reste une chambre simple avec salle de bain privée. Les chambres privées dans les *albergues* ne sont pas légion.

En cherchant la réception tantôt, j'ai entrevu Manuel qui grattait sa guitare sur le porche avant. Ayant une tonne de lavage à faire – dix morceaux, sous-vêtements inclus, donc la quasi-totalité de mon sac –, je me dirige vers la grande cour arrière pour effectuer ma besogne. Je trouve que l'obligation de faire ma lessive à la main tous les deux ou trois jours me reconnecte encore plus à l'essentiel ; peu de vêtements, prendre le temps de bien laver chaque morceau pour être confortable. Utiliser l'eau, le vent et le soleil pour arriver à ses fins. Ça cadre bien avec l'essence de la Compostelle. De plus, il y a quelque chose de rassembleur dans le fait de voir les vêtements de tout un chacun ballotter au grand vent, ensemble. Nous sommes *un* sur le chemin, nous sommes *un* sur les cordes à linge. Une proximité d'ordre familial assez singulière.

Par la suite, je gagne la terrasse afin de me désaltérer de cette fin de journée écrasante à l'aide d'un grand verre d'eau glacé. Je dépose ma cheville gauche sur un sac de glace pour faire désenfler mon tendon d'Achille, qui a la taille d'un citron bien dodu. Les restaurateurs, habitués aux divers bobos des marcheurs, gardent toujours des sacs de glace pour parer à toute éventualité.

Le son d'une douce voix retentit derrière moi.

— Mali !

Ma sorcière bien-aimée de la Compostelle apparaît dans mon champ de vision.

— Bethany ! *Yeaaaaaah !*

Elle approche de moi, m'embrasse sur la tête et prend place à ma table.

— Puis, ta journée ? me demande-t-elle avec un rictus en coin.

— Bof... Toi ? que je souffle en secouant le bout du nez.

Elle se prend les joues à deux mains avant d'écraser ses coudes sur la table. À son geste, je sais qu'elle partage mon état d'esprit.

— Bethany, je pleure presque tous les soirs et tous les matins depuis des jours. J'hallucine. C'est quoi ça ?

Elle rigole un peu.

— J'ai pleuré pendant quatre heures sur le chemin, ce matin...

— Pour vrai ? Moi, juste trois heures, donc tu me bats. Bravo.

— Sais-tu le pire ? Je pleurais pour n'importe quoi. Je me suis rendu compte un moment donné que je pleurais en songeant à mon ex-copain d'il y a cinq ans. Voyons donc ?

— Ha ! ha ! ha ! OK, on est tous dans le même genre de galère.

— C'est normal, je pense. Le défi moral, hein... La Meseta accorde toute la place au mental, qui se permet de divaguer et d'aller dans tous les sens. On s'y perd. On croit devenir cinglé. Ça sert à quelque chose, Mali.

— Je te jure, par moments, je suis tellement loin dans ma tête que je me dis : « Suis-je sur le bon chemin ? J'ai l'impression que ça fait des heures que j'ai pas vu de flèches jaunes... » Mais heureusement, mon cerveau est conditionné à suivre les flèches jaunes sans que je doive y réfléchir ou m'en rendre compte. C'est au moins ça de gagné.

— Moi aussi, je suis sur le pilote automatique. Ça laisse encore plus d'espace au mental...

— En tout cas, je panique en ce moment. Je crains que ce foutu voyage-là ne serve à rien au final et que je revienne chez moi psychologiquement pire que j'étais. Du genre, je vais revenir de la Compostelle et entrer directement à l'asile...

— Ha ! ha ! ha ! Pour reconstruire une vieille maison, Mali, il faut au préalable déconstruire et faire le tour des matériaux pour voir ce que l'on veut garder.

— Ah, je me déconstruis, solide, oui. Je suis madame Patate en personne et il me reste pas grands morceaux, crois-moi.

Manuel se joint à nous en se laissant choir avec apathie sur une chaise. Il pose son verre de bière pression sur la table, puis sans plus d'introduction, il nous souffle, l'air en déroute :

— Ma vie, c'est de la merde.

— Ah ! Bienvenu dans le club !

— Ah, vous aussi votre vie est pathétique ?

— Plus que jamais, depuis une semaine. Je me surpasse.

Au même moment, un message privé de Logan entre sur mon compte Facebook. Il me demande où je suis et comment ça va. Je lui réponds.

> Je suis quinze kilomètres derrière vous, avec Bethany et Manuel. J'ai marché le cœur gros en regardant mes pieds, aujourd'hui...

> Ah oui, hein... C'est difficile, la Meseta. Aujourd'hui, j'ai marché la moitié du chemin seul, triste, en regardant par terre aussi. Ensuite, j'ai croisé les Italiens et personne n'a dit un mot de presque tout le trajet. Je ne sais pas pourquoi...

> C'est normal, tout le monde se sent comme ça. On va s'en sortir ! J'espère... ;)

J'observe du coin de l'œil Manuel qui ausculte ses pieds devant nous. Bethany le taquine :

— Manuel se plaint beaucoup en marchant, je pense que c'est parce qu'il est Italien...

— Tais-toi ! M'as-tu vu les pieds ? Comment veux-tu ne pas te plaindre ?

Il me montre alors la plante de ses pieds en soulevant les jambes. Ah, mon Dieu. La moitié du dessous de son pied s'avère une grosse ampoule géante. J'ai vu bien des pieds de marcheurs affligés par des ampoules, mais jamais de cette envergure. Voyons donc, comment fait-il pour avancer?

— Depuis quand souffres-tu comme ça?

— Laisse-moi y penser... Depuis le jour 2! Je dis souvent que je n'ai pas des ampoules sur les pieds, mais que j'ai des pieds sous mes ampoules.

— Depuis le début? T'es pas sérieux?

Hish. Chacun son combat sur le chemin. Ça doit être extrêmement pénible.

— Comme je disais, pour toutes ces raisons et bien d'autres, ma vie c'est de la merde.

> Bonne soirée à vous trois! Dis bonjour à tout le monde et prenez un bon verre de vin! xxx

> Toi aussi, Logan! Salue les autres et faites pareil vous aussi! xxx

Je lève les yeux vers mes compagnons et je leur donne des nouvelles de Logan.

— Il est tout aussi dépressif que nous, on dirait...

— Ah bien, là! Si Logan-le-gars-toujours-heureux est déprimé, imaginez nous autres?! Ha! ha! ha!

Comme si cela me soulageait de me savoir unie à ces personnes dans le désert de la décrépitude, je ris un bon coup en secouant la tête de découragement.

Je ne suis pas seule. «Accepter d'avoir besoin des autres, Mali...»

Je pose deux verres de vin sur la table, un pour moi et un pour Manuel. L'obscurité qui descend en toute délicatesse dans ce champ éternel semble nous ramollir le cœur, comme si on atterrissait en même temps qu'elle. Petite pluie abat grand vent. Je me sens plus calme, plus connectée.

— Le couvre-feu de 22 h, c'est beaucoup trop tôt, se plaint Manuel en grattant quelques notes sur sa guitalélé.

— Personne se couche aussi tôt dans la vie, que j'ironise, étant donné que nous sommes actuellement les deux seuls dehors dans la grande cour.

— Personne, sauf tout le monde.

Même Bethany nous a quittés il y a plus d'une heure. Ma fidèle Australienne a décidé de s'imposer de nouvelles règles *compostelliennes*; plus de téléphone ni d'alcool. Non pas qu'elle buvait beaucoup, mais elle prenait un verre tous les soirs comme la plupart des marcheurs. Je ne juge pas sa démarche. Chacun son chemin, chacun son combat. Je trouve par contre qu'elle se le fait un peu dur. C'est déjà un gros défi en soi, toute cette histoire; il faut tout de même conserver quelques plaisirs pour nous récompenser de nos efforts et nous permettre de décompresser.

Comme je trouve mon nouvel ami bien sympathique, je lui demande, en prenant mon cellulaire :

— C'est quoi, ton nom de famille ?

Il me répond en sachant bien que je désire l'ajouter sur Facebook. Je le trouve immédiatement. Sa photo de profil le montre dans un lit, de côté, embrassant une fille. Sa copine, probablement. Manuel lève son verre dans ma direction, en me disant en français :

— Chanter, Mali ! C'est biène cé qué vous dites, « chanter » ?

— Euh... Oui, oui, « chanter » toi aussi.

Que c'est charmant.

Ravi de son formidable talent pour la langue française, Manuel se remet à jouer en souriant. Quel guitariste incroyable. Il berce mon moment de réflexion oisive au son de ses doigts qui dansent sur les cordes. Je me trouve privilégiée. Manuel dégage l'énergie douce d'une très vieille âme. Il est certes un peu ronchonneur face à son odieuse condition de pieds, mais ce n'est tout de même pas trop irritant. Il ne parle pas énormément et semble à l'aise dans sa bulle, ce qui me convient tout à fait. Il dégage une force tranquille, mais son silence me crie quelque chose. Fort. Comme s'il érigeait une vaste muraille d'assurance destinée à l'empêcher de s'exposer au regard d'autrui. Je détecte chez lui une rage au cœur, une forme de blessure qu'il doit trimbaler dans son sac comme beaucoup de marcheurs sur le chemin. Quelque chose de lourd. Je le sais, je le sens.

Tout en tirant des accords mélodieux de son instrument, il emmène la conversation vers un sujet usuel qui le chicote : mes débuts en tant que romancière. Manuel veut savoir pour quelle raison je me suis mise à l'écriture. Grosse question.

Je lui raconte les grandes bribes décousues de mon parcours. Comment j'ai traversé une période sombre et solitaire à la suite d'un diagnostic de cancer de la glande thyroïde, et comment je m'en suis tirée en couchant sur papier des histoires de dingue. Comment l'humour m'a permis de pallier ce passage pénible de ma vie. Je lui relate ma décision de tout balancer en l'air pour vivre de ma plume. Que j'ai volontairement vécu un an sans revenu en itinérante. Très intéressé, il m'écoute en emplissant l'air parfumé du crépuscule d'une trame sonore aigre-douce. Mon histoire enveloppée de musique s'avérant encore plus poignante, mes yeux s'emplissent de larmes.

— Wow... T'as vraiment sacrifié beaucoup de choses pour en arriver là.

Il met son index de musicien direct dessus. Ça me fait du bien que quelqu'un le voie, le nomme.

— Oui, Manuel. J'ai vraiment TOUT fait.

— Ton histoire me touche, Mali. Merci de l'avoir partagée avec moi. Personnellement, je suis fatigué que les gens me demandent pourquoi je fais le chemin. Ça ne regarde personne.

Hum. C'était justement ma prochaine question. Je vais m'abstenir. Pour dissiper le malaise qui vient d'être créé par sa fermeture alors que je viens de me mettre à nu, il se lève pour aller quérir deux autres verres de rouge. J'agrippe son instrument sur la table, question de gratouiller le seul morceau que je connais : *All Apologies* de Nirvana. Relique culte de mon adolescence. J'abandonne avant même son retour, acceptant avec grande tolérance mon manque de talent et mes doigts gauches qui peinent déjà à honorer avec dignité leur boulot sur le clavier.

En revenant, Manuel m'annonce :

— La femme de l'auberge est gentille, elle a dit qu'on peut rester dehors même si le couvre-feu est passé. Elle va laisser la porte de devant débarrée.

— Ah ! super !

Un silence tout en sourire enveloppe cette annonce réjouissante. Manuel contemple le ciel. Je fais de même en expirant fort, comme si la pression engendrée par cette journée éreintante se délogeait enfin des parois de ma pauvre gorge. Je peux tourner la page. Les étoiles percent de partout la toile opaque qui nous surplombe. En l'absence de pollution visuelle, la Voie lactée explose à sa guise. Les grillons chantent leurs sérénades métalliques pour rehausser juste d'un cran l'appréciation de notre moment contemplatif. Rompant le charme, Manuel se confie :

— Ma blonde m'a quitté. C'est pour ça que je suis ici.

Ah. Il vient de se séparer. Voilà sûrement un autre beau classique *compostellien*.

— Elle était toute ma vie. J'ai l'impression d'avoir perdu tous mes repères. De ne plus savoir qui je suis. Je suis incapable d'enlever ma photo de profil avec elle, pour te donner une idée.

— Ouin, c'est pas facile.

Il me parle de ses émotions pendant un moment. À quel point il se sent perdu, abandonné. Il verbalise très bien son état, ses sentiments. Naturellement, je me sens un léger-mini-tantinet interpellée par son témoignage étant donné ma situation matrimoniale précaire. Refaire sa vie sans l'autre, passer à autre chose, redéfinir le bonheur seul ; voilà le vrai défi lors d'une séparation.

— Je suis donc venu ici pour faire mon deuil.

— Je comprends.

Manuel attrape sa guitare et ses doigts s'agitent à nouveau sur les cordes. Il chantonne une mélodie d'une voix douce, presque féminine. C'est grisant. À l'image de sa vulnérabilité et de sa force à la fois. Il pose finalement son instrument, incapable de poursuivre. Ce devait être une chanson en lien avec elle ou remplie de souvenirs. Il allume plutôt une cigarette, les yeux dans l'eau. Sa tristesse m'emplit, me touche. Je la ressens. Difficile à expliquer comme perception. Une compassion immense m'habite. Tellement que mes yeux s'inondent à mon tour. Est-ce que je pleure d'être touchée par son vécu ou est-ce ma propre vie qui m'afflige ?

— Je n'ai partagé ça avec personne. J'ignore d'ailleurs pourquoi je te déballe tout ça, Mali.

— La vie, c'est ça, Manuel. Des rencontres et des personnes sur la route, avec qui l'on chemine... On le ressent encore plus ici, je pense.

— Merci.

— Y a pas de quoi, je t'assure.

Le défi moral, scène 6

Achille fait encore des siennes. C'est pire le matin, quand je débute ma journée, et le soir en terminant. Durant le jour, on dirait que mes tendons et mes muscles se réchauffent et la douleur s'estompe. J'applique de la glace aux deux heures aussi. Ça aide. Je ne sais pas si c'est bon ou pas que je marche dessus, car ça enfle toujours sans bon sens le soir. Bah. Je m'en fous un peu. J'ai des choses plus funestes à ruminer. J'en suis déjà à plus de quatre heures de marche en jonglant avec mes pensées pénibles, aujourd'hui.

Au secours.

Je regarde bien à gauche puis à droite avant de traverser une grosse autoroute. Je suis perdue au milieu de nulle part, avec comme seule compagnie les voitures qui me frôlent à toute vitesse et les immenses champs de blé qui s'ondulent le toupet au grand vent. Des lames de couettes dorées. Une mer jaune grouillante qui semble vouloir m'avaler.

Vroum. Du béton, de l'or. Du béton, de l'or. Vroum.

Une grosse inscription tracée sur un parapet de mortier clair à l'aide d'une bombe aérosol à encre noire attire mon attention. Comme les lettres sont immenses, je lis les mots tout en avançant.

WHY

J'avance de quelques pas.

ARE YOU

Je m'immobilise aussitôt, ébranlée comme si l'écriteau m'annonçait le kidnapping de ma famille immédiate par l'État islamique.

WALKING???

Je ne peux m'empêcher de fixer ces mots pendant de longues minutes. Qui a écrit cette question? Un pèlerin? Un habitant tanné de voir des zombies en décomposition défiler devant sa maison? Qui sait. Les syllabes résonnent en moi comme une voix d'outre-tombe. «Pourquoi marches-tu, Mali? Hein? POURQUOI?» Ça me fait aussitôt penser que j'ai laissé le chat rose dans le tiroir, l'autre jour.

— Qui que tu sois, cher humain de la Terre, ta question est très pertinente. Le problème, c'est que je le sais pas pantoute, justement! que je gronde à voix haute en tournant sur moi-même de confusion, un bâton de marche bien haut, telle Mary Poppins et son parapluie débarquant dans la pièce interdite de Barbe bleue.

Voilà. Je crie maintenant toute seule en pleine rue. Ça va de mal en pis, mon affaire. Wow. Que ce voyage me fait donc du bien! On va m'accueillir avec une camisole de force à Santiago, si ça continue.

« Pourquoi marches-tu ? »

Quel délai m'accorde-t-on pour répondre ? Il y a des choix de réponses ? Je marche parce que je suis un peu dingue, vrai ou faux ? VRAI.

Il fait si chaud. Je poursuis ma route, en réfléchissant à tout ça et à tout rien.

Why are you walking, Mali ?

— *Gracias*, dis-je pour remercier le serveur en empoignant l'usuel sac de glace.

Prenant place sur ma chaise, je n'ai pas le temps de tremper les lèvres dans mon rafraîchissement que j'entends :

— Mali !

Bethany et Manuel avancent vers moi dans la petite rue déserte sur laquelle donne la terrasse du resto-bar où je me trouve.

— Hé ! que je fais, enchantée d'avoir de la si belle visite.

Je ne les ai pas vus de la journée, mais nos arrêts concordent, selon toute vraisemblance. Toutes les flèches jaunes mènent à Rome.

— T'es partout dans ma vie depuis trois jours. C'est comme une farce, me lance Manuel, comme si ça l'agaçait, au fond.

C'est vrai, on ne s'est pas croisés pendant des semaines, et il apparaît à présent chaque jour dans mon rétroviseur. Nous commandons des *papas bravas*[34] pour tous. Bethany demande un Sprite. Je la questionne à ce sujet:

— Toujours pas de téléphone ni d'alcool?

— Non.

— Il faut que ce soit difficile au maximum, la Compostelle, hein, Bethany? Ça fait du bien d'avoir mal, de souffrir. Il faut se punir.

Manuel, qui comprend mon allusion ironique, rigole dans sa barbe. Bethany s'explique:

— T'as tout à fait raison, Mali. J'ai pas ressenti beaucoup de douleur physique depuis le début, donc je crois que j'ai besoin de m'en créer par la bande. J'ai vu tout le monde souffrir comme en enfer sur terre, à en être presque incapable de marcher, et moi rien du tout ou presque. Je suis peut-être jalouse des gens qui ont mal, en réalité?

Bethany doit être une fille super performante dans la vie. Très exigeante envers elle-même aussi. Elle figure effectivement

---

34. Très populaire en Espagne, ce plat se compose simplement de pommes de terre bouillies ou frites, coupées en dés et nappées d'une sauce piquante, soit fromagée soit à base de tomates. Un *comfort food* de niveau «poutine» pour les pèlerins sur la Compostelle.

parmi les rares personnes que ce parcours intensif n'a pas trop éclopées physiquement. Sentant qu'il manque quelque chose à son expérience, elle réagit alors en s'infligeant d'autres contraintes avec ce qu'elle trouve à la portée de la main. Ce sur quoi elle exerce du contrôle. Le cellulaire, donc l'ennui de ses proches et l'alcool, donc le plaisir. La psyché humaine est si fascinante.

— J'ignore pourquoi je m'autoflagelle ainsi...

— Tu pourrais tenter de te fouler une cheville par exprès, suggère Manuel, en bon ami.

— Ou le faire sur les genoux, j'y ai pensé... Parlant de punitions et de défis, toi, Mali, t'as été gentille avec les gens sur ta route aujourd'hui ?

— Ah justement, oui, je me suis bien rattrapée.

Vers la fin de la journée, un Allemand d'environ soixante-dix ans a manifesté le désir de m'accompagner en embarquant presque à pieds joints dans mon sac. Je me suis dit : « Mali, voici l'occasion de te reprendre et d'expier ta froideur envers Miguel-la-grande-gueule. » Quelle erreur de jugement de ma part.

— Je vous jure, il marchait pas à côté de moi, mais carrément SUR moi !

— Voyons donc ? commente Bethany en riant.

Expressive, je tire mon amie de sa chaise pour leur mimer un exemple. Je leur fais la démonstration de la manière dont l'Allemand envahissait mon espace vital (sans aucune exagéra-tion de ma part, je le jure).

Le chemin de gravier où nous avancions aujourd'hui était environ large comme la moitié d'une route à deux voies, donc tout ce qu'il y a de plus régulier sur le *Camino*. Il y avait amplement d'espace pour qu'il se déplace sans empiéter sur ma trajectoire. Toutefois, passionné outre mesure par ses propres paroles, le type ne pouvait s'empêcher de se coller sur moi au point où nos bras se touchaient en avançant. Vous savez, le genre de personne qui ignore le concept de la bulle... À l'aide.

Le vieillard s'adressait à moi à deux centimètres de mon visage en ayant l'air super à l'aise de cette proximité. Chaque fois que l'on se frôlait, je me tassais un peu vers l'accotement. Quand j'en venais presque à trébucher sur le bas-côté, je lui demandais: «Désolée, je vais tomber. Pourriez-vous vous pousser un peu?» Il s'excusait, les baguettes en l'air: «*Oh! I'm sorry!*», puis recommençait le même tango. Pour rajouter à l'inconfort de la situation, il semblait avoir un problème d'ajustement de dentier, donc il me postillonnait dessus sans arrêt. Le comble du malheur. Je n'aime pas trop toucher les inconnus, donc imaginez recevoir leur fluide corporel par la tête.

— Ha! ha! ha! rit Manuel en m'entendant étaler mon désespoir évident.

— C'est parfait! Une épreuve taillée pour toi, sur mesure, souligne ma sorcière bien-aimée. Je l'aime, ce monsieur!

Elle a raison. J'ai tellement perçu la situation comme un test de la vie dont il fallait rire. Il s'agissait en quelque sorte d'une reprise pour mon examen échoué avec Miguel. Ce nouveau compagnon indésirable a mis ma bulle à rude épreuve tout en m'entretenant pendant une heure trente à propos de sa sœur ayant des problèmes de santé mentale. Triste histoire. J'ai cru saisir – parce que son anglais était approximatif – que sa frangine donnait son argent à un homme qui abusait de sa situation psychologique précaire. La chicane semblait avoir éclaté entre elle et sa fratrie à ce sujet, bref, une belle galère familiale de niveau feuilleton-télévisé-de-Fabienne-Larouche. Je l'ai donc écouté pendant tout ce temps. Il en avait besoin. À mon tour d'être au service. C'est correct ainsi. J'ai apprivoisé cette intrusion avec une certaine élégance, en réprimant tout de même de légers haut-le-cœur chaque fois que je tentais d'éviter, telle une gardienne de but craignant les rondelles, les postillons de mousse blanchâtre qui volaient dans tous les sens.

— Bravo, Mali! me félicite Bethany comme une bonne éducatrice en garderie. Mais dis-toi que c'était pas mieux de mon côté... Le gars qui marchait avec moi se plaignait sans arrêt. Dans son cas, ce qu'il doit apprendre, c'est...

— Tais-toi! s'oppose Manuel en lui assénant une tape amicale sur le bras. Je chiale même pas.

— Les hommes et la douleur, c'est pas facile à la base. Imagine quand c'est un Italien...

Manuel lui lance une serviette de table chiffonnée pour toute réponse.

Deux marcheurs étrangers à la table voisine nous interpellent. Ils viennent de l'Alaska. Vraiment? Dans ma tête, personne n'habite cette contrée mythique. C'est la première fois que j'en croise *des vrais*. Je veux un autographe. On échange avec eux un moment à propos de la fameuse Meseta et de l'effet que ce plateau désertique a sur le moral de chacun. Le plus grand des deux prend la parole, sérieux comme le pape en Carême.

— Vous savez le plus terrible? Je me suis créé une super sélection de chansons sur mon nouveau cellulaire avant de partir. J'ai réalisé juste en arrivant ici que la transmission de données de mon ordinateur à mon cellulaire n'avait pas fonctionné. Je me suis donc retrouvé avec un seul et unique album à écouter...

— Ah, c'est plate. C'est une étape où on a besoin de musique comme soutien moral. Un seul album, mais un bon au moins? demande Manuel.

— Justin Bieber, spécial de Noël..., grimace ce dernier. Je l'avais acheté pour ma nièce de trois ans, qui venait chez moi pour les Fêtes.

Tout le monde éclate de rire.

— T'es pas sérieux? que je m'esclaffe, au bord du déses-poir pour lui.

Il démarre une chanson sur son cellulaire en ajoutant :

— Et je l'écoute pour vrai, tous les jours. C'est ma pénitence et je l'assume.

Il nous déclame alors par cœur la chanson en cours avec un air de gars anéanti à deux doigts de la crise psychotique. C'est épique.

— Ayoye! Ça va laisser des séquelles, c'est sûr. Tu dois être encore plus mal en point que nous tous, en ce moment.

— Oui... Je sais plus qui je suis, ni comment je m'appelle.

Pauvre lui. Peut-être que je devrais vérifier son urgence suicidaire, juste au cas où?

Après une heure à déconner avec nos voisins, Bethany se lève pour nous quitter. Son auberge organise une rencontre d'échange entre les pèlerins. Je n'ai jamais assisté à ce genre de partage de groupe. Bethany nous regarde un instant en semblant nous demander du regard si nous voulons l'accompagner. Les deux gars de l'Alaska s'échangent un œil complice et décident de se joindre à elle. Mon petit doigt me dit qu'ils ne seront pas très sérieux, ces deux-là.

Manuel répond quant à lui:

— Hum... Laisse-moi réfléchir un instant à savoir si j'ai le goût d'aller entendre des beaux témoignages émouvants à la place de boire une bonne bière froide... *FUCK THAT! NOT!* crache-t-il avant de prendre une gorgée.

Moi non plus, je n'en ai pas envie. Relaxer, la cheville posée sur un sac de glace, me paraît davantage thérapeutique pour le corps et l'esprit.

— À bientôt!

— Bye, Bethany. À bientôt, j'espère... Peut-être.

Je regarde s'éloigner mon inestimable amie, qui surgit dans ma vie à tout moment. Je l'aime tant. Manuel s'empare de sa précieuse guitare – qu'il traîne partout –, puis entame une ballade.

— Tu sais, Mali, ton histoire d'hier m'a fait beaucoup de bien. Tes débuts difficiles comme écrivaine, ton parcours. Ça me donne de l'espoir.

Il me confie alors avec timidité souhaiter vivre de sa musique un jour. Avant de venir ici, il faisait partie d'un groupe rendant hommage à Pink Floyd qui parcourait tout le nord de l'Italie. Une grosse production. Un travail d'appoint dans un resto comme chef cuisinier arrondissait ses fins de mois, mais il vivait principalement de la musique. Son bac en commerce international étant le dernier de ses soucis, il aimerait à présent mettre au monde son propre album et peut-être même vendre de ses textes.

— Quand j'étais en couple, j'ai jamais misé sur ma carrière. J'ai l'impression qu'il est maintenant temps pour moi de le faire. Il faut que je pense à moi, juste à moi.

Voyez-vous comme c'est intéressant? Sans le prévoir, mon histoire l'a touché en plein cœur en lui faisant miroiter un espoir de réussite artistique. Je sers, oui, je sers. J'aide un musicien; quelle belle ironie de la vie. Mon musicien à moi me fait suer et, par la bande, je souffle dans les ailes d'un autre.

Il me fait songer à Bobby... Un chaton blanc-gris avec de grands yeux de glace arrive sur les entrefaites comme un cheveu sur la soupe. Je me penche d'instinct, espérant tant qu'il vienne me voir. Trop jeune pour être peureux, il approche et je le ramasse sous le ventre.

— Hon! Le petit bébé chat à sa maman est content! Il ronronne!

Ce sont tous mes enfants. Je m'ennuie de Subban, le siamois que j'ai en garde partagée avec Ge. Depuis que j'ai un logis fixe, je le garde la plupart du temps chez moi. C'est mieux pour son développement affectif de rester avec une de ses mamans à temps plein que de patienter seul à la maison pendant que Ge travaille. C'est le petit-bébé-gars-de-sa-maman-qui-aime-sa-maman. Le fait de penser à Bobby et Subban à la fois me rappelle un souvenir tout de même drôle.

La fois où Subban a fait preuve de résilience

À la fin de l'émission, le générique commence à dérouler, puis il marque une pause le temps de présenter quelques faits saillants du prochain épisode. Bobby se catapulte la tête dans un coussin à sa droite pour ne pas voir.

— Aaaaah! Ciboire! Les maudits *previews* à la fin, j'hais assez ça!!! vocifère-t-il, assez fort pour que toute l'industrie québécoise de la télé et du cinéma l'entende.

— Prends pas ça de même...

— ÇA NOUS DONNE PLUS RIEN DE L'ÉCOUTER, MAINTENANT!

— Ayoye, t'es ben intense... Veux-tu appeler le président de Radio-Canada pour faire une plainte?

— Oui, bon..., marmonne-t-il, le visage tout écrabouillé dans le coussin.

Nous écoutons en rafale depuis quelques jours la première saison de *Série noire*. Une heure plus tard dans les Maritimes, oui.

Il se redresse finalement de sa planque dans les coussins et me crache au visage, d'un ton accusateur :

— Toi ? T'as regardé ? Je t'ai vue...

— Franchement... J'ai vu un peu, c'est certain, je gérais la télécommande du DVD. Excuse-moi !!

— Meuh ! Tu voulais regarder...

Un vrai enfant.

Subban, le bébé-gars-de-sa-maman-qui-aime-sa-maman, qui flaire un conflit potentiel où il pourrait venir mettre son grain de sel de siamois-qui-aime-le-trouble, grimpe sur ma table basse. Il nous miaule par la tête : « Putain !? Pourquoi vous gueulez comme deux putois ? Je relaxais, penoche... »

Ce félin est particulièrement rabat-joie et il s'exprime avec un accent français, va savoir pourquoi.

— Aaaaah ! le bébé-gars-de-sa-maman qui se mêle de ça. Ça, c'est non !

Je lui balance souvent des interdictions de la sorte, question de faire preuve d'autorité maternelle en tout temps, parce qu'il est du genre à tester les limites. Ça le rassure d'avoir un cadre bien défini.

— Subban le sait, lui, que t'as regardé ! vitupère Bobby en prenant le chat dans ses bras pour me signifier au grand jour leur alliance inébranlable.

Bon. Ces deux-là ont développé une espèce de complicité mesquine. Ils se mettent toujours les deux contre moi en se croyant ainsi plus forts, mais ça ne m'impressionne guère.

Le chat pousse très fort sur la main tendre de Bobby avec son museau, semblant apprécier les caresses, mais il finit par bondir plus loin en effectuant un saut de crapaud. Honnêtement, j'ai toujours pensé que le chat manipulait Bobby en lui faisant croire être de son côté alors qu'en fait il fait plutôt cavalier seul, envers et contre tous. Un véritable petit Judas.

Je m'étire et je l'agrippe par le dessous du ventre (Subban, pas Bobby). Il me crache : «Je ne veux pas aller te voir! Tu m'emmerdes...» Sans l'écouter, je le tiens bien fort pour lui flatter le dessus de la tête.

— Non, non, non, le bébé-gars aime sa maman, bon!

Je dois rappeler à ce chat qu'il m'aime, et ce, à tout moment. C'est pour cristalliser son sentiment d'attachement. Je tape alors avec vigueur ses petites foufounes de chat. Les oreilles tendues vers l'arrière, en beau siffleux, il me dévisage de ses grands yeux bleus avant de bondir sur la table. Il ne se sauve même pas. Il est un peu masochiste, je pense. Il aime que je le rudoie. Attiré par la chandelle Febreeze qui trône au centre de la table, il s'assoit devant. Le fameux lampion qui change de couleur en alternance (chacun ses limites, mais je n'ai jamais compris l'ingénierie de ce truc) hypnotise mon félin curieux qui remue intellectuellement les mêmes questionnements que moi : «C'est quoi ce machin? Il change de couleur, c'est chaud pour mes moustaches...»

En tant que mère soucieuse de son autonomie autant que de son développement, je le laisse découvrir la vie en toute liberté. Je me tourne vers Bobby:

— Bon! Épisode 10?

— Ouais...

Celui-ci décroise les bras. Il semble somme toute vouloir l'écouter. Je sélectionne l'épisode et je dépose la télécommande sur la table. Bobby allonge ses jambes sur mes cuisses.

Dès le début, nous nous retrouvons dans l'action; un chalet éloigné, une tempête de neige, la nuit... Marc Arcand, alias le détraqué mental en processus de rédemption, va ressurgir de nulle part avec une cagoule de cuir (je l'ai vu durant la bande-annonce, mais je suis comme pas prête). J'ai peur d'avoir peur. Je me cramponne aux mollets de Bobby comme s'il s'agissait d'une ceinture de sécurité dans un wagon de montagnes russes. Les deux protagonistes ont entendu un bruit dehors. Bon... On voit l'ombre du fou avec la cagoule. Ah cibole, j'ai la chienne.

Tout à coup, une lumière vive apparaît dans mon angle mort.

— EILLE!!!!! que je hurle.

— Quoi? Il est où?? me crie Bobby.

Prise sous les jambes de mon chum, je tente de m'extirper du sofa en beuglant «AAAAAAAH!».

— Je le vois pas! s'indigne Bobby en fixant toujours la télé, les yeux plissés.

— LE CHAT EST EN FEU!!

Comme je suis maintenue prisonnière par ma ceinture de sécurité de fortune, Bobby, en héros, ramasse mon petit siamois qui jure comme un charretier dans sa langue féline tandis qu'il se fait tapoter de partout pour éteindre les flammes. Des tisons finissent de s'embraser sur sa queue. Bobby termine le travail en abattant sa main avec force, prêt à mettre ses doigts de musicien en péril pour éteindre mon enfant. Ceci dit, il frappe un peu fort je trouve, compte tenu de la faible ampleur du brasier.

— Assomme-le pas, quand même!? Il est encore bon...

Le pauvre Subban, qui mange ainsi une raclée gratuite sans savoir pourquoi, se défend: «Pourquoi tu me gifles, connard? Ce n'est même pas moi qui ai déroulé le papier hygiénique dans la salle de bain. Il s'est déroulé tout seul! Je le jure!»

— Calice?! s'étonne Bobby, comme s'il venait tout à coup de prendre conscience de l'envergure du drame – pour ne pas dire de l'incendie – qui était en cours.

Subban, complètement dans le néant face à son expérience de torche féline, me dévisage en réalisant du coup: «Ah bien dit donc... Ça chelingue ou quoi?»

En effet, un fumet de poils brûlés se répand dans la pièce.

— Le bébé-gars en feu, ça, c'est NON! que je le chicane.

Sur un ton à la fois émotif et déçu, Bobby l'insulte en lui caressant le coco:

— T'es vraiment cave, ti-*boy*...

— Chut, méprise-le pas. Il vient de subir un grave choc. Pauvre bébé-gars-en-feu-de-sa-maman, que je chigne en flattant le poil de sa queue, désormais frisé et rabougri.

Par chance, les dommages semblent se limiter aux simples pointes de sa toison.

— C'était vrai-ment con son affaire, réitère Bobby, en beau-père terre-à-terre qui désire tout de même léguer un bagage éducatif à son beau-fils au passage.

— Arrête de le culpabiliser. Soit c'est un accident, soit il a fait ça pour attirer notre attention... Ah mon Dieu! Penses-tu qu'il s'est automutilé pour nous passer un message?

— Moi, ma blonde est folle.

Bobby prend la télécommande pour reculer un peu l'épisode qui a continué d'avancer pendant la tragédie. Le chat saute sur le plancher puis il s'écartèle, toutes pattes évasées, pour s'adonner à une toilette de queue express. En constatant l'étendue des dégâts, il nous accuse sans gêne: «Mais qu'est-ce que vous m'avez fait, bordel?»

— MAMAN T'AIME, MON CŒUR! que je lui lance, la voix empreinte de la fougueuse passion de Marie-Denise Pelletier dans sa chanson *Tous les cris, les SOS.*

Bobby appuie sur *Start* en roulant des yeux jusqu'au plafond.

Le défi spirituel, scène 1

— Puisqu'on ne vivra jamais tous les deux... Puisqu'on est fou, puisqu'on est seul... Puisqu'ils sont si nombreux... Nanana... J'aimerais quand même te dire... Tout ce que j'ai pu écrire... Je l'ai puisé à l'encre de tes yeux...

Je chante à tue-tête du Cabrel, en déconnexion totale avec la réalité, trottinant sur le chemin de galets (de loin, le mot préféré de ce chanteur) au son de mon cellulaire inséré dans la ganse de mon sac banane. Depuis quelques jours, j'écoute sans modération son album *L'essentiel* comprenant tous ses meilleurs tubes; je trouve les textes sublimes et la musique bien veloutée à mes oreilles. J'ai besoin de chaudières de douceur pour remplir les fissures de mon état de déconstruction émotionnelle du moment.

— Tu viendras longtemps marcher dans mes rêves... Tu viendras toujours du côté où le soleil se lève... Et si malgré ça j'arrive à t'oublier... Aaaaah, c'est beau Francis, que je le complimente dans le vide.

À qui cette chanson me fait-elle penser?

— À persooooooooonne, bon! Non, non, à personne, gnan, gnan, gnan...

(Appelez une ambulance espagnole s'il vous plaît. C'est le bon moment.)

Toujours en fredonnant du Cabrel, je fais accroire aux arbres qui croisent ma route que je ne pense à rien du tout. Eh oui, il y a des arbres. De plus en plus d'arbres. Le décor change. Je distingue même des collines à l'horizon. Je sors enfin de la Meseta. Est-ce le plus beau jour de ma vie ? Un moment d'anthologie, à tout le moins.

Je remarque alors un graffiti sur le mur de béton d'un genre d'usine qui se dresse à ma gauche.

« *Pasado y futuro son frutos de tu mente*[35]... »

— Le moment présent, oui, oui, le Tao me le répète chaque fois que j'ouvre mon livre, que je réponds à l'écriteau comme si c'était une personne en soi qui venait de me transmettre un télégramme chanté.

J'adore ces écrits qui décorent le chemin. Des vandales spirituels, faut le faire. Ça change des « *Fuck the world* » ou « *Steven Harper is a son of a bitch* » que l'on retrouve dans les coins sombres de Montréal. Ici, on ne peut même pas dire qu'il s'agit de vandalisme, on croirait plutôt à une sorte de service public. J'imagine la scène au tribunal :

« Monsieur le Perlin, la Couronne vous accuse aujourd'hui d'avoir écrit illégalement sur un mur un message touchant, à connotation positive et spirituelle, dans le but de faire de l'humanité un monde meilleur... »

Malaise.

Comme je me trouve oisivement marrante, j'éclate de rire. Je me sens plus légère d'esprit que les derniers jours. Trop peut-être. Les arbres sont des sorciers du bonheur. En avançant, j'aperçois un petit garçon assis en tailleur, le dos

---

35. « Le passé et le futur sont le fruit de ton imagination... »

appuyé audit mur de béton. Je vais me calmer la psychose un peu pour ne pas l'effrayer. Son sac à dos repose près de lui et il grignote des fraises. Je l'ai aperçu ce matin avec un homme, son père probablement. Là, il est tout seul. Heureux comme un vicaire à la lucarne pontificale, il m'aborde en agitant une main :

— *Holà! Buen camino!*

En surabondance de motivation et parlant avec un débit de niveau fluvial, il poursuit en anglais.

— Je voulais prendre une pause, mais mon père ne voulait pas, donc je vais le rejoindre près de la cathédrale dans la ville suivante, on vient de commencer à marcher avant-hier!

Nous discutons un instant du nombre de kilomètres qu'il nous reste à parcourir pour y arriver. Au moment où il perçoit que je m'éloigne pour reprendre la route, il bondit telle une sauterelle et enfile son sac. Comme je sens qu'il aimerait m'accompagner, je lui propose :

— Veux-tu marcher avec moi ?

— Oui! explose-t-il avec joie.

Nous entamons notre balade en bavardant. Philippe est un jeune Allemand de douze ans. Il a fait la moitié du chemin avec son père l'été dernier, et ils entament aujourd'hui la dernière portion pour se rendre à Santiago. Quelle belle aventure père-fils, tout de même. Je n'ai vu aucun autre enfant sur la Compostelle. Sur le coup et malgré moi, j'ai un peu jugé le fait qu'il laisse son fils derrière parce qu'il voulait se reposer[36], mais je crois comprendre entre les lignes. Le père souhaite sûrement accroître l'autonomie de sa progéniture, en lui permettant par exemple de faire des rencontres et des choix par lui-même. Comme en ce moment.

— Mali, pourquoi marches-tu le chemin de la Compostelle?

Je laisse fuser un rire de surprise. Premièrement, parce qu'il vient de me poser cette question de façon aussi protocolaire que s'il interviewait un artiste local pour le journal étudiant de son école. Deuxièmement, parce que cette question qui tue est très personnelle, et qu'il me l'a balancée après à peine trois minutes de discussion, comme s'il me demandait sans détour si je préfère mettre du ketchup ou de la mayo sur mes frites. Spontanéité. Naïveté. Mes ingrédients préférés composant la jeunesse. J'ai le goût d'être honnête avec lui.

— J'ai deux raisons. La première est que j'écris des livres, donc je suis venue ici pour réfléchir à ma prochaine histoire.

— Tu pourrais écrire l'histoire d'une fille qui marche la Compostelle, comme toi[37]!? Ce serait bon, je trouve! La deuxième raison, c'est quoi?

— La deuxième raison est que, dans la vie en général, je trouve que les gens pensent trop. Je suis venue suivre les flèches jaunes sans me poser de questions, sans réfléchir.

---

36. Vous avez fait pareil, avouez!?
37. La vérité sort de la bouche des enfants...

— Je comprends.

— Toi ? Pourquoi marches-tu, Philippe ?

— Moi, j'ai trois raisons. Un : pour le sport, j'aime les sports. Deux : j'aime rencontrer des gens, de partout. Et finalement, trois : j'aime le silence.

— Ah oui, le silence ? que je répète dans l'unique but qu'il élabore, même si ça va à contresens de l'essentiel du concept.

— Ouais. Toi, Mali, tu trouves que les gens pensent trop, moi je trouve que les gens parlent trop et souvent pour rien dire.

Hon. Je trouve ça percutant ; beau reflet d'une société verbo-motrice pêché directement dans la bouche d'un enfant. Pas besoin de leurre, la vérité a sauté d'elle-même sur l'hameçon[38]. Je tourne la tête pour sourire à mon nouveau copain, Philippe, que j'ai moi-même invité à m'accompagner. Rare privilège *compostellien. Yo soy una peregrina muy* sauvage, mon petit.

— Tu sais quoi, Philippe ? On peut marcher ensemble, sans parler, si tu veux.

— OK.

Or, après à peine trois minutes d'heureux silence partagé dans une chaleur capable de liquéfier un Mr. Freeze en douze secondes, mon jeune partenaire me déclare, ennuyé :

---

38. 2 à 0 pour Philippe.

— Bon! Je pense qu'on peut parler maintenant.

— C'est toi le patron.

Il me pose alors plusieurs questions qui lui brûlaient les lèvres à propos de mon métier peu commun. Comment je trouve mes histoires, mes personnages, la fin de mes récits, si je dessine les couvertures moi-même[39], etc. Bref, je me sens encore en entrevue à la radio étudiante de son école et ça m'amuse beaucoup. León approche peu à peu au loin. *Oh bo-boy.* C'est encore plus populeux que j'envisageais. En vérité, je ne vérifie jamais sur Internet et mon guide touristique ne me donne aucune donnée démographique. À première vue, je dirais que nous abordons une ville ayant au moins cent mille habitants. Ça change des localités à sept cents âmes qui parsè-ment le circuit en abondance. En traversant une autoroute par l'entremise d'une passerelle bleu royal très moderne, j'explique à mon ami :

— J'ai un défi personnel : je dois prendre un *selfie* avec chaque église que je croise.

— Hein!?

Les marcheurs me surnomment la fille des *church selfies*. J'en ai croqué une soixantaine jusqu'à présent. Mon acolyte me regarde avec des yeux brillants et, observant la ville au loin, il me déclare :

— Il y en a beaucoup ici, Mali. Regarde!

---

39. Pitié, non.

En effet, j'identifie au moins six pignons d'église qui étirent le cou vers le ciel.

— Tu sais, je ne me déplace pas pour les prendre en photo, je dois m'enfarger dessus en cours de route pour que ça compte. Je fais un détour seulement pour les grosses cathédrales qui valent la peine d'être visitées.

Encore là, les grosses églises figurent toujours à l'itinéraire – la Compostelle reste tout de même un pèlerinage religieux. En suivant les flèches jaunes qui se multiplient comme les pains dans l'Évangile, nous nous retrouvons dans ce qui semble être le centre-ville. Terrasses, restos et bars achalandés confirment mon impression. Des amis randonneurs qui picolent à proximité, me saluent.

— *Hello!* Mali!

— Hé!

— Tu t'es fait un ami?

— Oui, je vous présente Philippe!

Regardant partout autour, il ne leur sourit qu'à demi. Je le sens anxieux. Il doit rejoindre son père à la cathédrale. La vaste zone urbaine est rustique et bien coquette, avec ses routes pavées en grosses pierres comme dans le Vieux-Québec.

— Je sais pas comment me rendre à la cathédrale, murmure Philippe, aux aguets.

— Viens prendre un verre, Mali! me demandent mes amis.

— Écoutez, je vais revenir, puis je leur décoche un clin d'œil sans que Philippe ne me voie.

Je ne veux pas le faire sentir comme un bébé que je prends en charge, mais je me sens un peu responsable de lui. Je dois trouver un moyen subtil d'aller le reconduire jusqu'à son père. Je me trouve un alibi.

— Hé! Tu sais Philippe, je dois aller prendre mon *selfie* à la cathédrale. Est-ce que ça te dérange que j'y aille avec toi?

— Non, non, non!

Il est ravi. Rassuré, je pense. Il a toujours bien juste douze ans. Je gagerais mon chandail plein de sueur que son père doit être un tantinet inquiet en ce moment; il ne devait pas savoir lui non plus qu'on approchait d'une si grosse agglomération. Nous marchons un moment en suivant les flèches jaunes, car je suis certaine qu'elles nous mèneront à bon port. Une flèche par terre nous indique de tourner à gauche, puis une autre peinte à même la façade en brique d'un édifice nous dit de continuer tout droit. On comprend en voyant une borne de ciment arborant le symbole officiel du coquillage que nous approchons du lieu saint. Comme de fait, nous atterrissons en moins de dix minutes près du majestueux bâtiment dont les vitraux nous éblouissent. Philippe repère son père assis sur un banc. Le pauvre homme, dos à nous, regarde de tous les côtés. Il est préoccupé, ça se sent à un mille à la ronde.

Pour éviter d'humilier Philippe en le remettant aux bons soins de son père, je me dirige en prise directe en face de la cathédrale. En deux coups de cuillère à pot, j'ai ma photo. Philippe a rejoint son père sur le banc. Je retourne près d'eux et je lève mon poing en direction de lui pour qu'il y cogne le sien, comme si je disais au revoir à un adulte après une journée de marche :

— Merci beaucoup d'avoir marché avec moi, Philippe ! C'était un honneur.

— Merci, Mali ! fait-il en avançant son poing vers le mien, fier comme Artaban dans *Cléopâtre*.

Je salue son père d'un signe de tête entendu, puis je tourne les talons, un petit rictus aux lèvres. Le garçon semblait si fier, bien droit au côté de son père.

Philippe... Un jeune spontané, qui posait mille et une questions, avec qui j'ai eu le privilège de voir un conifère quelconque qui poussait carrément à l'horizontale – on ne comprenait pas pourquoi – et d'entendre un singe. Bien qu'il n'y ait pas de macaques à l'état naturel en Espagne – c'était sûrement un cri d'oiseau –, on a préféré croire que le pays en hébergeait un seul et qu'on l'avait entendu, bon ! Philippe, qui m'a gentiment offert des fraises bouillantes qu'il a traînées deux heures comme un vrai trésor. Une grosse tache rouge de jus a bariolé sa joue tout au long du trajet, mais je n'allais quand même pas mouiller mon doigt pour l'essuyer. Un jeune Allemand d'à peine douze ans aimant le silence, qui s'immobilisait lorsqu'on bénéficiait d'une belle vue pour admirer le paysage sans rien dire. Une âme lumineuse qui, malgré son jeune âge, a autant à offrir que quiconque aux gens qui croiseront sa route sur le chemin de la Compostelle. La grandeur d'âme ne se calcule pas en nombre de printemps vécus.

Merci beaucoup, Philippe...

Le défi spirituel, scène 2

En posant mes New Balance tout en haut d'une dominante colline que j'ascensionne depuis déjà trente minutes, je me tourne lentement vers le panorama que je n'ai pas encore admiré. Je me le réservais en guise de récompense au fil d'arrivée. Le spectacle puissant d'une couche terrestre de plus en plus montagneuse m'emplit d'une énergie transcendante. J'écarte les bras et je balance un peu la tête vers l'arrière pour me laisser envahir, pour saisir le suprême. Je me sens revivre. Une émotivité ébouriffante m'enivre. L'immensité du monde définie dans l'illusion de percevoir la Terre dans toute sa rondeur.

J'ai toujours aimé les hauteurs. Enfant, dans la cour de récréation, je grimpais toujours au sommet de l'araignée. Tout là-haut, je me sentais comme une grande conquérante. C'était mon Everest danvillois ; le pinacle ultime de mon petit univers.

Je suis euphorique de percevoir à nouveau du relief, des montagnes, de la perspective, des formes, quelque chose. Les champs de blé en chapelet, le plat, la monotonie étaient en train de me rendre dingue. J'ai rencontré des gens dans un resto ce matin qui me rapportaient que beaucoup de marcheurs passent carrément les étapes de la Meseta en faisant le trajet en autobus. Ça fait des jours que je me décompose sur cette route de gravier zéro 3/4 craquant sous les quarante degrés, donc je comprends que des gens futés outrepassent ce supplice dans un bus climatisé en savourant le dernier Cédric Klapisch sur leur tablette. Un marcheur rencontré hier, le temps d'un café sur le coin d'un comptoir, m'a dit : « L'important sur la Compostelle est d'ouvrir son cœur aux gens sans jugement, peu importe la façon dont ils ont décidé de faire le chemin. Il n'y a pas de "bonne" façon de le marcher.» Il m'a aussi dit : « Tu verras, plus on approche de la fin, plus TOUT change. Il faut aussi apprendre à recréer soi-même ce que le chemin nous a appris. Voilà l'ultime défi du pèlerinage... » Je n'ai pas bien saisi ce qu'il tentait de me dire. Qu'est-ce qui va changer à ce point vers la fin du chemin ? Le paysage ? Je ne sais pas trop. Ceci dit, je n'ai pas posé de questions, mais j'ai tout de même retenu – dans ma petite tête de nœud papillon – de ne pas juger les marcheurs. Donc, si des gens veulent traverser la Meseta en autobus parce que c'est esquintant pour le moral et plate à mort pour les yeux, eh bien, c'est leur choix. Je les respecte. De toute façon, ça leur évitera de se blesser en s'enfargeant sur les nombreux morceaux de robots que j'ai laissés au purgatoire.

Pour ma part, ce plateau a constitué une étape fondamentale. Ma félicité actuelle résulte sans l'ombre d'un doute de ma neurasthénie précédente. Une résurrection en table d'hôte sept services pour mon âme qui criait famine.

J'ai réalisé ce matin que j'avais eu un double défi durant la Meseta. Mes règles sont reparties, un peu en avance sur mon cycle et, de surcroît, comme mon voyage ne devait initialement durer que trois semaines, je n'avais pas prévu le coup. J'ai dû me rendre à une échoppe en bordure du chemin pour me procurer une protection de dernier recours. On était loin du casse-tête chinois des pharmacies du Québec, où l'on retrouve une muraille de choix divers. Un paquet de serviettes hygiéniques figurait sur les tablettes. Un seul.

En ouvrant l'emballage, quelle ne fut pas ma surprise de constater qu'il s'agissait là des plus grosses et longues serviettes hygiéniques à avoir été inventées dans toute l'histoire de l'humanité. Des couches doubles, carrément. Des draps sanitaires, interminables. Des catalognes menstruelles. Elle n'était pas pliée en deux, mais bien en quatre, pour vous donner une idée. J'ai dû la dérouler pendant quatre minutes dans l'étroite salle de bain et je me suis retrouvée prise en sandwich entre la serviette et le mur. C'est quoi l'idée? En ce moment, cette protection blindée me remonte jusque dans le milieu du dos et jusqu'au nombril par en avant. De plus, c'est épais comme une douillette de duvet conçue pour assurer la survie d'excursionnistes en Sibérie. Et que dire des ailes... Seigneur. En enlevant les collants, j'ai eu l'impression de déployer toutes grandes les pages du *Journal de Montréal*. Je me collais les doigts sur la glue en essayant de replier tout ça de façon adéquate sous la fourche de ma culotte, beaucoup trop étroite pour en accueillir autant. Je n'arrive pas à croire qu'il existe ici-bas des femelles de notre race ayant un flux menstruel abondant au point de nécessiter une protection de ce niveau. Cela relève de la science-fiction féminine. Je me déhanche à nouveau en canard, tellement c'est imposant dans ma culotte. Porter une Pampers pour abattre trente kilomètres de marche par jour, ce n'est pas recommandé par les spécialistes.

Des tintements de guitare me parviennent du haut d'une crête où trônent en rang quelques restaurants et une auberge. Je ne resterai pas ici pour dormir, mais je compte bien y casser la croûte. Je me demande si c'est Manuel qui joue?

En continuant d'avancer, je l'aperçois en compagnie d'un gars qui m'est étranger, chacun devant un verre de bière pression dégoulinant de fraîcheur.

— Ah! encore toi! Naturellement..., m'accueille l'ironique Manuel en me présentant à son ami, tout aussi italien que lui.

— C'est beau, les vacances! que je les taquine. T'as l'air content de me voir, je suis touchée.

— Ça fait longtemps qu'on s'est vus, mais on dirait que tu me suis. Je commence à me poser des questions.

— J'ai le regret de t'annoncer que, oui, je te suivais, en effet.

— Tu pars vraiment tard pour arriver à cette heure? Quelle paresseuse... On est ici depuis déjà plus d'une heure.

— Bon, il me juge encore, lui.

C'est vrai que je pars plus tard que la majorité des gens. J'adore ma routine du matin, qui comporte beaucoup d'étapes. 1) Me lever tranquillement – il n'y a pas le feu au lac. 2) Procéder à mes ablutions – y'a pas de file d'attente, on relaxe. 3) M'habiller, faire mon sac – on ne regarde pas sa montre, ce n'est pas une course, mais bien de la marche. 4) Sortir prendre un café – et essayer de le boire assis, pour faire changement. 5) Lire un peu, et méditer une quinzaine de minutes – faut bien se réveiller le cerveau puis s'ancrer les pieds bien au sol. 6) Consulter Facebook et mes courriels – je suis humaine, après tout. 7) Déguster un deuxième café – je suis en va-can-ces. 8) Planifier ma journée, lire mon guide de voyage à cet effet, évaluer le trajet et, ENSUITE: 9) Commencer à penser à «lève-toi et marche». Avant de quitter le village pour de bon, je fais mes courses: eau, pommes et sandwich, que j'engloutis plus tard en chemin. Voilà. Je suis prête. Je ne pourrais vraiment pas donner rendez-vous à quelqu'un le matin ; je suis bien trop occupée pour partir à l'aube.

— Non, je te juge pas. Je nomme les faits : tu pars tard, t'es paresseuse, ajoute Manuel qui cherche définitivement des poux sur la tête d'un chauve.

— Toi, t'es bien alcoolique et je te laisse tranquille. Vis ta Compostelle, je vais vivre la mienne. Merci.

— Ah ça va, crains pas pour moi. T'as le droit d'être paresseuse, mais assume-le au moins. Tu te paies des chambres de princesse solitaire et tu fais la grasse matinée pendant que nous, on dort pas de la nuit à cause du bruit dans les dortoirs. C'est pour ça qu'on part tôt.

Baveux d'Italien. Je lui adresse un sourire forcé, auquel il répond par un cent fois pire. Ses yeux pétillent de malice. Son compère, qui gratte la guitare sans vraiment en jouer, nous déclare :

— Votre bonne entente mutuelle m'inspire une chanson...

Il débute. Je connais ça. C'est quoi donc ? Il chantonne des paroles dans un anglais saccadé. Manuel s'amuse. Voyons, qu'est-ce ? Au refrain, je la reconnais :

— *But it all was bullshit... It was a goddamn joke... And when I think of you Linda... I hope you fucking choke.*

C'est la chanson qu'Adam Sandler chante avec beaucoup trop d'intensité à Drew Barrymore dans le film *The Wedding Singer*. Sérieux, le gars y met tout autant d'émotion. Il s'égosille sans retenue au beau milieu de la place. C'est hilarant. Les marcheurs en pause rient. Franchement. C'est à l'antipode d'une chanson adéquate à jouer sur la méditative Compostelle. Un vrai numéro, ce gars. Quand il termine en criant: «*I want tooooo die*» toujours comme un veau à l'abattoir, il frappe la guitare pour annoncer la fin de sa prestation et tout le monde l'applaudit.

— Wow! Merci! C'était très touchant..., que j'ironise à mon tour.

Je me commande une succulente soupe aux lentilles et tomates, et je la déguste aux côtés de Manuel qui fait sécher ses monstrueuses ampoules à l'air libre.

— Ç'a pas d'allure, tes pieds...

— Je sais. Vive les souliers en Gore-Tex[40]!

— Ah ouin?

— Ça respire pas, donc ça fait de l'humidité qui crée les ampoules. Ensuite, ça ne guérit pas à cause de cette même humidité. Une belle histoire sans fin.

— Alors, tu te plains.

— Non, non, non, c'est pas vrai, Bethany a inventé ça.

— Où est-elle, justement?

— Elle a pris une journée de pause à León.

---

40. Ne faites surtout pas cette erreur si vous marchez la Compostelle pendant l'été.

— Vraiment?

Je suis surprise. Je serais curieuse de savoir ce qui l'a motivée à arrêter. Je suis un peu triste aussi. Je risque de la perdre de vue. Comme je me lève, les gars m'imitent. Ils sont drôles, ça me tente de marcher avec eux. Décidément, je développe mes aptitudes psychosociales à la vitesse de l'éclair. Nous entamons à trois les derniers huit kilomètres qui nous séparent de Foncebadón où nous voulons tous dormir cette nuit.

Sans trop le prévoir et en moins de deux, Manuel et moi semons le deuxième Italien qui marche d'un pas trop lent. Un phénomène étrange sur la Compostelle est qu'il s'avère presque impossible de déjouer son rythme naturel de marche. Si tu le fais pour attendre ou pour rejoindre quelqu'un, c'est étonnamment très inconfortable. J'ai rencontré un couple dont la femme marchait beaucoup plus rapidement que le mari, et tous deux m'expliquaient qu'ils ne marchaient pas ensemble. Elle attendait toujours son tendre époux dans la ville subséquente. Manuel et moi avons toutefois le même rythme, même s'il est un peu plus grand que moi.

Je le trouve aussitôt très contemplatif. Il me fait un peu penser à Geoffroy. Nos discussions ne touchent pas à des sujets personnels, mais nous décrivons plutôt ce qui se passe autour de nous, en entrecroisant nos remarques de longs moments silencieux. J'adore. Comme ce cher Philippe, j'apprécie le silence.

Les montagnes qui explosent devant nous, au fur et à mesure que nous avançons, nourrissent ma nouvelle énergie euphorisante. Pas à pas, je me libère de l'ombre de ma période obscure. La lumière au bout du tunnel se déploie ici, dans le relief de la couverture terrestre. C'est vert. Foncé et pâle. Au beau milieu d'un champ vivifiant se dresse une colossale roche blanche qui attire mon attention. Sans compagnie, elle semble être atterrie là par accident.

— Regarde, une pierre lunaire, que je décris en la montrant à mon partenaire de marche.

— Oui, elle est tombée de la lune cette nuit... si tu lui touches, tu peux faire un vœu.

Je lui souris puis je m'approche. Lui aussi. Nous posons chacun notre main droite à plat sur l'immense surface blanchâtre un peu farineuse de ce rocher magique et nous fermons les yeux. «Que le chemin m'apporte ce qu'il y a de mieux.» En les rouvrant, je remarque que Manuel a déjà retiré sa main et qu'il m'épie. Sans rien dire, nous regagnons le chemin pour poursuivre notre route. Même si nous ne le voyons pas, nous entendons fredonner l'autre Italien derrière. D'une voix aiguë, il improvise une version sensuelle de sa chanson précédente. Je souris.

« *Why are you walking, Mali?* »

Pour tout ça. Pour tout rien.

Le défi spirituel, scène 3

Une fois à l'*albergue*, je suis enchantée d'apprendre qu'une chambre privée est disponible – une seule. En y mettant un pied, quelle n'est pas ma surprise de constater qu'un lit *king* trône au milieu de la pièce. Joie. En plus, il repose sur une armature étrange fixée au mur, sans base touchant le sol. Il vole dans la chambre de façon spectaculaire. Une petite fenêtre donne sur une vallée entre des montagnes, exactement à la hauteur où je poserai ma tête pour dormir. J'aurai donc une vue à couper le souffle à partir du hublot de mon lit volant.

Manuel, qui passe devant ma chambre en chemin vers le dortoir du troisième étage, avance un nez curieux dans l'embrasure de la porte.

— Ayoye… J'ai pas vu un grand lit comme ça depuis des siècles.

— Il vole en plus.

— Ouais, il vole.

Il poursuit sa route et grimpe l'escalier. Je me connecte alors sur le WiFi et j'écris aux filles sur notre conversation de groupe.

> Être menstruée sur la Compostelle, ça aussi ça fait du bien !

Coriande réécrit en premier :

> Être menstruée tout court dans la vie… ARRRRRK ! !

Ge se joint à la partie :

> Ah ! Ah ! Familiprix !

Je leur envoie alors une photo d'une de ces immenses serviettes hygiéniques ouverte près de mon livre afin de leur donner une échelle de grandeur qui leur démontre de façon explicite l'étendue impressionnante – pour ne pas dire, le kilométrage – de la chose.

> PUTAIN DE RE-PUTAIN!!

Coriande ponctue son patois de trois émoticônes aux yeux ronds.

> C'est *heavy*, hein? Je sais...

Sonnée, Ge commente en utilisant un vocabulaire de circonstance:

> Eh baptême de sac à papier de géritol!!?!

Sacha s'en mêle à son tour:

> C'est tellement poétique, je trouve. Ta serviette représente une métaphore du long chemin de la Compostelle...

Ha! ha! ha! Niaiseuse...

> Oui, exactement! Le chemin sans fin... 700 kilomètres de long... C'est touchant.

Cori, plus pragmatique, propose une solution:

Sérieux, coupe ça à la *chainsaw*!

Pas fou comme idée.

Tu marches pas avec ça dans tes culottes pour de vrai???

Oui, madame!

Coriande, qui semble m'admirer comme jamais auparavant dans sa vie, me complimente.

Respect! T'es une samouraï!

Sacha divague encore:

C'est le modèle «Compostelle», qui absorbera au gré de tes pas les émotions troubles, les pensées négatives, les questionnements… en plus de ton flux méditatif.

T'es tarte ! En tout cas, je vous tiens au courant, si jamais ma serviette ne m'aspire pas au complet... Bye-bye !

La chose, que je me suis résignée à couper aux ciseaux, et moi passons un super début de soirée en compagnie de la vingtaine de pèlerins présents à l'auberge, située dans ce minuscule village juché dans les montagnes. Tout le monde boit un verre de vin dehors pendant que Manuel et l'autre Italien s'échangent à tour de rôle l'instrument, pour le grand plaisir de tous. Sur le coup de 22 h, tout le monde entre dans l'auberge sans broncher, comme de bons élèves au son de la cloche. Pas du tout fatigués, comme à notre habitude, Manuel et moi osons demander à la propriétaire un verre de vin supplémentaire. Elle accepte d'un air entendu en nous désignant la cour arrière où se trouvent deux chaises et une petite table. Elle nous fait ensuite un clin d'œil. Je pense qu'elle croit que nous flirtons ensemble...

Nous prenons place en nous servant à boire à même la demi-bouteille de rouge qu'elle nous a refilée dans la plus haute discrétion.

— « Chanter ! »

— Oui, « chanter » toi aussi, Manuel !

Dans ce décor hippie où l'on retrouve une rangée de petites roulottes multicolores tout au fond de la cour, des chèvres cabriolent avec agilité sur de gros tas de rondins qui forment une pyramide presque aussi haute que l'auberge. Sûrement la réserve de bois de chauffage destiné au village au grand complet. Dans la pénombre d'un ciel obscur déjà garni d'étoiles, nous ne percevons que leurs silhouettes foncées qui se succèdent sur les troncs d'arbres coupés. Leurs sabots émettent d'habiles clac! clac! clac!

Manuel et moi discutons en riant pendant plus de deux heures. Pas de sujet lourd, pas de discussion à propos de nos vies amoureuses déglinguées; juste des souvenirs de vie, des histoires drôles, des péripéties légères. C'est parfait.

La bouteille de vin terminée, je me lève pour prendre congé. Une grosse journée nous attend demain. Notre destination finale sera éprouvante, car nous débarquerons encore dans une ville considérable de soixante-dix mille âmes où il faudra arpenter jusqu'à huit kilomètres en plein centre-ville. Circuler entre les voitures, en composant avec le trafic et la chaleur. Je préfère de loin les petits hameaux comme celui-ci.

Au moment de nous quitter, nous nous serrons dans nos bras, longtemps. Je remercie le gars charmant avec qui j'ai vu une pierre lunaire sur laquelle nous avons fait un vœu et aussi une flèche jaune artisanale ambivalente; elle faisait un cercle sur elle-même. L'art de tourner en rond. Petit pèlerin comique va. Manuel, avec qui j'ai bien ri à propos d'un écriteau qui disait: «*I'm so sorry, Lucy. Please forgive me...*» Nous avons tenté de deviner ce que le gars en question avait bien pu faire de si terrible à Lucy pour nécessiter un repentant pèlerinage de sept cent cinquante kilomètres. Manuel avait statué qu'il avait incendié leur maison fraîchement rénovée en oubliant d'éteindre sa cigarette, et moi qu'il avait dérobé toutes les richesses de sa grand-mère, une ancienne princesse d'Espagne. Ce cher Manuel, qui m'a confié sans introduction que sa tante était une femme à barbe et à qui j'ai raconté en retour mon mensonge d'ours polaire (jamais deux sans trois). Une personne douce, sensible et calme, qui apprécie le silence tout autant que moi.

— Merci, Manuel...

— Merci à toi, Mali. Je suis toujours content de te voir, tu me fais du bien.

— Toi aussi.

— Dors bien ! Toi, au moins, tu vas dormir...

Sans trop savoir pourquoi, nous nous resserrons une autre fois dans nos bras. Ce doit être le vin... Sans réfléchir, en proie à un élan de générosité inusité, je lui propose :

— Si jamais ça ronfle trop au dortoir, descends dormir avec moi. La porte ne se barre pas et mon lit est vraiment immense, tu l'as vu !

Il rigole un peu, mais ne relève pas ma proposition.

— Je vais rester ici un peu, je pense. Bonne nuit.

— Bonne nuit !

En grimpant l'escalier, je cligne un peu des yeux. Mais qu'est-ce qui m'a pris de lui offrir ça, bon sang ? J'ai l'air de la fille qui se jette dans les bras du premier venu, ou quoi ? Et il se trouve que le premier venu en question s'avère en détresse, en plus. Manuel ne m'intéresse pas dans ce sens-là, pas du tout.

Je ne ressens rien d'autre pour lui qu'une grande complicité de marcheurs. Va-t-il croire que je lui fais des avances ? Non, mais... la fille qui abuse de la fragilité du gars en solide peine d'amour. Pas fort, Mali. Pas fort. Je suis affreusement gênée de mon offre spontanée, que je regrette beaucoup. Je jure pourtant que je n'avais rien de pas catholique en arrière de la tête. La preuve : je suis menstruée et je porte une couche, bon. Misère. Quelle conne je fais.

C'est l'histoire d'une fille en manque d'affection qui saute sur le premier venu...

Pathétique.

Le défi spirituel, scène 4

Depuis ce matin, je rumine à quel point je suis, comment dire... niaiseuse. En marchant clopin-clopant quelque vingt-huit kilomètres, je jouis d'amplement de temps pour analyser ma tartitude[41] sous tous ses angles. Depuis plusieurs heures, niaiseuse et tarte s'avèrent *grosso modo* les deux qualificatifs qui émergent de façon récurrente à la surface de mon intros-pection. Sont-ils synonymes ? Devrais-je ajouter « sans génie » pour un maximum de précision ?

Je serai gênée à en mourir si je croise ce gars-là à nouveau. Et s'il en parlait à d'autres marcheurs, à nos amis ? J'ai si honte. Dans ma tête, c'est tellement inadéquat de *cruiser* sur la

---

41.   Sentez-vous bien à l'aise d'utiliser les mots du *PDI* avant sa parution.

Compostelle. Je jugeais même un peu Bethany de se chercher un homme dans les parages. Dans la liste des « endroits inappropriés pour lancer des carottes[42] à un *buck* », la Compostelle se situe en deuxième rang, immédiatement après la réception aux sandwichs pas de croûtes suivant des funérailles. De toute façon, on lancerait quoi ici ? Des carottes spirituelles ? Des carottes de marche ? « Eh ! Salut, mec ! Je suis une *perline*, je sue ma vie, je pue des aisselles, mon linge – tout étiré à force d'être lavé à la main – sent le renfermé et mes ongles d'orteils sont verts et rouges parce qu'ils vont tomber bientôt. Parfois, je boite comme une grand-mère se tenant avec peine sur ses hanches en plastique, j'ai le pire bronzage de l'histoire avec ma camisole et mes bas pratiquement imprimés sur le corps et, l'autre fois, j'ai viré mes petites culottes de bord parce que j'avais oublié de laver les autres... Mais, dis-moi ? Je me sens super *sexy*, ça te dirait qu'on flirte un brin ? » Euh non, pitié. Ark. Mon *sex appeal* est absent de ce voyage. Il m'a quittée pour s'évader au Mexique. « *Hasta la vista señora*, je pars me faire bronzer à Cancún ! » C'est le désert du Sahara au sein de ma féminité. Je suis à des années-lumière d'une énergie propice au *cruising*. Je pense que la dernière fois que je n'ai pas eu envie de garçon comme en ce moment, c'était à sept ans quand, de mon point de vue, le simple fait de penser à coller mes lèvres sur celles d'un gars de ma classe me faisait lever le cœur au-dessus de mon sandwich au poulet pressé à la cafétéria.

---

42. Langage courant de l'ancienne consœurie. L'expression était inspirée des principes de la chasse, où l'on attire le gibier à l'aide de carottes. C'est aussi avec des carottes qu'on fait avancer l'âne. En gros, on attire le Cromo erectus avec un leurre long et orangé. Ce n'est pas clair ? Voir ma série *Chick Lit* pour obtenir plus d'explications.

Or, présentement, un certain Italien déambule sur le chemin en croyant sans doute être tombé sur une pèlerine-cochonne-nymphomane-en-manque qui préméditait d'abuser de lui dans un lit qui volait. Super.

J'angoisse à propos de la situation délicate jusqu'à mon arrivée à bon port. J'ai trouvé un hôtel, et non une pension, donc c'est un peu plus cher qu'à l'habitude. Trente euros. Je m'en balance un peu, car en arrivant ici, trop égarée dans mes regrets cognitivo-comportementaux, je me suis perdue pour de vrai. Physiquement, je veux dire. Et le mot « perdue » est faible ici, je vous en passe une boîte de papier. J'ai parcouru environ quatre kilomètres et demi en plein cœur de la ville, pas dans la bonne direction. Bravo, championne. En me voyant regarder partout à la recherche des flèches jaunes, une femme m'a gentiment interpellée pour m'expliquer que j'étais dans le champ de *papas* espagnoles gauche. J'ai donc rebroussé chemin pour me traîner dans la direction opposée. C'est un peu pour ça que je déteste les grosses villes ; le danger de se perdre est quintuplé à cause du trafic, des affiches ou des voitures qui masquent parfois les flèches. MES flèches jaunes. J'en ai besoin, au cas où l'Espagne ne le saurait pas. C'est ma vie à temps plein de les suivre. Ceci dit, je suis arrivée ici et mon mal de pied m'a convaincue d'abdiquer : « *Trenta euros... Ah si, si, si, está bien* ».

Assise sur la terrasse extérieure de l'endroit, je découvre qu'un festival médiéval bat son plein. Les gens se promènent partout avec des costumes de chevaliers bizarres et des espèces de soutanes, à mi-chemin entre un *look* curé du Moyen Âge et sorcier de magie noire. Pour tout dire, je suis un peu indifférente aux festivités en cours. J'ai paranoïé toute la journée en suant mes remords à quarante degrés, je me suis perdue et j'ai au final déniché un hôtel trop dispendieux, donc on repassera pour mon implication dans une fête aux mœurs pas claires.

Au moment où je m'apprête à ouvrir mon livre pour que le Tao m'explique avec zénitude[43] la signification de tout ce merdier, quelqu'un m'interpelle. Qui est-ce?

— Aaaah! Marta! Comment ça va?

Marta est une Polonaise rencontrée au début de l'aventure. Elle a marché pendant plusieurs jours avec Bethany. Ça faisait un sacré bout de temps que je ne l'avais pas vue.

— Smarta, avec un «S», mon nom, me corrige-t-elle en prenant place sur la chaise devant moi, une auréole d'apathie l'entourant. Ça ne va pas trop fort, mon affaire...

Ce serait le *fun* que je commence à appeler les gens par leur vrai prénom. Petite autosuggestion ici.

— Excuse-moi, Smarta... Qu'est-ce qui se passe?

Elle me répond par un geste en relevant les manches de son chandail. Je rugis un sonore:

— *Hoooon!!*

Elle est pleine de piqûres d'insectes, très rouges et boursou-flées. Qu'est-ce que c'est au juste? Saperlipopette. J'espère qu'il ne s'agit pas de...

---

43. Ce mot existe déjà dans mon dictionnaire depuis longtemps.

— Punaises de lit, m'annonce-t-elle, la tête basse comme si son cou était de chiffon.

Malgré mon empathie instantanée, sa révélation me lève le cœur. J'apprécie tout à coup plus que jamais ma chambre à *trenta* euros. «Vraiment pas cher, finalement! Tiens, je vous en donne soixante!» Smarta fréquente toujours les dortoirs municipaux, c'est-à-dire les endroits les moins dispendieux, les plus gros et généralement situés aux abords de la ville. C'est bien plaisant parce qu'elle passe ses soirées avec plein de marcheurs sympas, mais tant qu'à se rouler dans les bestioles en groupe, j'aime mieux passer plus de temps seule. Est-ce que ça s'attrape? Je veux dire à distance, comme dans la distance qui nous sépare en ce moment? Comme elle semble percevoir ma question à travers mon écœurement facial, elle me répond:

— Ça s'attrape au contact, donc j'ai dû laver mon sac, mes vêtements, bref, toutes mes affaires au complet!

Pourquoi ai-je soudainement le goût de reculer ma chaise jusque dans la ville suivante? «Bon, bien, tu m'excuseras, mais je vais changer de terrasse, moi, là! Bye-bye!» Les bibittes de lit vont-elles bondir sur moi ou quoi? Sont-elles restées dans le lit, justement? Peut-être penseront-elles que ma grosse serviette hygiénique est un matelas? Par précaution, je croise les jambes sous la table.

Voilà tout de même une situation regrettable que j'ai la chance de n'avoir jamais vécue lors de mes voyages précédents. Dans ma tête, des punaises de lit, ça ressemble à des acariens difformes avec des dents jaunes et pointues de piranha. Je me les imagine faisant leur nid dans nos cheveux pour se faire trimbaler gratuitement le jour, question de mieux redescendre nous manger tout cru la nuit. Des espèces de poux anarchiques, mais en plus intelligents. Misère. Mes pensées m'autolèvent le cœur. «Je pense que j'en vois quelques-unes qui barbotent sur le dessus de ma bière... Ça me pique derrière l'oreille aussi.» Il doit bien y avoir des médicaments, de la crème, de l'acide sulfurique à se mettre sur tout le corps pour s'en débarrasser? Me voyant à l'agonie, Smarta se confesse à nouveau, juste pour me donner le coup de grâce:

— J'en ai eu plein entre les fesses, je pense que c'est ce qui fait le plus mal...

Ah bien, écoutez-moi donc la savoureuse tranche de vie. Doux Jésus. Des bestioles dans les culottes. Des morpions de Compostelle? Je ne suis pas bien. J'ai chaud. Ça pique.

— Mais là, ça va, ça fait juste piquer...

«Sur ce, c'était super de te rencontrer Marta, euh Smarta. Tu peux maintenant aller répandre la vermine de lit ailleurs!» Je ne suis pas gentille. Ce n'est tout de même pas sa faute, mais j'ai l'étrange sensation que ça me démange partout depuis qu'elle est à proximité. Je pense que mon anxiété se somatise.

— As-tu revu Bethany? que je demande, question de changer de sujet.

— Non, pas depuis qu'elle a pris une pause. Elle est derrière nous.

Ah, c'est donc vrai. Je risque vraiment de ne jamais la revoir du voyage... Cela m'attriste.

— Bon, je te laisse. Je pense que je vais me coucher à 20 h ce soir. À cause des piqûres, je dors pas depuis des jours.

— Ah! bien, bonne nuit! On se recroisera peut-être bientôt. Bye!

«Ou peut-être pas! Tu sais, il ne faut pas forcer le destin sur la Compostelle...»

Au moment où elle me quitte, mon cellulaire m'annonce la réception d'un message privé sur Facebook. Oh merde. Mes joues deviennent cramoisies. C'est Manuel.

> Allo! Comment ça va? Es-tu à Ponferrada?

> Oui, oui, je me suis perdue dans la ville pendant une heure et demie, mais je suis bien là! Toi?

> Oui, je peine à me déplacer tellement j'ai mal aux pieds, mais je suis ici aussi. As-tu mangé?

> Non, pas encore...

Il n'a pas l'air trop traumatisé, finalement. Ah bon. Il semble même vouloir partager le repas avec moi.

> Je te rejoins quelque part?

> OK ! Oui ! Je vais sauter dans la douche. Je suis à l'hôtel juste derrière le grand château.

> Ah oui, je sais c'est où. C'est dans ce coin-là que je me suis perdu, moi.

Bon, vous voyez? Tout le monde perd le nord dans ces foutues grosses villes.

> OK. On se parle plus tard !

> À plus !

Je déniche une gargote qui me semble géographiquement bien située étant donné qu'elle donne sur une scène avec un tapon de gens en habits de moine semblant en attente de festivités enlevantes. Je me branche sur le WiFi pour écrire à Manuel. Je lui explique ma géolocalisation du mieux que je le peux. Il est déjà en route.

Il y a foule dans les environs ; des gens déguisés en chevaliers, en écuyers, en pèlerins de l'époque médiévale, et en cheval !? Je viens de voir passer un type arborant une tête de cheval de plastique. On saisit bien la référence directe à la populaire époque historique – un château digne de la Belle au bois dormant gros comme quatre stades olympiques agrémente le décor –, mais en quel honneur la fête a-t-elle lieu aujourd'hui? Aucune idée. J'ai demandé des infos tantôt à la réceptionniste de mon hôtel et elle m'a nommé l'événement en gesticulant comme si elle était dépassée par le fait que je ne sois pas au courant et, à la limite, que je ne sois pas moi-même déguisée en cheval. «Excusez-moi, je trimbale déjà douze livres et demie de peurs dans mon sac à dos en plus d'une pierre d'insécurité, donc il n'y avait plus de place pour un costume équin.»

Quelques minutes plus tard, j'aperçois Manuel qui arrive en boitant comme un grand-père de quatre-vingt-dix ans atteint d'arthrite dégénérative à un stade avancé. Ça n'a pas l'air de s'améliorer, son affaire.

— C'est quoi, l'événement?

— Je sais pas..., dis-je, les yeux rivés vers le plancher de dalles, mal à l'aise de le revoir après mon *indecent proposal*.

Au même moment, trois types munis de cornemuses débouchent dans le petit chemin. Les gens applaudissent. Le vacarme est si fort qu'il couvre notre conversation, donc on s'adresse des sourires à la chaîne (les miens repentants, les siens normaux). Le son sourd rempli de bravoure de cet instrument résonne à mes oreilles.

Manuel commande presque en s'arrachant le gosier un rioja au serveur, en demandant le meilleur de la carte (par rapport au vin maison, il faut débourser seulement quelques centimes de plus pour obtenir le meilleur, donc ça vaut la chandelle). À la réception de sa coupe, je l'observe tourbillonner le pied de son verre sur la table. Manuel est très Italien pour le dossier de l'aération du vin ; chaque fois qu'il prend une gorgée, il fait d'abord tournoyer le pied de son verre plusieurs fois. *Chaque fois*, pas juste parfois. Il le fait de façon très précise, en ne bougeant presque pas sa coupe, et en faisant faire une rotation parfaite au liquide contre les parois du verre. Très distingué.

Nous nous mettons d'accord pour partager une pizza au thon. Malgré qu'il soit végétarien, Manuel mange du poisson. Pour casser la glace, j'opte pour une anecdote cocasse.

— Aujourd'hui, j'ai croisé un homme sur le chemin qui faisait la route à l'envers en gueulant, que je lui raconte, encore mitigée face à cette situation particulière.

Environ à mi-chemin de mon parcours, j'ai entendu des plaintes au loin. Je ne comprenais pas trop ce qui se passait. J'ai finalement croisé le marcheur en question qui avançait à toute vitesse, l'air en beau maudit, en beuglant en allemand tout en bottant des roches dans le chemin. Par réflexe, je lui ai demandé si tout allait bien. Il a crié dans ma direction ce qui semblait être une explication, à laquelle je n'ai rien pigé. Il a poursuivi sa route. Moi de même.

— Moi aussi, je l'ai croisé. Je pensais qu'il était dans le trouble, donc je l'ai interpellé. Nous avons pris une pause ensemble sur un banc. Il m'a raconté qu'il a fait le chemin ici avec sa femme, il y a six ans, pour leur voyage de noces. Un voyage mémorable. Sa femme l'ayant trompé il y a quelques semaines, il a tout balancé et il est revenu faire le chemin seul en sens inverse pour «défaire» son passé. Comme un genre de rituel pour accepter son divorce. Il était dans un état lamentable.

— Mon Dieu...

— En voyant ma guitare, il m'a demandé de lui jouer la chanson *Someone Like You* d'Adele. Il l'a chantée debout en criant en direction des arbres autour. C'était assez bizarre.

— Ayoye... sûrement.

Malgré le triste sort de ce pauvre homme cocu, je ne peux m'empêcher d'échapper un petit rictus. Avouez que c'est absurde? Manuel rit aussi. Nous sommes tous les deux affligés par nos situations amoureuses respectives, mais nous n'avons pas perdu la boule à ce point. Quoique c'est encore drôle, si je repense à la Meseta...

— Je te jure, je savais pas quoi faire, donc je le regardais sûrement avec une face de même...

Manuel me mime un visage perplexe à souhait, les yeux bien ronds, la bouche ouverte.

Je rigole de ses pitreries.

— Quand on se regarde on se désole, quand on se compare on se console.

Nous discutons ainsi un long moment, faisant fi de la trame de fond bruyante causée par des claironnements de trompettes variés. La conversation est si fluide avec ce gars. Comme si nous nous étions toujours connus.

— Ta mère fait quoi dans la vie?

— Professeur.

— Ah! Moi aussi. Avec les petits de première année. Mais elle est retraitée.

— Moi, en deuxième année pour la mienne.

— Ton père?

— Mon père est comme un artiste frustré. Il a toujours joué de la guitare et je crois qu'il a toujours rêvé d'en vivre, mais ça s'est jamais matérialisé. Il a vécu des périodes difficiles dans sa vie à cause de ça. Il a fini par occuper d'autres emplois, entre autres camionneur.

C'est une blague ou quoi? On dirait qu'il me niaise. Comme je le fixe, sans rien dire, un peu sous le choc, il demande :

— Quoi?

— Mon père aussi est un artiste refoulé. Il a été photographe un certain temps sans réussir à en vivre, donc il a été camionneur longtemps avant de devenir soudeur.

Manuel fait tournoyer son verre de vin, sourit à demi, puis éclate de rire comme s'il prenait conscience à l'instant de ces coïncidences amusantes.

— Arrête de me copier, que je m'offusque, à la blague.

— Je l'ai dit en premier, c'est toi qui me copies.

— Je suis née avant toi, alors non, c'est toi qui fais pareil.

— T'es pas végétarienne.

— Vrai. Mais je mange peu de viande. Claudie, une amie à moi, est en train de m'assimiler à sa cause tranquillement. Je suis pas d'accord avec les méthodes d'élevage des animaux, ça me dérange. J'y réfléchis...

— Vous, au Canada, vos pyjamas sont en fourrure de castor et vous mangez du phoque cru pour déjeuner.

Saisissant sa niaiserie au vol, je m'en empare et je renchéris :

— La tradition, c'est plutôt du tartare d'orignal, trempé dans le sirop d'érable. On mange ça tous les matins, que j'exagère.

Crampé, Manuel recrache quasiment sa gorgée dans son assiette. Entre nous, la balle de l'humour rebondit vite, il faut l'attraper au vol.

Une deuxième pizza et quelques autres verres de vin chacun se succèdent dans une ambiance humoristique de grade un. La nuit remporte la lutte contre le jour, si bien que les lampadaires s'illuminent un à un autour de la place publique où nous nous trouvons.

— Quelle heure est-il ? panique tout à coup Manuel.

Je regarde sur mon téléphone.

— 21 h 50...

— *Oh shit !*

— Quoi ?

— Mon auberge ferme les portes à 22 h... Et ça m'a pris environ vingt minutes venir jusqu'ici.

— Hon…

Il me fixe, la bouche renversée, les yeux en billes, le teint livide, détruit comme s'il allait devoir passer la nuit dehors parmi une tribu de coyotes.

— J'ai pas le temps de me rendre, c'est certain… *Fuck!*

Manuel s'accote contre son dossier de chaise, résigné à son sort.

— Bah, pas grave. Commandons un autre verre pour oublier. Je me louerai une chambre à ton hôtel 5 étoiles sans punaises. Pas vraiment le choix.

Il existe pourtant une solution plus simple et moins coûteuse. Le bon vin m'ayant délié la langue, je lève mon verre en direction de Manuel pour trinquer une ultime fois avant de me lancer dans un sujet que je désire aborder depuis tout à l'heure :

— Tu sais, Manuel, je voulais rectifier quelque chose avec toi. Hier, quand je t'ai invité à dormir avec moi, c'était pas pour qu'il se passe quelque chose entre nous. Je compatissais avec le fait que tu dors pas bien depuis des jours et j'avais le lit le plus grand de l'Univers pour moi toute seule. Et je crois sincèrement que deux adultes de sexe opposé peuvent dormir ensemble dans une chambre sans qu'il se passe quoi que ce soit.

Il me regarde, ne dit rien. Il ne m'aide vraiment pas à me sortir du pétrin.

— Tu m'as raconté que ta copine t'avait quitté, que tu étais triste… Je suis pas assez conne pour essayer de m'immiscer dans tout ça, voyons! Franchement, ce serait pas correct et je le sais.

— Mali...

— Non, mais c'est vrai! Quel genre de fille pas fine voudrait mêler encore plus un gars qui se cherche et qui est venu faire la Compostelle afin d'y voir plus clair? Moi aussi, côté cœur, c'était pas jojo avant que je parte, et je suis venue ici pour me retrouver, réfléchir. Je suis pas du tout ici pour...

— Mali...

— ... ce genre de chose. Je t'assure, je suis pas de même, Manuel, je couche pas avec le monde n'importe comment! Non, c'est compliqué, c'est long, ces affaires-là et...

— MALI!! *Stop!*

— Hein?

— Je pensais même plus à hier. Mais j'avais pas compris ton offre de travers, si ça peut te rassurer.

— Mais là, tu disais rien.

— Mais là, tu parles trop vite.

— Mais là, tu m'énerves.

— Mais là, toi aussi.

— Bon.

— Bon.

Il me regarde et sourit.

— Sans blague, hier, je serais peut-être allé te rejoindre, mais j'avais envie de jouer de la musique dehors, d'écrire et je suis rentré à 2 h du matin. Je voulais pas te réveiller, c'est tout.

— Aaaah...

C'est tout? Nous, les filles, on se monte parfois des bateaux gros comme le *Harmony of the seas* dans notre tête. Je l'ai imaginé choqué, blessé, ambivalent, mal à l'aise, quasiment humilié, tandis que la véritable explication c'est : «Ah! je suis revenu trop tard.». Mon *ego* s'est fait du sang de cochon toute la journée au sujet d'un potentiel malaise long comme la Compostelle, une réputation de fille facile me suivant comme une ombre oppressante à chaque pas que je ferais. Je voyais déjà les gens me juger au loin parce qu'il leur aurait bavassé mon invitation, leurs regards dignes du Jugement dernier. J'entendais les chuchotements sur mon passage ainsi que les offres sexuelles débridées fusant de toute part. Dire que lui, il ne pensait même plus à hier. Sérieusement, j'exige qu'on me débranche le cerveau. Maintenant! Pas une mort cérébrale complète, juste une lobotomie partielle. Du moins, le bout du cerveau responsable de mon *ego* hors de contrôle. Le siège cognitif de la paranoïa féminine. Le morceau de matière grise qui fabule. Je n'en veux plus. Et pour l'amour, ne faites surtout pas un don d'organe avec. Poubelle. Bon débarras. Voilà, une bonne chose de faite. Je me sens déjà plus oisive.

Après un verre de vin supplémentaire, je commence sérieusement à envisager d'aller danser un *two-step* médiéval avec le type à tête de cheval qui s'anime devant le groupe de musiciens en prestation sur une scène. Mes épaules tressautent en suivant le rythme de la musique de cornemuse rappelant pourtant une scène sanglante de massacre dans les plaines de *Braveheart*. Hish. Serais-je chaudaille?

Les coupes de nouveau à sec, Manuel et moi décidons de nous rendre à l'hôtel. Il est tard. Sur la route, je résiste à nouveau à mon envie viscérale de me joindre au groupe de gais-lurons-curés qui improvisent au milieu de la place un genre de danse russe, bras dessus, bras dessous n'ayant aucun lien avec le tempo. Hyper motivée, je stimule la troupe au passage d'un «*Yeaaaah!*» d'encouragement passionné s'abreuvant en ligne directe à mon état d'ivresse.

En tournant dans ma rue, je propose à Manuel:

— Prends pas une chambre. J'ai encore un lit double. Paie pas trente euros pour rien, ç'a n'a pas de sens...

Je l'invite donc encore? Bah. On s'en fout.

— T'es certaine?

— On est des amis de la Compostelle, on vient de se le dire tantôt. J'ai pas d'arrière-pensées et toi non plus, donc aucun problème!

— Ah, OK alors.

Comme je ne regardais pas devant, je fonce dans un passant. Je m'excuse:

— ¡Discúlpame!

— ¡No hay problema! répond le type, qui semble visible-ment atteint lui aussi par la fièvre du *party* médiéval.

Son accoutrement est confusant[44]. Il porte une grande soutane blanche et on distingue deux têtes de cheval dessinées sur chacune de ses joues. À première vue, les dessins malhabiles ressemblent à deux... à des... C'est bizarre. Ça me fait penser à quelque chose...

La fois où on a tenu un congrès à Gatineau

— On sort où, à Gatineau? demande Ge, intrépide.

— Mon frère m'a dit que, puisqu'on est des vieilles, il faut aller au casino ce soir, nous balance Claudie.

— Ah! wow! Tu remercieras ton frère de notre part.

— Je veux pas aller jouer aux machines, se désole Coriande.

— Dans mon cas, ça cadre bien avec la suite logique des choses: j'abandonne mes enfants et je liquide tous nos avoirs au casino... J'aime ça!

Je m'en mêle:

— Moi, j'ai choisi de devenir romancière pour être pauvre comme Job et incapable de m'acheter une maison. Ça m'intéresse pas, de gagner le gros lot!

— Sans farce, le bar du casino marche super fort, apparemment. C'est LA place!

------

44. J'aime beaucoup cet adjectif! *Petit Dubois*...

— Pour les vieilles ?

— Oui, c'est ça.

— Super.

En effet, ce bar du casino correspond tout à fait à notre état d'esprit de filles légères qui trouvent ça hilarant de plonger la main des autres dans le bol de trempette. L'orchestre sur place enchaîne de vieux classiques, passant de *La Bamba* à *Twist and Shout*. Les femmes présentes sont méga sapées avec leur robe chic à paillettes et les hommes en veston-cravate tirés à quatre épingles. Le décor postmoderne à néons bleus confère à l'endroit un *look* de club de rencontres pour jeunes divorcés prospères.

— Je me sens en croisière dans les Bahamas. Ouiiii! On s'en va à Nassau. Ouuuuuh! s'enflamme Geneviève, qui aimerait bien que tout le monde la suive dans sa dégringolade vers la schizophrénie.

— SACHA!! que je vocifère dans sa direction parce qu'elle vient de m'éclabousser pour la trente-huitième fois avec son martini.

Claudie renverse, elle aussi, à ce moment précis une généreuse partie de son cocktail par terre.

— Cibole, les filles, gérez votre verre! peste Coriande, qui craint à son tour d'en recevoir.

— Sans farce, c'est super bon, mais c'est désagréable en maudit, un verre en triangle de même, se défend Claudie en tentant de stabiliser la mixture qui cherche encore à s'évader des parois du réceptacle conique peu commode.

— Je peux pas bouger ni danser, sinon ça renverse. Je me sens comme prisonnière de mon cocktail, se désole Sacha, jouant la victime.

— C'est quoi l'idée de commander ça dans une foule de cinq mille vacanciers sur un bateau de croisière ? Surtout quand la musique est bonne de même..., nous houspille Ge en levant un doigt dans les airs pour que nous prêtions attention à la chanson *La machine à danser* que la chanteuse latino rugit au micro.

— La prochaine fois, prenez donc autre chose. C'est fatigant de se faire tout le temps lancer du jus d'olives par la tête, se choque Coriande, qui en a vraiment marre aussi.

— Excusez-moi, je vis dans un pays libre, clame Sacha en levant son verre, renversant une fois de plus presque la moitié de son contenu.

— Je vais déposer une plainte officielle contre votre verre auprès de la sécurité, si ça continue..., songe Coriande en levant la tête pour repérer un éventuel membre du personnel à qui adresser sa requête.

— En croisière, l'important est de toujours se balancer un peu les épaules pour montrer qu'on est donc léger et frivole en vacances, explique Ge, tandis que personne ne l'écoute.

Je matraque Sacha d'un regard querelleur et j'y vais d'une menace sans détour :

— Si tu me renverses une autre fois ton cocktail dans les sandales, je te jure que tu vas te réveiller demain matin avec un zizi dessiné dans face...

Sacha lève ses yeux jaunes en amande dans ma direction. Son air de facteur devant le portail d'un élevage de chiens de garde me signale qu'elle est déstabilisée.

— Ne-non, fais pas ça. C'est pas drôle. C'était juste une idée pour tes livres.

— Pourtant, tantôt, tu trouvais ça vraiment hilarant, que je me fais un plaisir de lui rappeler en donnant un coup de coude à Coriande.

— Meuh... Pfft! Juste dans un roman, pas dans la vraie vie, là.

— T'es avertie.

— Pfft! C'est de l'intimidation, ça! Je vais appeler Jasmin Roy! plaide Sacha.

— On en renversera plus, promis. C'est du passé, on a changé! statue Claudie, comme si elle se retrouvait désormais en contrôle total de son verre.

— Me semble, oui...

— *SHOOTERS?*

— Aaaah! C'est la chanson d'Elvis Crespo! s'enflamment Sacha et son martini – qu'elle vient tout juste d'aller chercher, et qui s'avère donc plein à ras bord.

Comme on s'en doute, quelques gouttes s'échappent du verre et atterrissent sur le bas de mes pantalons et de ceux de Cori. Sacha ne s'en rend même pas compte. J'adresse un regard déterminé à Coriande: une mission d'importance planétaire vient de recevoir une approbation des hautes sphères de la direction et elle nous est confiée.

Coriande se penche vers mon oreille:

— Patience mon amie, c'est à la toute fin de la foire qu'on compte les bouses.

— Hi! hi! hi! Je peux pas faire ça?? tente de se désister Claudie, qui rit comme une hyène.

— T'as pas le choix, c'est ton épreuve. Tiens, que je susurre en lui tendant un gros crayon-feutre.

Cori, Ge et moi restons dans le corridor en nous tenant contre le mur tellement nous rions. Nous avons intitulé l'épreuve initiatique de Claudie: «La douce bite nocturne». Lorsqu'elle sera complétée, Claudie fera officiellement partie de l'organisation. Celle-ci entre sur la pointe des pieds dans la chambre où Sacha roupille depuis trente minutes. Les vapeurs de martini doivent déjà l'avoir portée vers un stade de sommeil avancé. Claudie a donc de bonnes chances de réussir sa mission avec brio.

En deux temps trois mouvements, notre membre en probation ressort en riant à gorge déployée.

— Elle n'a même pas bougé! Regardez!

Comme nous avions besoin de preuves pour rendre notre verdict de réussite, Claudie nous présente trois clichés de Sacha dormant comme un bébé, le dessin suggestif bien en évidence sur sa joue.

Nous rigolons un autre bon moment dans le corridor.

— Bravo, Claudie! Tu es bel et bien membre de notre consœurie!

Sacha avait bien raison. C'est vrai que c'est drôle.

Le défi spirituel, scène 5

Pendant le trajet vers l'hôtel, ni Manuel ni moi ne semblons préoccupés par la réalité qui nous attend.

En arrivant à la chambre, par contre...

— Faque, c'est ça..., que je dis en posant mon sac banane sur le lit.

— On dirait un donjon sadomasochiste, ton affaire.

— Je sais.

Les murs tout en pierres – se voulant un rappel thématique du populaire château qui se dresse en face – donnent vraiment l'impression qu'on a pénétré dans les entrailles du sous-sol baroque d'une travailleuse du sexe, prisée par d'importants avocats et politiciens pour ses services de dominatrice.

— Bon...

Nous jouons à l'autruche en tentant de masquer notre malaise grandissant. Avant d'être placés devant le fait, notre projet de dormir ensemble semblait anodin: «Pas de problème, c'est juste drôle!» Mais là, il faut concrétiser le tout. Il est gêné. Moi aussi. J'enfile ma camisole de nuit comme d'habitude? Dormira-t-il en costume d'Adam ou quoi? Comment ça marche? On pourrait peut-être faire couverture à part? Je sonde le terrain à la dérobée. Zut. Il n'y a qu'un simple drap sous une couverture de laine. Devrais-je le mettre en garde au préalable à propos de mon sommeil agité? Manuel est déjà mal en point au niveau du bas du corps, il ne faudrait pas qu'il hérite d'un œil au beurre noir par-dessus le marché.

La pièce est si exiguë qu'on se marche un peu sur les pieds, ce qui ajoute au niveau d'embarras. Je crée une diversion à l'aide d'un bête détail pratico-pratique:

— Eille! Il y a même une brosse à dents jetable pour toi près de l'évier!

Le front haut, je trottine vers la salle de bain et je lui présente l'article de toilette tel un trophée.

— Ah! Super. Mais avant qu'on se brosse les dents, j'ai quelque chose d'important à te demander.

Je le dévisage, la brosse à dents pointant le ciel. Mes yeux errent en périphérie comme ceux des Têtes à claques.

— Mali, tu m'as vraiment inspiré avec ton histoire de vie et ta volonté de vivre de ton art. On dirait que tu viens de me donner le coup de pied au derrière qu'il me manquait pour m'y mettre sérieusement, moi aussi. On dirait que tu me permets d'y croire...

Sous cette vague de reconnaissance surprise, j'abaisse mon trophée à dents et je me laisse choir sur le lit.

— Je veux donc que tu signes ma guitalélé.

— Mais non, que je me braque.

Il sort un crayon-feutre qu'il glisse dans ma main et il pose son instrument sur mes genoux. Je fige sur place telle une poule qui vient de voir passer le fermier avec un couteau. Je tourne l'instrument dans mes mains en me disant : « Peut-être qu'il demande à plein de monde de le faire ? » Non, le bois est vierge de toute écriture.

— S'il te plaît...

C'est un geste irréversible. Ce sera pour la vie.

— T'es certain ?

— Oui !

Bon. Qu'est-ce que je pourrais bien écrire ? Une phrase que j'ai déjà employée pour dédicacer un roman me vient en tête. Elle se prête bien au contexte. J'enlève le capuchon du stylo-feutre et je m'assure d'un ultime regard que Manuel ne change pas d'idée. Il sourit et opine de la tête. Je m'exécute en prenant soin d'écrire de façon élégante. Je lui tends ensuite la guitalélé, fébrile. Une gamine qui vient de faire quelque chose d'interdit mais d'excitant. Il lit la phrase en français avec un accent italien garni de «r» bien roulés :

— Marcher sur lé chemin dé la vie s'avère lé plus beau des voyages – Mali.

Satisfait, il dépose l'instrument sur le lit, puis il s'empare de la petite brosse à dents avant de disparaître dans la salle de bain.

Le défi spirituel, scène 6

Manuel se redresse, alors je songe tout à coup à faire semblant de dormir – en ayant l'air très *cute*, bien entendu[45] – question de ne pas affronter la suite des choses. Je me ravise finalement en rationalisant que ce n'est quand même pas la fin du monde. Dire que des enfants meurent de faim en Afrique tous les jours, on ne va donc pas s'émouvoir pour si peu. Nous sommes deux adultes consentants, après tout.

Il ressort de la salle de bain en me disant en français :

— Bonjour! Deuz de tes bas sont biène séchés et les autres pas.

— Ah, merci.

_____

45. Que les filles n'ayant jamais fait ça me lancent la première pierre...

Hier, j'ai procédé à un lavage de bas *in extremis* et ils n'étaient pas encore secs à notre retour. Je craignais de devoir marcher les pieds humides, une situation engendrant un risque élevé d'ampoules. Au parfum de l'important dossier, il a pris soin de vérifier pour moi. Charmant. Dans la vie normale, j'aurais eu droit à un : « Bon matin ! Je te prépare un bon café ? » Mais sur la Compostelle, c'est : « Bonjour ! Tes bas sont secs ! *Yeah* ! » On s'adapte à notre réalité.

Malgré son altruisme évident envers mon futur confort plantaire, le malaise a signé présent au registre ce matin. On est censés se dire quoi à la suite de ce qui s'est passé entre nous ? « Bonne journée, là. À un de ces quatre. » La semaine des quatre vendredis saints, oui. Dans un évident objectif d'évitement, je demeure couchée dans le lit d'escorte. En moins de deux, il enfile ses vêtements et attrape sa guitare. Il est 7 h 22.

— Je dois quitter l'autre auberge avec mon sac pour 8 h, tu comprends ?

— Oui, oui, vas-y, pas de problème !

« De toute façon, on ne se doit rien. On continue notre route, voilà tout. Ce n'est pas parce que c'est arrivé que ça change quelque chose entre nous... », ai-je le goût de dire.

— Pourrais-tu ouvrir les volets, s'il te plaît ? que je lui demande plutôt, question de m'aérer la culpabilité en faisant pénétrer de l'air frais dans la pièce.

— Bien sûr.

Il tire sur les persiennes de bois vétustes qui grincent en émettant un bruit d'antre de sorcière. Celles-ci donnent sur un splendide balcon surplombant la rue, ce qui compense un peu leur caractère détérioré. Un vent matinal pénètre les entrailles lugubres de notre oubliette. En respirant mieux, la suite devient plus facile.

— Alors...

— Bonne journée! que je gesticule, beaucoup trop enthousiaste compte tenu de l'heure hâtive et de la situation ambiguë.

«Bon, on se calme le pompon, Mali. Le client n'en demande pas autant.»

— Bonne journée, toi aussi, me salue Manuel en frôlant le bout de ses doigts sur la plante de mon pied qui dépasse des couvertures.

— Merci encore pour la nuit...

— Pfft! De rien! Il n'y a rien là! Ça me fait plaisir! Il n'y a vraiment pas de quoi!

«Bon, on se relaxe les ardeurs, madame Générosité.»

Sans révérence, le prince ouvre la porte et quitte le cachot. Lorsqu'elle se referme derrière lui, j'expire aussi puissamment que si je retenais mon souffle depuis hier soir. Je ne sais pas trop quoi en penser. Personne n'est responsable de ce qui s'est produit ce matin. Ni lui. Ni moi. On a juste constaté les faits, on a fait semblant de rien, puis voilà. Un efficace déni de groupe s'avérait essentiel dans ce genre de situation délicate. N'en reparlons pas et tout sera bien comme ça. J'espère juste qu'il ne pense pas qu'il s'agissait d'un geste intentionnel ou calculé de ma part. À moins que ce soit lui, l'instigateur? C'est clair comme une soupe aux andouilles.

J'essaie de dédramatiser en me remémorant les faits: à mon réveil, j'ai réalisé que nos pieds se touchaient, voire pire, que nos chevilles étaient enroulées l'une sur l'autre comme un bretzel. J'ai aussitôt paniqué, ne sachant que faire pour me sortir de cette impasse. « Si j'enlève ma jambe subitement, il se réveillera et se rendra compte de ce qui s'est produit. Mais si je reste là, il croira que j'apprécie la situation... »

Quoi? Oui, c'est juste ça qui me traumatise ce matin. Vous ne pensiez toujours pas que nous avions couché ensemble? Franchement. Non. Nous avons seulement dormi une partie de la nuit les jambes emmêlées comme deux amants. Je ne sais pas avec exactitude combien de temps. C'est presque pire, quant à moi. Voyons donc. Sous quel motif? Lorsqu'il est parti, nous savions bien tous les deux que ça s'était produit, mais on a fait semblant de rien. Je pense que c'est mieux ainsi. Pour tout le monde.

Le défi spirituel, scène 7

D'un pas leste, j'avance en toute plénitude au son d'une chanson fétiche de mon pèlerinage: *El Condor Pasa* de Simon & Garfunkel. Je ne porte jamais mes écouteurs pour me permettre d'entendre les bruits de la nature en sourdine. Mes bas se font dorer la couenne, épinglés à mon sac. Sécheuse classique de pèlerin. J'aperçois un village qui approche. Des petits domaines de vignerons ordonnés se succèdent depuis quelques heures. C'est si ravissant. Je me sens très zen aujourd'hui, très connectée. J'ai lu un chapitre qui m'a rentré dedans solide ce matin. Le 16ᵉ verset : Vivre avec constance. Sur le coup, j'ai cru que l'on y parlerait de vivre avec de bonnes habitudes, de façon constante, stable, donc sans trop de changement, avec une routine, un peu comme je fais depuis le début de mon aventure. Je m'étais trompée.

La phrase fétiche de ce verset est « Tout passe ». En effet, le Tao conseille d'inscrire le mantra « Tout passe » à un endroit visible en tout temps, puis il explique que : « Cette phrase vous rappellera que le changement est la seule constance de la vie. Tout le reste est cyclique[46]. » Ah bon ? « Sachez-le et laissez vos pensées suivre la constance du changement. Elle est parfaite. Elle est divine. Vous pouvez totalement vous y fier[47]. » Il ne faudrait donc pas aspirer à une vie sans mouvement ou à une routine établie, car cela va à l'encontre de l'ordre naturel des choses, qui fonctionnent par cycles. Mais alors, comment une séparation brutale ou la maladie d'un être cher peut-elle s'inscrire dans un cycle positif ? Si je transpose le concept à ma relation avec Bobby qui bat de l'aile, ça a peut-être du sens. Nous sommes ensemble depuis longtemps. Peut-être que cette fin doit exister pour marquer un nouveau départ dans nos vies respectives ? Comme mon cancer, qui a marqué le début de mon processus d'écriture ; la pierre angulaire d'un nouveau décollage, plutôt que le son de cloche de la fatalité.

---

46. *Ibid.* p. 130.
47. *Idem.*

Ceci dit, je me trouve à l'autre bout du monde, en déambulation dans un décor digne de figurer sur le carton d'invitation du *World Wine Awards*, c'est donc facile d'avoir une perspective à vol d'oiseau sur la situation. D'envisager le tout avec positivisme. De faire confiance au cycle de la vie. Tout passera... C'est vrai qu'au fil du temps tout passe, même les deuils, même les peines d'amour.

Dérivant au gré de ces réflexions, j'avance, le sourire aussi large que la route. Je m'immobilise un instant, les yeux vers le ciel. Le chemin m'offre ici un incroyable cadeau. Deux grandes cigognes dans une envolée. En moins de deux, elles se mettent à virevolter au-dessus de ma tête. Bon sang que ces oiseaux sont gigantesques. C'est la première fois que j'en vois de si près, et surtout, en plein vol. Depuis le début, j'en aperçois souvent, mais de très loin, car ils font leur nid – d'énormes nids – sur les clochers des églises. Depuis toujours, voir planer un oiseau au-dessus de ma tête se vit tel un événement digne d'une pause. Un moment de grâce que la nature accorde à qui veut bien l'apprécier.

En approchant du centre d'un village tout coquet, j'entends rire très fort. Quelle n'est pas ma surprise de reconnaître un visage familier. Je l'apostrophe :

— Tu bois de la bière de bonne heure !? que je m'étonne à peine en m'arrêtant devant la table de Manuel et d'un autre gars qui picolent.

— C'est une journée comme ça, j'ai pas beaucoup dormi cette nuit, répond Manuel en me souriant avec espièglerie.

L'ami qui l'accompagne vient d'Irlande et se prénomme Christ (son prénom lui va à ravir, étant donné qu'il blasphème comme un charretier). Il s'adresse alors à moi dans ce registre[48] :

— Si tu attends toujours quatre heures pour boire de la bière, t'en boiras jamais, calice! Belle gang d'esti d'imbéciles qui marchent leur vie en pleine canicule. À c'te chaleur, les gens vont à plage, habituellement. Nous, on fait quoi? On marche, crisse!!

Il est intense, lui. Un genre de bougon de la Compostelle, qui a l'air fort comme Samson, mais qui ne ferait pas de mal à une mouche. J'adore.

— Mets-en! Belle gang d'imbéciles, certain! que je répète en riant.

Est-ce que Manuel serait en train de noyer sa peine à cause de cette nuit? Non, je divague encore. «Cette ablation du cerveau, ça vient? J'ai atterri sur une liste d'attente du système de santé publique du Québec ou quoi?» Manuel se lève, tandis que Christ commande une autre *cerveza*.

— Une seule bière, c'est juste comme un apéritif qui donne crissement faim.

Je fais mine de m'éloigner et de les laisser à leur apéro matinal, mais Manuel m'indique de l'attendre, puis il entre pour acquitter sa facture. À son retour, il salue son nouveau

---

48. L'individu s'exprimait en anglais, mais j'ai pris soin de québéciser ses propos, pour votre plus grand bénéfice. Les plus prudes peuvent se boucher les oreilles (et/ou les yeux).

copain avant de m'emboîter le pas. Une fois à l'écart, il rigole en m'expliquant :

— C'est un Irlandais trop classique, exactement comme on s'imagine les Irlandais.

Ah bon. Voyez-vous, je n'ai pas de profil très détaillé en ce qui a trait aux Irlandais dans ma banque de clichés. À mon sens, si je fais le bilan des stéréotypes qui courent à ce sujet, je devrais m'imaginer un homme à barbe rousse qui boit une Guinness et mange des pommes de terre en quantité industrielle tout en cherchant de l'or au bout d'un arc-en-ciel. Mon seul modèle réel demeure le héros du film *P.S. I Love You*, alias le film-qui-fait-brailler-sa-vie peu importe le contexte dans lequel tu le visionnes.

— C'est quoi, un Irlandais classique ?

— Un gars qui parle fort, qui sacre beaucoup, qui a un accent anglais comme lui, qui boit comme un trou et qui fume pas mal... mais surtout, surtout, qui chiale ! Ha ! Ha ! Comme Christ !

— Mais toi aussi, tu chiales pas mal.

— QUOI ? M'as-tu vu les pieds ?

— Oui, mais moi aussi j'ai eu très mal au début et j'en parlais, mais pas tout le temps comme toi. C'est typiquement italien, de s'apitoyer sur son sort ? Comme un « Italien classique », disons ?

— *Fuck you !*

— Oh! C'est pas gentil de dire des gros mots à ton amie qui t'a hébergé hier quand t'étais à la rue.

— Ferme ton bouche!

— Ça non plus, c'est pas gentil. On va faire un jeu, OK? Chaque fois que tu te plains, je te frappe un bon coup avec mon bâton de marche. Ça te tente?

Manuel poursuit sa lancée d'injures en français:

— T'es stupide, toi... Mange ma mère.

— Mange quoi?

— Euh... vous dites en la français «mange ma mère»? s'enquiert-il, soucieux de m'insulter de façon exemplaire, avec son accent craquant à souhait.

— Non, on dit «mange de la marde».

En bonne pédagogue, je lui explique alors la signification de ce nouveau mot, versus celui de sa version originale.

— Ah oui, ah oui! Jé mé souviens dé ça. Ah non, pas manger ma mère, non...

— De toute façon, je trouve que t'as très mauvais caractère... Ça aussi, c'est italien?

— Bonne biène, au revoir, Mali! Je té souhaite lé bonheur dé ta vie sour lé *Camino*..., puis il fait mine de rebrousser chemin.

Je ris de bon cœur. On va passer une belle journée, je le sens.

Le défi spirituel, scène 8

Bon sang! On a eu trop de plaisir. À en avoir mal aux côtes. On s'est laissé transporter par une énergie puérile. Le genre d'énergie qui donne l'impression d'avoir des bulles dans la tête sans même avoir bu de champagne. Notre journée aujourd'hui, c'était exactement ça, sous un mercure affichant quarante-deux degrés.

Il y a environ vingt minutes, Manuel s'est arrêté sous un arbre pour changer ses serviettes hygiéniques. Oui, vous avez bien lu. S'il veut réussir à soigner ses ampoules de façon convenable, Manuel doit s'efforcer de maintenir ses pieds au sec malgré ses super souliers en Gore-Tex qui ne respirent pas. Les grosses couches méga-ultra-absorbantes s'avèrent l'outil de prédilection idéal pour remédier à la situation. Manuel n'est d'ailleurs pas le seul à recourir à cette astuce. Un *must*. Sur les terrasses, il est courant de voir des marcheurs sortir leurs grosses serviettes de leur sac pour les insérer dans leurs souliers en essayant d'avoir l'air virils malgré tout. Perso, je trouve le tableau hilarant. Ils sont tous super embarrassés de manipuler le truc. Ils doivent bien souffrir le calvaire pour s'exposer ainsi, croyez-moi. Ils déballent *la chose* malhabilement en se trompant de côté, ils se collent les doigts sur la bande adhésive et se retrouvent la main complète embourbée dedans. Beau spectacle.

Comme Manuel refuse ferme de se les procurer lui-même, il demande à des filles de le faire pour lui depuis le début de son voyage. Fierté masculine. À la limite, qu'est-ce que tu veux que la vendeuse croie? Des milliers de randonneurs traînent par ici chaque année depuis le meurtre au premier degré de

Jésus-Christ le fils, notre sauveur, j'imagine que les Espagnols qui ont des commerces de père en fils sur le chemin en ont vu d'autres.

Ceci dit, je me suis donc pliée à sa requête et lui en ai achetées. Tandis que nous étions au magasin, juste pour l'étriver, j'ai attiré son attention de l'autre bout du monde en criant à tue-tête pour lui demander si celles que j'avais trouvées étaient bien de sa taille. Il m'a répliqué un sympathique signe de la main me menaçant de me trancher la gorge, comme Marlon Brando dans *The Godfather*. Hon. Du calme, pompon. Voyant qu'il s'agissait là d'une question de vie ou de mort, j'ai gentiment obtempéré sans le niaiser davantage.

Une fois rendus à Villafranca del Bierzo, notre destination finale du jour, mon compagnon a décidé que nous prendrions une bière avant même de nous chercher respectivement un abri pour la nuit. Ce n'est pas dans mes habitudes. Je préfère trouver mon gîte avant de passer à l'apéro, mais je n'avais pas le goût d'abréger notre journée en le quittant tout de suite.

Vivre avec souplesse.

Nous croisons Ellie, une fille du Massachusetts. Je ne lui ai parlé que quelques fois, mais je suis tout de même très au courant de ses bobos. Ellie fait partie à fond la caisse de l'équipe des ampoules. Dans son cas, l'infection s'est mise de la partie et elle doit s'injecter un liquide antibactérien sous la peau. Pauvre petite Ellie. Elle n'a que dix-huit ans et elle voyage seule. Compte tenu de sa souffrance actuelle et de la réalité un peu solitaire de la Compostelle, elle craint chaque jour d'être incapable de terminer le chemin. Comme d'habitude, je lui pose la question presque avant même de la saluer, comme si ma propre vie en dépendait :

— Puis ? Tes pieds ??

— Aaaah ! Mes pieds...

La pauvre fille plonge dans un interminable résumé de sa situation sous le regard compatissant de Manuel, qui a encore enlevé ses souliers, aussitôt sa chaise tirée. Comme elle sait très bien qu'il fait lui aussi partie de son équipe, elle le questionne en retour sur sa propre condition en inspectant un peu le désastre sous la table. Manuel poursuit à son tour avec un accablant récit de souffrances. Étant donné que je le côtoie depuis quelques jours et que j'endure ses jérémiades à longueur de journée, je me sens moins empathique envers lui. On appelle ce phénomène l'usure de compassion.

— Lui ? Il se plaint sans arrêt. C'est désagréable de marcher en sa compagnie. T'as déjà marché avec lui, Ellie ? Je te jure, c'est insupportable. J'ai fait la route presque au complet avec lui aujourd'hui et je suis tannée, t'as pas idée à quel point.

Ellie, qui ne semble pas trop savoir si je blague ou non, rit sous cape en tentant de sonder Manuel du regard. Celui-ci explose :

— Elle ? Et elle ? Elle fait un marathon, la garce ! Elle veut jamais prendre de pause, Madame a un horaire à respecter sur la Compostelle ! A-t-on déjà vu ça ? J'en doute. Mali, mange ma mère !

— Manuel prend tout le temps des pauses, ç'a aucun bon sens ! Ce matin, à 10 h 30, Monsieur s'enfilait déjà des bières.

Wow! Méchant cheminement spirituel. C'est un *beer world tour*, son affaire!

— Mali veut pas parler à personne pour pas déranger son horaire de princesse. Les pèlerins qui marchent dérangent sa vie contemplative!

Coup bas. Il vient de me river le clou. De me vriller au plancher. Dans mes dents. «C'est chien ça, Stan!»

Je le fixe avec hargne. Un peu de bave d'enragé coule à la commissure de mes lèvres. Ravi de me voir ainsi sortir de mes gonds, il m'assène une joyeuse bine sur l'épaule en guise de : «J'ai gagné le concours de bitcheries. Remballe ta ceinture fléchée, connasse! Le Canada n'est pas de taille contre l'Italie.»

— Eille, chose, mange ta mère!

— Non, pas ma mère, s'il vous plaît. TA mère au moins? Elle est jolie, ta mère?

Ellie, de plus en plus certaine que l'on se déteste comme le feu et l'eau, rigole un peu jaune. Elle nous annonce son départ immédiat; elle doit libérer la machine à laver à son auberge, son cycle étant certainement terminé. «Chanceuse, elle a accès à une vraie machine à laver. Le rêve.»

— À bientôt! Bonne chance, Ellie, que je lui envoie.

Elle s'éloigne en souriant, saisissant enfin que nous déconnions.

— T'es une vraie emmerdeuse.

— Toi le roi du roi des cons.

Nous soulignons cette vague d'amour à l'aide d'un toast.

— Chantier!

— Chanter ou chantier? demande un Manuel perplexe.

— On dit les deux, peu importe.

(Cours de français 101, aussi appelé l'art de niaiser un italien fanfaron.)

— Ah super, jé vais le souvenir. Chantier, toi aussi! Tu dormir où ce soir? me demande-t-il, en la *française*.

— Hum..., que je suppute en sortant mon livre dans lequel j'ai repéré un endroit qui semble abordable.

Je lui montre le nom dans mon livre.

— Toi?

— Une *albergue*, là. N'importe laquelle. Je m'en fous.

— Où je m'en vais, il y a des chambres à deux lits pour le même prix qu'un dortoir. On pourrait en partager une. Maintenant, je sais que tu ronfles pas, et toi, tu vas pas te retrouver avec quarante personnes.

— Ah oui, parfait, acquiesce-t-il sans m'accorder trop d'intérêt, regardant pour une millième fois la calamité sous ses pieds.

— *Oh god*, ça empire tout le temps...

— Il se plaint encore.

Je jette un œil au pied qu'il ausculte. Misère. Je déconne en lui disant qu'il se plaint, car sans farce, ses pieds sont dans un état exécrable. Je chignerais sûrement à outrance aussi. Mais je ne dois pas lui laisser de répit, sinon il en abusera.

— T'es tellement plaignard.

Il fait mine de me mordre au visage en montrant les dents.

— Mais non. Gentil Italien. Doux, doux.

En arrivant près de l'*albergue*, il grimace sans dire un mot en détournant la tête pour se cacher. Je crois qu'il a atteint sa limite pour aujourd'hui, mais il se contient pour ne pas se faire réprimander. Pendant qu'il fume une cigarette dehors, je prends les choses en main. Il ne reste qu'une seule chambre double. Nous grimpons à l'étage en suivant la propriétaire rondelette, enroulée dans un tablier fleuri telle une bonne ménagère des années 50. Elle ouvre la porte sur une splendide chambre avec un grand balcon. L'espace semble pouvoir accueillir trois personnes, comme en fait foi le lit superposé comportant un lit double en bas, surplombé d'un lit simple.

Plus à l'aise que la veille de partager notre espace, nous posons nos sacs pour élaborer un plan de match en enfilant nos tongs, récompensant ainsi nos sabots de leur effort. Manuel propose de cuisiner ce soir. Nous statuons d'aller au marché – situé à peine à trois sauts de moutons de l'auberge – et de prendre notre douche ensuite. En route, je le questionne :

— Qu'est-ce que tu vas cuisiner ?

— Quelque chose de bon.

— Il y a plein de choses que j'aime pas côté bouffe, et...

— Tu dis rien.

— Mais, si j'aime pas ça et que...

Il me coupe à nouveau :

— Non, tu me laisses faire. Pas de gestion de femme contrôlante, JE cuisine.

Bon. Je reste sur ses talons au marché en surveillant tout ce qu'il attrape. Pâtes fraîches, courgettes, huile, crevettes... Comme je marche en embarquant presque dans ses sandales, il me souffle un peu son impatience de sentir que je ne lui fais pas confiance. Je m'éloigne pour prendre en charge le volet « à boire ». J'attrape un blanc et quelques bières.

À l'improviste, nous nous retrouvons à siroter une bière en bordure d'une petite rivière qui serpente devant l'*albergue*. Découvert à notre retour du marché, l'endroit s'avère adorable. Les cheveux au vent, je songe à mon livre sur le Tao. Le ruissellement sur les pierres ravive en moi la puissante métaphore de l'eau qui coule. Cette eau sur laquelle nous devons prendre exemple pour laisser aller les choses, lâcher prise. Manuel accorde sa guitare puis fredonne une chanson italienne. C'est féérique. Je ferme les yeux. Je suis à Venise, dans une barque conduite par un typique gondolier au chandail rayé rouge tenant une perche. Le bruit de l'eau en mouvement, la musique aussi douce que sa voix, le type qui me pousse en toute lenteur parmi les artères navales. Moment.

Lorsqu'il termine, il me déclare en français :

— Jé suis heureux, ici, avec toi...

La bulle translucide de ma fabulation vénitienne explose aussitôt dans un grand plouch. Où s'en va-t-il, lui, avec ses skis italiens dans le bain ? Il se sent romantique ou quoi ? Aucun rapport. Dans ma rêverie, j'étais seule à Venise avec le gars rayé rouge, pas en voyage de noces. Je ne suis pas bien. Je me sens prise au piège tout à coup. Je veux me sauver.

— Tu sais, Manuel, je suis ici avec toi et on a passé une super belle journée. On a pris une chambre ensemble parce que c'était pratique, mais je veux que tu saches que je veux rien devoir à personne sur le chemin. Demain, on reprend la route chacun de notre bord, sans attentes de part et d'autre. Tu comprends ?

— OK..., fait-il en me toisant comme si j'avais trois nez.

Un troupeau d'anges passe.

— Tu sais quoi, Mali ? Ça me fait penser à ta super théorie du couple que tu m'expliquais cet après-midi, au fait que tu veux pas habiter avec un homme et que tu protèges tes arrières.

— Pourquoi ?

— Je pense que t'as peur de vivre de vraies relations, de laisser les gens entrer dans ta vie. Ami ou amoureux. Tu crées des distances pour te protéger.

— J'suis pas d'accord. J'ai eu des belles relations avec des hommes, et je suis très proche de mes amies. Je suis capable de partager mon intimité, tu sauras.

— Eh bien, pour moi, ta théorie du couple tient juste pas la route. T'inquiète pas, je respecte ton désir de marcher seule et ça me vexe pas. Aucun problème, je te jure. De toute façon t'es un peu chiante.

Ah bon, super. Je suis tout de même soulagée. Je ne voulais pas devoir gérer la séparation demain ni qu'il s'imagine que nous marcherions dorénavant ensemble. On se lèvera au petit matin, on partira chacun de notre côté et on se recroisera peut-être. Voilà.

Le défi spirituel, scène 9

Après une longue douche satisfaisante, je rejoins Manuel qui œuvre déjà à la cuisine commune. Il placote semi en espagnol, semi en anglais, avec un homme d'une soixantaine d'années qui popote lui aussi. Fernando, du sud de l'Espagne, est aussi pèlerin. Très pétillant, le vieil homme m'accueille avec un verre de blanc. Manuel me fait signe de me la couler douce, car il s'occupe de tout. Parfait.

Fernando nous raconte avec bagout qu'il traverse cette portion de la Compostelle pour la cinquième fois. Il attire notre attention sur ses souliers, qui semblent trop courts pour lui. Il en enlève un, mais en gardant son bas. Bon sang. Le pauvre homme a perdu tous ses orteils en raison du diabète. Hon.

Je m'installe en tout confort dans un mode d'observatrice, tapie contre le mur du fond. Manuel est courtois et très soucieux du bien-être de son colocataire de cuisine. Fernando parle sans arrêt. Il lui explique des trucs en lien avec la bouffe, ce qu'il prépare, ses recettes classiques, alouette. Je trouve Manuel plus italien que jamais en ce moment. Chaque fois que Fernando nomme son nom pour s'adresser à lui, Manuel répond un puissant « *dígame!* » – ce qui signifie « dis-moi » – en levant sa main bien haut, les doigts joints ensemble en pignon. Il vole dans la cuisine en préparant le repas, en contrôle total, tout en discutant de manière exaltée avec son acolyte. Je trouve Manuel... euh je le trouve... Misère, que se passe-t-il ? Je le trouve si charmant, tout à coup. Voyons ? Il se retourne vers moi pour m'adresser un sourire évasé à l'insu de l'homme, pour me signifier qu'il le trouve bien rigolo. Ses dents blanches et bien droites. Je le trouve si beau.

« Qu'est-ce qui m'arrive ? »

Habillé d'un pantalon noir et d'un chandail à manches courtes beige à capuchon, c'est un autre homme que j'ai l'impression de contempler que le type en sueur dans ses vêtements de sport avec qui j'avance depuis quelques jours. Il y a à peine quelques heures, je sentais le besoin de lui rectifier que je ne voulais pas être prise dans ses filets, et là, mon cœur se liquéfie avec douceur en laissant une coulisse rose bonbon le long du mur où je suis appuyée. Pourquoi ma perspective a-t-elle effectué ce 180 degrés sans me consulter ? Je ne peux pas ressentir ça. Manuel est en peine d'amour, et je ne sais plus où j'en suis non plus.

C'est mal. Très mal.

Après un copieux repas de pâtes aux crevettes qui aurait très bien pu figurer au sommet de la carte d'un restaurant réputé de Rome, nous avons terminé la bouteille de vin, assis par terre sur le béton de notre balcon donnant sur la petite rivière, à placoter de tout et de rien. Si facile.

Ceci dit, la situation se corse un peu en ce moment, car nous venons tout juste de nous mettre au lit. Manuel ne se trouve pas dans le lit du haut, mais bien à mes côtés dans le lit double du bas. Je trouvais ridicule de lui demander de dormir en haut. Pourquoi? Pfft, parce que, bon.

Je me retrouve donc sous les couvertures, dos à lui, les yeux grands ouverts sur l'obscurité. Vous avez deviné... j'aurais le goût qu'il me touche, qu'il m'enlace. C'est encore plus mal. Très mal. Or, je ne serai certainement pas celle qui tente l'impossible. Quoique... s'il le veut aussi... « Est-ce SI mal? » Peut-être que je devrais tout de même lui démontrer un léger signe d'ouverture? « Mais non. Il se sentira obligé. » Je suis égarée quelque part entre le doute et le désir.

Je pourrais par contre essayer une valeur sûre, et pas trop incriminante. Les pieds. De toute façon, la glace du volet « pieds » est déjà brisée. Nous nous sommes déviergés les chevilles, hier matin. Ce ne sera pas perçu comme une tentative de rapprochement débordant trop du cadre de notre historique. Je prétexte alors devoir me replacer pour bien dormir et mon pied atterrit tout bonnement sur le sien pour ensuite se mouler à sa cheville. Il bouge son pied sous le mien.

Je crois n'avoir jamais analysé avec autant d'attention les mouvements de pied de quelqu'un de ma vie. Il frotte un peu mon pied avec le dessus du sien. Il ne va pas l'enlever. Non. La peau de son dessus de pied est douce ; malgré le vrai gâchis du dessous. Il y a quelque chose de touchant dans notre communication de pieds, dans le fait que ce soit notre connexion actuelle, l'objet de sa souffrance depuis des semaines, ainsi que le véhicule avec lequel nous effectuons ce pèlerinage.

Je décide alors de me lancer dans le vide, de foncer dans le noir, de sauter dans le trou sans savoir ce qui se trouve au fond. Des adages populaires simplistes tels que : «On a juste une vie à vivre» et «Qui ne risque rien n'a rien» défilent sur le générique de ma pensée et me convainquent de pousser notre rapprochement à un niveau supérieur. J'aurais le goût de me faire serrer, afin de trouver un peu de réconfort dans ce tourbillon d'émotions diverses qui me submergent depuis des semaines. Un humain plus un autre humain qui s'étreignent, juste comme ça, pour se parler en silence à travers leurs corps.

Je me résous. Je ne me colle pas sur lui de but en blanc – pas question que je fasse tout le boulot. Je recule par contre dans sa zone de quelques centimètres. Je me rends à la limite, la ligne invisible faisant en sorte que l'on ne se touche pas – sauf nos pieds.

«J'ai fait la moitié du chemin qui nous sépare, fais le reste, Manuel.»

En moins d'un clin d'œil, tout s'enchaîne ; il comprend mon intention et il approuve celle-ci en m'enlaçant par-derrière sans se faire prier. Telles deux statues, nous figeons, sondant le terrain, tentant de nous acclimater à notre décision mutuelle.

Je me tortille pour me mouler sur lui et il fait de même. Nous trouvons alors l'équilibre de la cuillère parfaite.

Deux corps s'emboîtant tel le pendentif du yin et du yang que j'avais reçu en cadeau de ma *BFF* l'été de mes dix ans. Un homme, une femme, un lit, un moment. Un «merci»? Un «je t'apprécie»? Tout ça et tout rien à la fois. La banalité d'une affectivité que l'on éparpille au gré du vent, juste pour se faire du bien. Parce que, sans conteste, la nature est ainsi faite: l'être humain se sent bien seul sur Terre. Toujours.

Le défi spirituel, scène 10

Cette banale histoire de cuillère humaine se corse un peu au petit jour, au moment où je me réveille. Je dis «réveille» pour la forme, car je n'ai presque pas fermé l'œil de la nuit. Que celles qui dorment de tout leur soûl la première nuit passée dans les bras d'un homme lèvent la main bien haut, que je puisse vous identifier – je compte organiser dès mon retour un congrès panaméricain afin que vous partagiez votre vécu, vos trucs et votre expérience aux autres femmes du continent. Pour ma part, je n'y arrive juste PAS. Rien, *niet*, pas même un petit rêve de rien du tout. Pas même un mini mouton à la toison voluptueuse qui sautille par-dessus la clôture. Non.

Depuis une heure que les oiseaux gazouillent pour accompagner tout en musique nos enlaçades, nos niaiseries et nos rigolades. On discute, on rit et oups, plus un mot et on se taponne un peu. Ledit taponnage ne s'avère pas trop compromettant; j'ai conservé mes sous-vêtements et, lui, sa camisole. Eh oui, les Italiens portent des *wife beaters* de père en fils.

Ce n'est pas une légende urbaine. La cambrure de mes reins perçoit en ce moment même l'érection de l'année qu'il dissimule dans son boxeur depuis tantôt. Faisons comme si ça n'existait pas, tiens.

Je suis bien. Lui aussi, je pense.

Comme il se trouve dans mon dos, j'attrape sa main gauche pour lui inspecter la paume. Ses mains sont aussi satinées que le reste de sa peau. Son grain de peau est fin pour un homme. Étrangement, sa peau me fait penser à la mienne. La texture, l'épaisseur aussi... Hein? Je fige en inspectant les lignes de sa main puis je déclare avec émotion:

— C'est ma main!?

— Non, c'est la mienne, désolé.

— Non, non, je veux dire, regarde.

Puis j'ouvre ma main gauche tout près de la sienne. Il observe le tout un moment avant de lâcher un expressif: «*What the fuck...*», rempli à la fois de stupéfaction et d'inconfort. Croyez-le ou non, nos lignes de la main sont pareilles. Identiques. Je n'ai jamais vu ça de ma vie. Pas juste: «C'est drôle, ça se ressemble un peu» ou «Notre ligne de gauche est semblable». Non. Les trois lignes les plus grosses et les quatre plus petites sont de la même longueur et elles sont orientées dans le même sens. Seuls de minisillons tout autour diffèrent un peu. C'est troublant. J'inspecte ma main près de la sienne. Je me tourne vers lui, ahurie. Il l'est tout autant.

Comme si nous avions besoin d'un moment pour assimiler cette étrange similitude, je me blottis dans ses bras en fixant la fenêtre. Il contemple le mur. Après quelques secondes, il rompt le silence :

— Mali ?

— Manuel ?

Conscients tous les deux que cette discussion vide de contenu ne mènera nulle part, nous adoptons à nouveau un sage silence. Après quelques minutes, le « frott-o-thon »[49] recommence de plus belle. On se frotte avec plus de vigueur. Il touche ma hanche, un peu mes fesses, sa main glisse le long de mon flanc à la limite de mes seins. Je me perds un peu dans l'ivresse des caresses, la tête balancée vers l'arrière et appuyée sur son épaule. Il embrasse mon cou, il avance ses lèvres sur ma joue. Je sens qu'il voudrait bien m'embrasser, donc je me tourne un peu vers l'oreiller pour me cacher. Un premier baiser, je veux bien, mais pas le matin, bon sang. La perte de contrôle atteint alors son apogée. Complètement égaré entre ciel et terre, Manuel respire plus fort, ses mains m'auscultent partout. L'une d'elle agrippe mon sein à travers le mince tissu de ma nuisette, puis celle-ci bifurque finalement vers mes fesses, empoignant avec solidité les deux joues à la fois. Seigneur. J'espère tout de même qu'il ne descendra pas trop près de ma fourche afin de ne pas constater la présence de mon immense serviette coupée. Imaginez la scène : « Euh... Mali ? T'es incontinente ? »

Manuel respire plus fort, puis il me mordille la nuque. Son bassin se frotte contre le haut de mes fesses, qui sentent très

---

49· Nouvelle discipline d'équipe aux prochains Jeux olympiques.

bien son pénis en pleine érection. Je me tourne un peu pour le regarder. Ses yeux jadis doux et un peu tristes ont fait place à un regard de prédateur. Il passe ses doigts sur mes lèvres, les siennes étant assez près et un peu entrouvertes, comme s'il désirait me manger le visage tout rond. Il expire avec élan une fois de plus. Son regard est pénétrant, mais absent à la fois. Un certain vide s'y terre. Son cerveau, sa morale et son contrôle ont fui vers le bas.

Bon sang, qu'il est intense. Cependant, comme je suis une femme raisonnable et que ma morale prime toujours sur ma libido, je lui susurre : « *Come back with me, Manuel...* », en souriant à demi. Il cesse alors son manège et il balance la tête vers l'arrière dans un grand rire franc.

— Hum... je pense que j'étais dans un monde parallèle, Mali.

— J'ai bien vu ça..., que je le taquine.

Il colle alors son nez sur mon épaule pour me murmurer :

— Crois-moi, mes mains de musicien trouvaient qu'elles étaient exactement au bon endroit sur ton corps d'écrivaine...

Le défi spirituel, scène 11

Clic ! fait l'attache de mon sac en se bouclant. Je suis seule dans la chambre. Manuel, qui était déjà prêt, m'attend au rez-de-chaussée. Je me sens troublée. Il me trouble. Je remâche une à une ses caresses... à étancher une soif absolue. Partout sur mon corps. Ouf. Peu de temps après l'épisode desdites mains de musicien baladeuses, nous nous sommes levés. Il était déjà 10 h 20.

Je suis ambivalente. Hier, j'insistais pour marcher en solo, mais ce matin, je n'y tiens plus tant que ça, on dirait. Hier, c'était avant cette nuit. Hier, c'était avant ce matin. Je meurs d'envie de l'embrasser. Misère. Réfléchir plus, réfléchir moins ? Je devrais peut-être me faire greffer un autre cerveau, au lieu de songer à procéder à son ablation partielle. Le cerveau de Mr. Bean tiens, ce serait bien et simplet.

Je ne veux pas qu'il parte. En descendant l'escalier, je l'aperçois dans le portique. L'air pantois de me voir surgir ainsi, il range un papier dans la poche latérale de son sac dans le but évident de le cacher.

« Je meurs d'envie de l'embrasser. »

Nous sortons. Une cigarette pas encore allumée pend au bout de ses lèvres. Ses cheveux ébène se dressent en bataillon sur sa tête. Ses larges verres fumés Carrera glissent un peu sur l'arête de son nez. Il est si séduisant. Encore plus qu'hier. Encore plus que ce matin. La magie des rapprochements opère.

En avançant sur le trottoir, il s'immobilise en face de la rivière qui coule plus bas. Il vient pour dire quelque chose, mais je ne lui en laisse pas la chance. Je lui retire la cigarette du bec, je remonte ses lunettes sur le dessus de sa tête et je plaque mes lèvres contre les siennes. Il ferme les yeux et répond à mon baiser avec passion en collant son corps sur le mien le plus possible, malgré l'armature de nos sacs qui nous limite. Entre deux baisers, il respire un grand coup, les yeux fermés comme s'il désirait imprégner ce souvenir à tout jamais au creux de son âme. Le mariage de nos deux bouches me semble aussi harmonieux que le puzzle de nos deux corps cette nuit. Comment ne pas supposer qu'une symétrie naturelle puisse exister entre deux êtres humains aux lignes de la main identiques? Après plusieurs baisers, nos corps s'éloignent l'un de l'autre avec une résignation découlant de cette peur d'abuser. Une légère gêne nous enveloppe.

Manuel brise le mur de silence :

— *Well*... J'aimerais vraiment marcher seul, aujourd'hui, Mali.

— Euh..., que je balbutie.

Il replace ses lunettes, remet sa cigarette dans sa bouche de son air le plus autosuffisant, puis il s'éloigne. Je le rattrape.

— Ta gueule, Manu, que je le désamorce en enroulant mon bras autour de son cou.

Trois secondes de bonheur puis il m'énerve à nouveau.

Le défi spirituel, scène 12

— Ça fait mal ?

Concentré à gérer son calvaire, Manuel me répond, un peu à cran :

— Ça fait mal depuis presque un mois, Mali, un long mois.

Pauvre lui. Le visage en grimace, sympathisant avec ses tourments, je l'observe de loin effectuer sa délicate tâche comme si une plus grande proximité risquait de me faire ressentir la douleur à sa place. Manuel trouvait que l'immense ampoule sous son pied gauche avait le contour trop rougeâtre à son goût. Le premier signe d'une infection. Il a décidé de s'injecter une seringue d'antibactérien qu'il traîne depuis quelques semaines dans son sac. Il m'a demandé de le faire, mais j'ai refusé net. Je suis zéro infirmière dans l'âme. Je craignais trop de toucher à la peau vive sous la cloque avec l'aiguille et de lui faire encore plus mal.

— AïE!! se lamente-t-il avant de jurer un truc en italien qui sonne, bien malgré moi, très exotique à mes oreilles canadiennes.

Il appuie son front sur le revers de sa main libre, les dents serrées, les lèvres tirées. Zut. Il vient justement de faire ce que je redoutais. Le médicament doit être injecté entre la surface de la cloque et la peau. Je me sens au sommet du mont Impuissance.

— *Fucking hell*, maugrée-t-il.

Du fond de la pièce, j'ai mal pour lui, visage crispé à l'appui. Ça fait des jours complets que je le vois souffrir. Des jours que nous marchons ensemble comme un couple. Eh oui, fini les beaux principes du genre: «Je veux marcher seule pour cheminer» et «La solitude m'aide à avancer». L'aventure se passe avec Manuel dorénavant. Mon chum de la Compostelle.

Hier, nous avons dormi dans une chambre inconfortable sans rideaux et nous avons fait notre lavage en commun dans une VRAIE machine à laver. J'en rêvais depuis si longtemps.

Notre relation est rendue au stade de la lessive conjugale. Nous ne couchons pas ensemble, par contre. On se colle, on s'embrasse, mais pas de sexe. On dirait que, de part et d'autre, on ne peut se résoudre à franchir cette limite. C'est parfait ainsi. L'intimité physique semble directement reliée au cœur pour Manuel, tout comme moi. Au lit, il perd le contrôle parfois, mais il sait se tempérer et revenir sur terre quand ça lui arrive.

Ma routine *compostellienne* a changé du tout au tout. Nous partons super tard parce que nous niaisons au lit pendant des heures. Nous honorons sa devise disant que : «*Mornings have to be sweet.*» Sinon, je ne pense à rien. Je suis légère et dépourvue de soucis. Nous rions comme des fous, nous apprécions le paysage et nous marchons de longs moments en silence. Quelle équipe du tonnerre nous formons. Nous n'avons croisé aucune connaissance depuis des jours. Pas même l'ombre d'une frisette de ma chère Bethany.

Ceci dit, j'aimerais tant l'accompagner jusqu'au bout, mais ceci implique que je l'attende, que je prenne de nombreuses pauses parce qu'il souffre. Mon tendon d'Achille fait encore des siennes en gonflant de temps à autre, mais sans trop me causer d'ennuis.

Manuel a une personnalité forte ; il dit ce qu'il pense sans chercher à tout prix à me plaire. Hier, il voulait prendre une quatrième pause et j'ai râlé un peu. Il m'a traitée d'égoïste sans ménagement. J'étais très insultée sur le coup, mais, au fond, il n'avait pas tort et je le savais bien. Je le suis, un peu égocentrique. Les concessions n'ont jamais été ma tasse de thé et je le réalise, maintenant, ici. Depuis que je suis toute petite que je mène la barque. Que j'ai soif de latitude. Cette liberté d'agir tant espérée vient souvent avec un désir d'en contrôler les balises. Enfant, j'étais une fonceuse. Ma mère me raconte souvent que très jeune, à la maternelle, je lui expliquais que j'avais SI hâte d'être en appartement. De voler de mes propres ailes et de vivre ma vie de femme épanouie de quatre ans sans l'aide de personne. Je me sentais prête. Franchement. Je venais presque tout juste de commencer à aller seule à la toilette…

Depuis que Manuel m'a semoncée, je tente de me montrer plus attentive à ses besoins, de proposer moi-même des pauses. Je dois faire preuve de tolérance, penser à lui. Je l'entends présentement expirer assez fort pour écorner un bœuf.

— Ça va? que je lui demande.

Il ne répond pas.

À la fin de sa minutieuse tâche, il s'affale sur le dos. Je me blottis près de lui comme une petite souris sur un gruyère et je lui flatte les cheveux. Ses cheveux. Les plus soyeux que j'ai touchés de ma sainte vie. Chaque fois que j'en ai la chance, je passe mes doigts dedans comme s'il s'agissait d'un réel privilège pour moi, et non d'une caresse pour lui.

— *I love you, Mali*, me chuchote Manuel.

Depuis notre deuxième journée ensemble – après que je l'ai embrassé au bord de la rivière –, il me balance des «je t'aime» par la tête de la sorte. La première fois, j'ai fait le saut. Je ne comprenais pas. J'ai même pensé piquer une course dans la forêt à ma droite jusqu'au Zimbabwe, mais la candeur avec laquelle il me scandait *la chose* m'a poussée à répondre tout bonnement «moi aussi» en souriant. Simple comme une chanson de Jordy.

Je me questionne depuis sur la connotation culturelle associée aux «je t'aime» échangés entre un homme et une femme. Pour moi et depuis toujours, cette étape s'avère planétairement importante. Je dois d'abord y réfléchir, le planifier, trouver le bon moment. On passe ainsi aux aveux après un bout de temps de fréquentation, car ce bout de phrase renferme une symbolique profonde. J'ai déjà participé à de nombreuses séances d'analyse de groupe avec la consœurie à ce sujet. «Lui as-tu dit que tu l'aimais? Non, pas encore. Je n'ose pas. Bientôt, je ne sais pas quand. Je vais attendre le bon moment, ça fait juste trois mois qu'on se fréquente...»

Comme si le fait de prononcer cet agencement de mots élémentaires nous plaçait dans une position de vulnérabilité au potentiel létal. Par orgueil? Par peur du rejet? Or, quand Manuel m'a catapulté en pleine poire la phrase qui tue, j'ai réalisé à quel point ces mots étaient lumineux au fond. Il faudrait les chérir, non pas les fuir ou les dissimuler au fond de nous. Cela ne signifie pas que Manuel et moi envisageons de passer nos vieux jours ensemble en nous berçant sur le balcon blanc de notre maison de campagne aux volets vert forêt. Ces mots témoignent simplement que nous nous apprécions. L'amour, c'est quoi au fond? Une seule et même chose.

— Je t'aime aussi, Manu.

Je me lève pour me rendre à la douche – grand mot ici, car c'est un demi-bain pourvu d'une douche-téléphone. Manuel quitte le plateau pour aller m'attendre sur la terrasse en bas. Nous mangerons ici, question de réduire ses pénibles déplacements au strict minimum. Sa limite est atteinte pour aujourd'hui ; son ampoule saigne.

Je souris, en me lavant, les genoux relevés dans le front – ma grandeur étant incohérente avec la taille de la baignoire. Je pense à ce gars charmant avec qui je passe du temps, mais aussi à ma perte de contrôle depuis qu'il fait partie de ma routine. Auparavant, tout était réglé au quart de tour : alarme programmée à la même heure, ordre du jour bien établi et respecté à la lettre. Je m'astreignais à suivre une routine cassante en contradiction totale avec mon désir de lâcher-prise. Je me confinais à une cage de verre rigide, croyant que je vivais ainsi mon expérience en toute liberté parce que je pouvais voir à travers la vitre. Erreur. La preuve qu'il s'agissait d'une fausse illusion de liberté : aussitôt que je dérogeais de mon plan, la culpabilité me gagnait[50]. J'ai ouvert la porte de la cage, et me voilà palmier, faisant moi-même partie du tableau dépeint par Bethany. Manuel est le vent.

Depuis quelques jours, je me sens émancipée. Libre, et ce, même si je marche avec un autre être humain qui gère les contraintes du chemin à sa façon. Alors que je craignais que la présence d'une personne m'étouffe, sa compagnie me fait respirer comme jamais depuis le début de cette aventure.

En le rejoignant en bas, toutes mes réflexions prennent encore plus de sens. Un verre de vin blanc m'attend sur la table et il m'annonce qu'il a commandé à manger, pour nous deux. Des tapas divers.

---

50. Le dossier de la culpabilité féminine, ç'a assez duré, les filles.

Sur le coup, je m'inquiète :

— T'as commandé quoi ?

— Tu verras, me rabroue-t-il en levant son verre de rouge dans ma direction.

D'instinct, son initiative m'agace parce qu'elle ébranle mon désir de contrôle, ma rigidité. Je veux CHOISIR tout le temps. Manuel n'a pas agi par désir de contrôle, ses motivations sont plus pratiques : je suis sous la douche, il est tard, nous avons faim, il commande et c'est tout. Mon ancienne petite voix interne s'indigne : « Peut-être que je n'avais pas le goût de manger ce qu'il a commandé ? », mais ma nouvelle petite voix lui réplique : « Et alors ? Est-ce SI grave de ne pas toujours avoir ce que l'on veut au moment exact où on le veut ? » Flexibilité. Je suis tannée de m'enfarger dans les bouquets de fleurs du tapis.

— Chantier !

— Oui, chantier !

— Puis ? Tu l'aimes ? Ils n'ont pas celui que t'as bu hier, mais je crois que celui-ci se compare.

— Il est parfait, Manuel.

« Tout comme toi, d'ailleurs. »

Il est ravi.

Pour le vin, je lui ai définitivement cédé les rênes. Depuis des jours, il analyse en catimini ce que j'apprécie, il teste mes verres, de sorte qu'il est désormais capable de discuter avec les serveurs pour commander exactement ce que j'aime. Il a découvert ma pastille à la SAQ. J'avoue que c'est très particulier pour moi. Même lorsque je suis physiquement présente avec lui, il commande le vin au verre pour moi. Il me demande juste : « Tu veux du blanc ? » et il gère ensuite le choix de cépage et la sorte avec le serveur. Honnêtement, pour ma fibre culturelle de Québécoise-au-fleuron-autonome-et-affranchi, c'est inhabituel. Il parle à ma place, comprenez-vous ? Dans la vie de tous les jours, à moins qu'on partage une bouteille au resto, chacun commande ce qu'il veut boire, non ? Lui, il tient mordicus à prendre ce département en charge. Sincèrement, je trouve le tout craquant et très italien.

J'apprécie la façon qu'il a de prendre les devants, de prendre sa place d'homme. Il aime signer les registres des hôtels, garder les clés avec lui, prendre la place dans le lit près de la porte, marcher sur le bord du trottoir du côté des voitures, m'ouvrir les portes… Autant de vétilles insignifiantes que je trouve très séduisantes. Je ne me sens pas inférieure ni diminuée. Je réalise que, dans notre culture québécoise, la femme est égale à l'homme, bien sûr ; mais je crois que ce souci extrême de vouloir être égalitaire a oblitéré ces petites attentions qui permettent aux hommes de se sentir protecteurs. Avec Bobby, j'avais souvent l'impression d'être son chum de gars, un égal. « Gère-toi ! T'es une grande fille ! T'es capable ! » Oui, mais une partie fragile en moi aime que l'on prenne soin d'elle. Ma petite fillette intérieure, je présume. En se souciant de moi de la sorte, Manuel me donne encore plus le goût de prendre soin de lui à mon tour en étant attentive à ses besoins. Ceci dit, je réalise comme un coup de fouet que je suis peut-être moins indépendante que je l'ai toujours clamé.

« Un homme super-méga-indépendant n'est peut-être pas ce qui me convient comme partenaire de vie, finalement... »

La bourgade où nous sommes se perd dans une vallée auréolée de montagnes. C'est à couper le souffle. Juste en face de nous se dresse la grosse *albergue* publique du village, possiblement débordante de punaises de lit – où se trouvent certains de nos amis, peut-être. Observant les dizaines de personnes qui placotent dehors dans la cour de cette auberge, je mentionne à Manuel :

— On dirait qu'on évolue en parallèle sur le chemin.

— Oui, j'allais te dire exactement la même chose !

Classique. Quand Manuel me partage une réflexion, peu importe que ça concerne un arbre, une fleur ou une montagne, souvent je pensais mot pour mot la même chose que lui.

— Qui es-tu, Mali ? me demande-t-il, ses yeux italiens tristounets s'enfonçant dans les miens comme dans du caramel mou.

— Toi ? Qui es-tu, Manu-Manu ?

Il secoue la tête, puis il agrippe l'arrière de mon cou pour m'embrasser. Un baiser qui dure longtemps. Un baiser semblant avoir la mission de faire comprendre à l'autre qui nous sommes. Honnêtement, qui est-il ? Je l'ignore. À quoi sert-il dans ma vie ? Je refuse de m'y attarder. Je ne veux pas non plus penser à la séparation qui nous attend de pied ferme à la fin de ce chemin.

— Hé ! J'arrive et je dérange ce beau moment romantique Honnêtement, je m'en contre-calice ! Ha ! ha ! ha !

On se retourne pour apercevoir Christ l'Irlandais qui surgit à notre table, une bière à la main. On se disait justement s'ennuyer de lui, hier.

Manuel éclate d'un rire franc. Moi aussi. Ce gars-là est authentique du bout des cheveux aux ongles d'orteils. Comment ne pas l'aimer?

— Comment vont tes pieds? demande Christ à Manuel.

Il a lui aussi été recruté par l'équipe des ampoules extrêmes.

— Mal...

— Crisse, moi aussi. Voyons, tabarnak? Ça guérit-tu, ça, à un moment donné, calice? Pis y faisait tellement chaud aujourd'hui... Eille, j'suis pu capable!

— Ha! ha! ha!

Christ s'est vraiment campé dans le rôle du gars qui marche la Compostelle en chialant. C'est hilarant. Il le sait. Ça fait quatre fois que je le croise et il se lamente sans arrêt. Malgré tout, il continue sa route, il est encore là – on en déduit donc qu'il porte ce masque pour détendre l'atmosphère. Mais au-delà de ça, j'y vois plutôt un réflexe de survie pour éviter de révéler au monde entier un visage décomposé. Son masque maintient le tout en place. Manuel, qui a discuté avec lui plus en profondeur, m'expliquait que le gars en question avait eu de gros problèmes de consommation de cocaïne avant de venir ici. Ayant déçu et perdu de nombreuses personnes qu'il aimait, entre autres son fils de trois ans dont il a perdu la garde, Christ souhaite recommencer sa vie pour bien amorcer sa nouvelle quarantaine. La fin de son pèlerinage symbolisera son nouveau départ. Plus de masque.

Notre nourriture arrive. Un joyeux festin de tapas de toutes sortes, dont un mets non végétarien commandé exprès pour moi. Je souris à Manuel pour lui témoigner que j'approuve ses choix. Ça tombe bien que nous ayons la bouche pleine, parce que Christ parle à satiété. Il semble d'ailleurs avoir vécu beaucoup d'expériences dans les derniers jours.

— Vous savez quoi? J'ai réalisé que la Compostelle est un chemin d'homosexuels au fond. Crisse, y a juste des lesbiennes pis des gais icitte ou quoi?!

Hein? Qu'est-ce qu'il nous chante là, lui? Je m'étouffe avec un crostini au pâté de foie de volaille. Christ est du genre Cro-Magnon, grosse brute, qui se donne un air de gars pas très ouvert aux différences, si vous voyez le genre.

Il se lance alors dans un récit rocambolesque expliquant comment il s'est retrouvé à partager une chambre double avec deux marcheuses ce soir. Il croyait avoir une touche avec les deux, du genre trip à trois mémorable, mais finalement, les filles se sont plutôt caressées entre elles en le laissant en plan. Bredouille, il est sorti boire une bière. Voyons donc? Des partouses sur le chemin sacré de l'apôtre saint Jacques? Un peu aux antipodes du folklore. Je ris ma vie en l'entendant nous sacrer son histoire.

— Et l'autre, là? Le gars espagnol avec son petit sac? Il m'a suivi toute la *fucking* journée pour finir par me demander de partager une chambre avec lui! Eille, calice?! Il me disait travailler dans l'aéronautique... Écoute, chose, ça prend pas un doctorat en compétence humaine pour savoir que t'es pas ingénieur d'aéronefs, toi, calvaire! T'es sûrement une hôtesse de l'air, esti!

Il parle de notre ami Steve, avec qui j'ai marché il y a quelque temps.

— Arrête donc, il est super gentil! que je rectifie.

— Oui, oui, crissement fin pour marcher avec, mais demande-moi pas de coucher avec toi après, calice!? *Come on!* Faque, c'est ça, rien que des gais pis des lesbiennes icitte! *That's it!* Pis il fait *fucking* tout le temps trop chaud, je suis à boutte en esti...

En secret, Manuel m'agrippe la cuisse sous la table. Je lui souris. On voulait voir Christ, on est servis. Tout le monde sert.

Le défi spirituel, scène 13

— Non, je veux pas arrêter ici. Il fait quarante degrés et j'ai pas le goût de manger ça!

— Mali? Ça fait trois jours que je te dis que, quand on va arriver ici, je veux manger de la pieuvre parce que c'est la spécialité régionale! C'est reconnu à travers le MONDE! Voyons?

— Vas-y, toi. Moi, je vais manger là-bas, c'est pas grave. Viens me rejoindre après.

— Non, laisse faire, concède Manuel, en maudit.

Rien ne va plus ce midi. On s'obstine depuis une heure à savoir où manger. Il me tape royalement sur les nerfs. Monsieur boude. Il marche devant moi, en beau fusil. OK, j'avoue que ça fait deux allers-retours que nous effectuons pour consulter les différents menus des restos. Nous venons en effet d'atterrir dans la capitale espagnole des pieuvres, mais juste la pensée d'en manger me lève le cœur. À l'autre bout de la ville – probablement où Manuel retourne en ce moment – se trouvait un resto de pâtes. C'est mieux.

Tout a commencé ce matin quand j'ai devancé Manuel. Il est pourtant habitué, je le fais souvent. Je l'attends chaque fois plus loin ou dans la ville suivante. Il souffre énormément en ce moment et c'est pénible pour moi de marcher à son rythme. Je pense que je préfère marcher plus vite et revenir sur mes pas pour le rejoindre. Alors, sans que ce soit planifié, je me suis retrouvée devant en moins de deux. Je me suis dit : « Pas grave, je l'attendrai tantôt ! » Je ne sais pas si c'est à cause de cet éloignement, mais il est arrivé ici grognon. Il est bébé, mon Italien. Alors que je le questionnais à propos de sa mauvaise humeur, il m'a répondu : « Hum... Laisse-moi y penser, Mali Mes pieds saignent ! Ce doit être ça ! » Il est toujours cynique lorsqu'il est marabout. C'est nouveau pour moi, un gars qui manifeste des sautes d'humeur comme un gamin, baveux de surcroît. Dans l'ensemble, je ne déteste pas le caractère intempestif de Manuel, mais en ce moment, je le hais pour lui arracher les yeux avec mes ongles. Je le rejoins et je l'entends rager :

— T'es égoïste, Mali ! Tu penses juste à toi, tout le temps.

— Encore ça ? Écoute, Manuel, je vais vomir juste à penser qu'il y aura de la pieuvre dans mon assiette ! Il n'y a rien d'autre à ce restaurant. Tu veux manger ça, VAS-Y! Voyons, on n'est pas obligés de rester ensemble vingt-quatre heures sur vingt-quatre!

— Toi, c'est comme ça que tu gères la vie? «T'as mal, tu marches lentement, ça me tente pas, donc je me sauve. Bye! Tu veux manger de la poulpe, pas moi. Bye!» Y a pas de compromis possible? C'est noir ou blanc?

— Meuh...

— Tu fais toujours ce que t'as envie exactement au moment où t'en as envie, Mali.

— Pour moi, ce sont des détails! On s'en fout si je mange là et toi là-bas. Si ça peut nous rendre heureux, tous les deux. En plus, t'es méchant de me reprocher encore ça, Manuel...

Je suis en colère. Mon orgueil a le goût d'exploser de contrariété. Égoïste? Pas tout le temps, quand même. Pfft! Et lui, avec son caractère de marde, il est quoi!?

— J'ai raison de te le dire. Personne l'a jamais fait, je pense.

Sérieusement, je bous de rage. Je ne me souviens pas la dernière fois que j'ai été en beau joual vert de même. Je ne ressens pas de la tristesse, c'est de la hargne qui m'envahit. Si j'avais trois ans, je le mordrais.

Je réplique un éloquent:

— Pfft!!

Mon onomatopée marque la ponctuation finale de notre chicane. Comme nous devons traverser un grand boulevard, Manuel saisit ma main pour traverser, comme il le fait chaque fois. Ma colère redescend aussitôt d'un grand cran. Même s'il veut probablement lui aussi m'arracher la tête en ce moment, il prend tout de même ma main pour traverser. Un geste ultimement sécuritaire et sans chaleur, oui, mais néanmoins un contact physique. Je suis égoïste, il a raison.

Sans rien nous dire, nous prenons une table et commandons des rafraîchissements. Je vais à la toilette.

À mon retour, je me rassois, toujours sans lui adresser un traître mot. Il allume une cigarette avant de boire une gorgée. Il semble vraiment en colère.

Je tente un rapprochement :

— Pourquoi on est SI fâchés ?

— Parce que ça fait une heure que tu me fais faire le tour de la ville pour trouver un resto à notre goût à tous les deux à plus de quarante degrés alors que je venais de te dire que je devais prendre une pause, car mes pieds me faisaient horriblement souffrir. Mali, chaque jour, je me demande si je vais être capable de te suivre. C'est de pire en pire, mon affaire, et toi, on dirait que tu t'en fous !

Nous avons effectivement fait deux allers-retours pour rien. C'est vrai que, des fois, je fais comme si ses pieds n'existaient pas. J'aimerais en effet que ce problème disparaisse de notre vie.

— Mali, si on inversait les rôles, ce sont tes pieds qui saignent, toi qui as mal. Qu'est-ce que je ferais, moi ? Qu'est-ce que je ferais toute la journée ?

Je ne réponds pas. Je connais la réponse. Il serait patient et il m'attendrait... Je le sais très bien, donc je me sens encore plus misérable.

Voici un exemple : avant-hier, nous avons croisé une église dans un petit village. Je me suis approchée pour croquer mon fameux *selfie*. J'ai enjambé des escaliers pour me serrer sur un grillage entouré de grandes fougères et de plantes diverses, question de me donner de la perspective. Quelque chose a égratigné mon genou au même moment. Ça chauffait d'une manière épouvantable, mais je ne voyais rien. Je suis remontée rejoindre Manuel qui m'avait devancée de quelques pas. La peau de mon genou s'est alors mise à rougir et à enfler en brûlant comme du feu.

— Je crois savoir c'est quoi. Sûrement de l'*ortica*, une plante toxique. Attends, je crois que c'est important de ne pas toucher. Pauvre toi, Mali. Bouge pas, je vais regarder sur Internet.

— On peut attendre au prochain village, si tu veux...

— Non, je vais regarder en marchant. S'il y a une pharmacie au prochain village, on arrêtera.

Il a regardé des photos sur Google de gens brûlés par ladite plante. Il m'a demandé de m'immobiliser puis il a comparé le tout.

— Oui, c'est ça. On va arrêter ici pour bien se renseigner sur ce qu'il faut faire.

Comprenez-vous où je veux en venir? Pendant une heure, le cas de mon genou a pris toute la place. Manuel a géré la situation de façon bienveillante, pendant que ses propres pieds le faisaient toujours souffrir atrocement. Comme ce genre de plante se retrouve aussi en Italie, il était prêt à appeler son médecin de famille pour s'assurer d'appliquer le bon traitement. Il s'oubliait pour me soulager. Ça, c'est Manuel.

À table, il poursuit:

— Tu sais, Mali, je sens que t'es contente d'être avec moi, qu'on fasse le chemin ensemble. On passe des soirées magiques, des nuits mémorables à se coller et dont je me souviendrai pour le reste de ma vie, même si après cette aventure on ne se revoit jamais. Mais si tu veux juste prendre les bons côtés de Manuel, les caresses, les douces nuits, les beaux moments et que le reste t'intéresse pas, parce que tu t'en contrefous, eh bien va-t'en! Que tu veules marcher seule des fois, ça me va parfaitement, mais que ce soit parce que je t'énerve d'avoir mal, ça, non. Tu m'aides à avancer, Mali, tous les jours depuis une semaine. Si c'était juste de moi, j'aurais pris quelques jours de repos pour donner une chance à mes pieds, mais je veux marcher avec toi. Dans mon livre à moi, la vie fonctionne de cette façon. Je peux pas être ton jouet quand ça te tente et que tu me balances quand je deviens un problème.

Silence radio dans le trafic urbain. Je suis triste. Il a tout à fait raison. C'est vraiment intense ce qu'on vit et, non, je n'aurais pas envie que ça cesse. Je me trouve minable, tout à coup.

Le repas arrive. Manuel mange avec appétit. Moi, difficilement.

Au moment de repartir, j'ai un peu structuré les pensées repentantes qui pullulent dans ma tête. Nous nous levons. Je m'approche de lui. Je prends son visage suintant de sueur dans mes mains.

— Je m'excuse, Manu-Manu.

Il ne dit rien, semblant attendre, voire exiger, un éventuel développement.

— Je veux marcher avec toi. T'as raison, je fais difficilement des compromis, mais avec toi, j'ai le goût d'en faire. Je *vais* en faire. Je vais apprendre... Aide-moi.

Il m'embrasse, tout en conservant son air de gars pas-si-facile-à-convaincre.

— Je t'aime, juge-t-il bon de me balancer pour conclure, puis il me donne un petit coup de bâton de marche sur la jambe.

Tout le monde sert à quelque chose sur le chemin. J'ai l'impression que Manuel s'occupe d'un gros dossier à lui seul. Le maître d'orchestre de mon défi spirituel. Mais lui? Où en est-il dans son cheminement, encore victime de toute cette douleur?

Le défi spirituel, scène 14

Seuls sur une terrasse dans un coin perdu où personne ne s'attarde, nous admirons le paysage. Il y a une localité vraiment plus chouette à quatre kilomètres d'ici, mais Manuel n'était plus capable d'avancer. Bordé de collines pas très imposantes, mais tout de même bien jolies, un grand champ de blé en or mille carats nous fait face. Une dizaine de chevaux y broutent peinardement[51], la tête à travers les poteaux d'une clôture de bois. Nous avons passé une superbe fin de journée hier. Nous avons enterré la hache de guerre de notre querelle à propos du *pulpo*. Je réfléchis beaucoup depuis, je tente de m'ajuster à son rythme et je fais des efforts – comme arrêter dans cette paroisse recluse, par exemple.

Cela dit, la bonne entente est revenue au sein de notre duo, à un tel point que nous avons presque couché ensemble tout à l'heure. En arrivant à notre chambre, nous avons pris nos douches. De retour de la mienne, je suis restée en simple camisole et sous-vêtement et j'ai rejoint Manuel qui pianotait sur son cellulaire, avachi sur le lit. Sans trop le prévoir, nous nous sommes retrouvés nus et sens dessus dessous à travers les couvertures et oreillers. La suite ne s'est par contre pas passée comme le commun des mortels se l'imaginait. Depuis, il angoisse.

— Manuel... C'est pas grave. Je te jure, je m'en fous ! que je le rassure en lui souriant avant de tourner à nouveau la tête

---

51.   Ça existe, ce mot ?

vers le panorama nous faisant face pour faire diversion. C'est beau, hein ?

Il me dévisage maintenant avec les yeux d'un gamin honteux qui se fout du paysage environnant comme de son premier camion de pompier.

— Je veux que tu saches que ça n'a rien à voir avec toi, Mali... C'est important pour moi que tu comprennes.

— Je sais, je comprends. Arrête de t'en faire, sans blague, crois-moi et arrête !

Il se remet à fixer l'horizon, songeur. Je retape de plus belle sur le clou de la déculpabilisation :

— Manu, je te jure, je me sens pas mal, je me sens pas rejetée ou pas séduisante. Je sais faire la part des choses, crois-moi. On arrête de penser et on oublie ça !

Il me sourit enfin, mais juste à demi.

En plein milieu de nos préliminaires torrides, il s'est ravisé d'un coup, paf! et a changé d'idée. Prenant conscience subitement de ce qui se passait, il a fixé le mur pendant quelques secondes puis il s'est laissé rouler sur le dos à mes côtés. Il m'a ensuite confié ne pas avoir fait l'amour avec d'autres filles depuis son ex-blonde, donc depuis des mois. Il ne se sent pas capable. Je le comprends tellement. À la limite, je trouve sa réaction honorable. Je le trouve intègre et vrai vis-à-vis ses sentiments.

— Et là, j'y repense et je me hais, on dirait.

— OK, on a fait le tour de la question, c'est terminé, on n'en parle plus !

Manuel réfléchit trop. Sa trame réflexive me fait souvent penser à celle d'une femme, du moins pour certains registres : anticipation de la souffrance affective, spéculation anxiogène sous forme de « mais si », rumination du passé, alouette.

C'est ce qu'il fait en ce moment, dans l'odeur du silence de cette terrasse. Une belle séance d'autoflagellation mentale. Il se matraque à grands coups de manche de pelle de culpabilité de ne pas m'avoir fait l'amour tantôt. Je ne sais pas comment lui faire comprendre que ça ne me dérange vraiment pas. Le sexe pour le sexe, ce n'est pas ma tasse de thé. Que l'on passe le reste du chemin ensemble sans avoir de relations ne me dérange pas non plus. Tant qu'à vivre des histoires périlleuses qui écorchent le cœur au final, vaut mieux s'en passer.

— Merci, Mali.

Ah, je crois bien qu'il a enfin compris.

— Bon !

C'est étrange, car Bobby m'a fait parvenir le texto suivant hier soir, comme s'il pressentait de l'autre côté de l'océan Atlantique que quelque chose se tramait :

> Je pense à toi souvent. J'espère que tout va comme tu veux. Fais bien attention à ton corps... et à ton petit cœur... XXXXX

J'ai répondu un vague et poli :

Tout va bien, merci ! Fais attention à toi aussi ! XX

Deux becs versus cinq. Aujourd'hui, j'honore mon vingt-cinquième jour de marche. Je me sens à autant de kilomètres que ceux parcourus de Bobby, comme si ça faisait plutôt des mois que je l'avais pas vu.

Sa blonde de la Côte-Nord est pouiche[52], finalement ? Sans farce, c'est vraiment la première réflexion qui m'est venue en tête en voyant son texto. Ensuite, je me suis dit : «...» Rien. Je ne me suis rien dit, parce que je n'y ai plus repensé. Je ruminais au sujet de ma foutue relation avec Bobby depuis mon départ, mais là, depuis plusieurs jours, pouf ! c'est disparu, je n'y songe même plus une miette. L'anxiété partie en voyage comme une bouteille à la mer, en retenant la culpabilité entre ses parois de verre. Bon débarras.

Hier, le sujet du 20e verset, «Vivre sans acharnement», dans mon livre sur le Tao, m'a confirmé que j'avais raison de me sentir ainsi.

«Ne vous préoccupez plus de prendre les bonnes décisions[53].» Parfait. Ça cadre bien avec mon état de je-m'en-foutisme. Est-ce que je verrai Bobby à mon retour ? Pour l'instant, je m'en fiche éperdument. Est-ce que je trouverai une idée géniale pour mon prochain roman ? Je m'en balance

---

52. «Pouiche», quelle expression fabuleuse pour décrire une blonde illégitime sur les rives du Saint-Laurent.
53. *Ibid.*, p. 159.

tout autant. Dans quelle ville irons-nous demain ? La même chanson.

C'est euphorisant de succomber à cette bulle d'indifférence. Je suis consciente qu'appliquer ce genre de principe désengagé s'avère impraticable dans la vie réelle ; on a l'hypothèque et les comptes à payer ainsi que les responsabilités à assumer. Je sais... Mais pour l'instant, je vis le moment présent à fond, et c'est particulièrement grisant. Peut-être que je dois me pratiquer à appliquer la recette ici, pour faire davantage preuve de lâcher-prise au quotidien à mon retour ? C'est ce que je souhaite de tout mon cœur.

Le chapitre de mon livre suggérait aussi d'arrêter de toujours vouloir plus, tout le temps. « Il est complètement insensé de dire que vous avez besoin de ce que vous n'avez pas présentement[54] ! » C'est vrai. Nous ne sommes jamais satisfaits. Pas beaucoup de monde dans mon entourage serait capable d'affirmer : « Je ne veux rien de plus ». En même temps, les rêves et les projets nous propulsent vers l'avant – c'est positif, ça, non ? Peut-être faut-il juste apprendre à voir le bon côté des choses et apprécier même les moments difficiles, sans espérer que l'aboutissement soit davantage garant de bonheur que le chemin pour s'y rendre ?

Comme nous sommes tous les deux absorbés par nos pensées depuis un moment, je reviens sur terre et je flatte le bras de Manuel pour qu'il fasse de même. Il me sourit.

— Tu sais quoi, Mali ? T'es un cadeau du ciel.

---

54. *Ibid.*, p. 162.

«Mon Dieu. *Porqué?*», que je songe dans ma tête, ma bouche étant trop ouverte de surprise pour que j'utilise mes cordes vocales autrement que pour articuler un «aaaaaahh», comme lorsque le docteur nous ausculte la gorge avec un bâton de Popsicle au goût rance.

— Un cadeau du ciel parce qu'avant d'arriver ici, je pensais que je pourrais jamais être avec une autre femme, me sentir bien de la toucher, de rire avec elle, de discuter comme on le fait. D'aimer une autre femme, tout simplement.

Difficile à croire, mais je songeais à la même chose aujourd'hui. C'est-à-dire que je me disais que je servais peut-être à ce niveau précis dans sa vie, en plus de nourrir l'espoir de son rêve artistique.

— Ce que l'on vit est vrai, que l'on couche ensemble ou pas. Honnêtement, peut-être que je serai jamais capable...

— C'est correct, Manuel. Et j'assume de servir à ça, de jouer ce rôle dans ta vie. J'en suis même ravie.

— En même temps, je sais que je vais être triste au moment de te quitter.

— Manu... pense pas à ça.

La serveuse, qui arrive avec nos plats de pâtes aux tomates, précipite de façon concrète ma tentative de changer de sujet. Manuel troque la langue de Shakespeare pour celle de Molière :

— Bon appétit, mon cœur.

— Bon appétit.

— On prononce «bonne»?

— Oui, à cause de la liaison entre les deux mots.

— Jé né mé souvenais pas dé la féminine.

Ce n'est pas mon assiette que j'ai le goût de dévorer tout à coup, mais bien sa face au complet. C'est vraiment trop craquant quand il parle français.

— Jé... euh... J'aime parler lé français avec toi mais c'est difficile, poule moi...

«Poule moi...» Ça y est. Je vais le manger au complet. C'est décidé.

— Pour moi. On dit «pour moi».

Timide, il poursuit :

— Tu... toi, apprendre à moi, parler beaucoup les mots...

Je m'approche de son visage pour le menacer doucement en français :

— Manuel... je vais manger ton visage si tu continues.

— Ah non, non, pas manger ma visage, manger ta assiette. Les pâtes, là.

— T'es bon en français, mon cœur !

— Oui, moi, en français, je suis très *bravo*.

— Oui !

Ça fait deux ou trois fois qu'il me balance ce «je suis *bravo*» et je ne le corrige pas. C'est juste trop mignon. Il ne faut surtout pas rectifier des trucs adorables de ce genre. Je décide de laisser son mignon minois indemne et j'attaque plutôt *ma* assiette.

Le défi spirituel, scène 15

— Notre vie, c'est n'importe quoi ! que je me désole en le regardant, mi-découragée, mi-amusée.

Il est passé 20 h et nous déambulons dans une ville à la recherche d'un endroit pour passer la nuit. Il n'y a plus un seul pèlerin sur la route, et ce, depuis longtemps. Nous nous sommes câlinés au lit jusqu'à beaucoup-trop-tard ce matin, donc nous sommes partis autour de 11 h 30. La honte. Depuis des siècles que la Compostelle accueille des pénitents, je suis certaine que nous sommes les premiers marcheurs à partir si tard. Du jamais vu.

En ce moment, c'est la galère, car tout affiche complet. Depuis quarante minutes, nous arpentons les rues une à une en croulant sous le poids de trois sacs d'épicerie. Nous trimbalons le tout sans même savoir si l'endroit que nous trouverons sera pourvu d'une cuisine commune.

En arrivant dans la ville, nous avons rencontré un couple qui tenait une auberge, malheureusement déjà complète. Pour nous aider, la femme a appelé un couple d'amis, également tenanciers, et nous a réservé une chambre par téléphone à leur établissement qui comportait une cuisine collective. Les propriétaires de l'endroit ont même offert de venir nous chercher en voiture. Enchantés, Manuel et moi avons laissé nos sacs à dos dans le portique, le temps d'aller au supermarché en face faire nos courses. À notre retour, les bras chargés de trente euros de nourriture, le couple nous a accueilli avec une mine atterrée : leurs amis avaient oublié une réservation ; ils étaient donc complets pour la nuit, finalement.

Depuis, nous avons cogné à environ dix endroits et il n'y a rien de disponible. Hormis l'heure tardive, on ne comprend vraiment pas pourquoi ; ce n'est jamais arrivé avant.

— On va dormir dehors et se faire un feu pour manger ? ironise Manuel.

Au bout de l'artère principale, je panique en apercevant les flèches jaunes qui indiquent que le *Camino* se poursuit vers la ville suivante. Juste au moment où nous croyons que tout est fichu et qu'il nous faudra dormir à la belle étoile, nous tombons sur un resto italien dont la terrasse est pleine à craquer – les marcheurs normaux étant en mode relaxation depuis belle lurette – et où un petit écriteau sur le toit de la maison annonce des chambres à louer.

Sans hésitation, Manuel aborde un serveur en italien. « Comment se reconnaissent-ils entre eux ? » Tel Roberto Benigni sur un *rush* de sucre, le jeune homme déballe rapidement, et avec moult mouvements de bras saccadés, qu'il n'y a plus rien de libre. Misère. Manuel pose ses sacs pour lui expliquer la situation peu commode dans laquelle nous nous trouvons. Un cuisinier au four à pizza chantonne quelque chose en italien, ses mains farineuses volant partout dans les airs. Manuel soupire de soulagement. Les deux compatriotes poursuivent la discussion, qui ressemble plutôt à une querelle de bas-quartier à propos des poubelles, avant que Manu me traduise :

— Ils possèdent une autre chambre ailleurs qui est destinée à de la location à plus long terme, mais ils vont nous dépanner pour cette nuit. Ils nous la louent pour vingt euros et il y a une cuisine.

«Alléluia! *Bravissima! Lazagna! Si!*»

En moins de deux, un type à fine moustache qui ressemble au *consigliere* du parrain de la mafia nous escorte. Comme il est pressé, nous lui remettons la somme due, il nous donne la clé, puis nous demande de venir la porter le lendemain matin au restaurant. Il repart en coup de vent. Manuel s'approche pour m'embrasser, visiblement rasséréné.

— On est vraiment chanceux, tous les deux, mon cœur.

— Tu dis... Pourquoi c'est complet partout tout à coup?

— Je sais pas.

Nous grimpons de peine et de misère les quatre étages nous séparant de notre objectif, soit relaxer, se laver et manger. En ouvrant la porte, je reste stoïque. Il ne s'agit pas d'une simple chambre, mais bien carrément d'un appartement. On y retrouve quatre chambres qui se verrouillent individuellement et une grande cuisine commune donnant sur un balcon dévoilant une vue impressionnante sur la ville. Éblouissant. Nous sommes seuls, les autres chambres étant vacantes. La perfection impose sa volonté.

Accompagné par les talents musicaux de City and Colour, Manuel cuisine un plat de *pasta ai gamberi*. Il a décortiqué lui-même les immenses crevettes. Voyant qu'il coupe des aubergines, je lui mentionne que je n'affectionne pas particulièrement ce légume. Il en agrippe deux rondelles sous mes yeux et me jure qu'il réussira à me les faire aimer. Défi de cuistot italien.

Pendant qu'il éclabousse la pièce de sa cuisine italienne salissante de passion, je sors sur le balcon pour griller une cigarette. La vue est renversante. Les lumières de la ville se reflètent sur une montagne noire qui se dresse au loin. Elle semble recouverte d'une pellicule gris métallique par endroits. Sous la lune presque pleine, on dirait la grande robe ébène d'une sorcière. Je souris dans le vide, la tête tout aussi vide.

Devant le fourneau, Manuel enterre la musique en imitant une ritournelle de Pavarotti sans ménager la dissonance. Je ris en me tournant vers la porte grande ouverte. Il termine sa prestation et fait mine de remercier le public en délire qui l'applaudit :

— *Grazie ! Grazie !*

Lançant du sel d'une main et arrosant d'huile d'olive de l'autre, il rayonne.

Après avoir décrassé la cuisine seule – partage des tâches oblige – je rejoins Manuel à l'extérieur. Je lui donne un baiser en le remerciant encore pour le succulent repas. Nous nous embrassons longtemps.

— Je me sens si près de toi, Mali.

— Moi aussi, Manu.

Il prend un air sérieux :

— T'as tout *fucké* ma Compostelle !

— Pfft ! C'est toi qui a *fucké* la mienne ! J'avais une belle routine que j'aimais ; je marchais toute seule, je partais tôt, j'étais bien.

— Moi, je partais à 7 h du matin, j'arrivais à destination en milieu d'après-midi et je jouais de la musique en relaxant avec mes amis. Là, on part à midi, on arrive à 21 h et on voit plus personne. Et quand on débarque enfin, il y a plus de chambres libres !

— Je te déteste !

— Mange ma mère !!

Il colle ses lèvres aux miennes avant de me tirer un peu les cheveux vers l'arrière. Il me regarde avec profondeur. Ce cher Manuel ne craint pas les échanges de regard qui percent l'âme, c'est d'ailleurs moi qui finis souvent par baisser les yeux de timidité. Il se lève et prend ma main pour m'attirer vers lui. Il m'entraîne à l'intérieur vers notre chambre. Hon. Ça ne prend pas un doctorat en sexologie avec mention honorifique pour comprendre ce qui se passe ici.

Il me culbute sur le premier lit simple que nous avons collé sur son jumeau en arrivant tantôt. Il m'embrasse avec fougue, mordille ma lèvre inférieure un instant avant de m'agripper la mâchoire sous le menton de sa main droite. Hum... Il est un peu dominant, ce Manuel. Nous nous déshabillons à l'unisson. Son regard soutient le mien avec sévérité. Je me sens toute petite. Je me laisse faire, je pense que c'est ce qu'il veut. Il se déplace un peu sur le côté pour m'observer complètement nue. Il me complimente en italien :

— *Sei bellissima, Mali... Voglio che il tempo si fermi mentre facciamo l'amore. Solo tu ed io, persi nell'universo...*

Je ne pige rien à son charabia, mais c'est si romantique que je m'en balance. Je le remercie en me jetant sur lui. Il me caresse, je le caresse en retour. Tout ça n'est pas maladroit, mais plutôt exploratoire. Vous savez, on véhicule souvent que le corps des femmes s'avère plus compliqué que celui des hommes. Je ne suis absolument pas d'accord. J'ai déjà eu un chum qui aimait les attouchements soutenus et un autre qui faisait attention à son pénis comme à un bébé moineau. Un gars qui aimait les fellations à en devenir dingue, puis un autre qui préférait s'en passer. Bref, il n'existe pas de modèle d'homme standard. Donc, les pénis seraient plus faciles à comprendre que l'appareil reproducteur féminin ? (*#NOT*).

Quelques instants plus tard, nous nous retrouvons à faire l'amour en position du missionnaire. Manuel est doux et ferme à la fois. Je le trouve très bon, voire très à mon goût, pour tout dire. Ceci dit, il s'emballe en augmentant la cadence. Un bon rythme. Je m'abandonne de plus en plus. Tout à coup, notre corps-à-corps érotique baisse de niveau. Paf! Pas au sens figuré, mais bien géographiquement : la base du lit a cédé, donc le matelas se retrouve par terre sur un côté. Manuel éclate de rire. Moi aussi.

— *Oh god...*

Il me tire vers lui pour un déplacement de couple vers le lit jumeau suivant. Le rictus aux lèvres, mais tout de même motivé à terminer ce que nous avons commencé, il poursuit. Visiblement très excité par l'inattendu, il jouit peu de temps après, en soufflant très fort au creux de mon cou avec sa bouche. Je le serre très fort pour le maintenir près de moi. Il reste blotti un instant, semblant reprendre tranquillement ses esprits. Lorsqu'il relève la tête, il éclate de rire à nouveau.

— *Fuck...*

— Ha! ha! ha!

Trop curieux de constater les dommages, il se lève pour se pencher sous le lit brisé.

— Ah, c'est juste un bout de bois qui a cédé.

Il arrange le tout avant de replacer le matelas dans sa position initiale. Manuel me rejoint dans le lit et m'embrasse avec onctuosité. Il éloigne son visage, puis il soupire :

— Mali...

— Manuel...

— Cette nuit, rêve-moi...

Que c'est beau. Je devrais appeler Cabrel sur-le-champ et lui proposer d'en faire le titre de son prochain tube. «Rêve-moi», ça non plus, on ne corrige pas. Quand Manuel parle français, il faut l'écouter avec son cœur. Son association des mots est brute, sa façon de les agencer est sentie et non stérile. Il s'exprime sans artifice et une pureté si naïve s'en dégage. J'adore.

Le défi spirituel, scène 16

— Ah non! J'aime pas du tout voir le décompte, on dirait.

— Moi non plus... Ça m'angoisse.

Aujourd'hui, nous franchirons une borne déterminante. C'est-à-dire que nous arriverons au point annonçant qu'il ne reste que cent kilomètres à parcourir pour arriver à Santiago de Compostela. La coupe Stanley des pèlerins. Le saint Graal. La terre promise. La fin. C'est curieux, plus j'approche du but, plus mes pas ralentissent. Manuel aussi. Nous marchons avec lenteur, en observant avec plus d'attention que jamais ce qui se passe autour. Nous n'abattons pas moins de kilomètres dans une journée, mais nous le faisons en plus de temps, comme si nous redoutions le fil d'arrivée. Je marche depuis vingt-huit jours, j'ai parcouru six cents kilomètres à pied, et je ne suis pas du tout soulagée de voir venir le mot de la fin. Au contraire, l'idée me terrifie. Certains pèlerins aguerris m'avaient pourtant affirmé: «Tu verras, plus tu approches, plus t'es euphorique, t'as hâte d'arriver...» Ce n'est pas du tout ce que je ressens.

114 km...

113 km...

112 km...

111 km...

Avant, il n'y avait pas ces chiffres. Pour les cent cinquante derniers kilomètres avant Santiago, de nouvelles bornes affichent chaque kilomètre parcouru et c'est déstabilisant. On nous force ainsi à anticiper, à y penser en continu.

110 km...

J'ai le goût de faire du déni et d'ignorer les bornes dans mon champ de vision. Mais bon, il faut se rendre à l'évidence, nous arriverons bien un jour. Bientôt.

— Attention! que j'avertis Manuel pour qu'il se pousse du chemin, car un groupe d'une vingtaine de cyclistes fonce droit sur nous à bride abattue.

Au même moment, une femme impatiente, le cellulaire à l'oreille, nous interpelle en anglais:

— Excusez-moi! Savez-vous si le chemin sera horrible comme ça jusqu'à Santiago??

«Horrible»? À quoi fait-elle allusion, au juste? Voyant nos visages embrouillés, elle s'explique:

— Je vais endommager ma valise à roulettes dans ce gravier! C'est une Louis Vuitton! Misère de misère! Foutu chemin de campagne!

— Le chemin est comme ça, oui, que je réponds vaguement, ne sachant trop que dire.

— Je vais appeler un taxi! nous crie-t-elle par-dessus ses lunettes Gucci, l'air de nous mépriser, comme si nous étions responsables de l'état de la chaussée.

La pauvre femme aurait dû faire un peu de recherches sur l'apôtre saint Jacques et les coquillages avant de débarquer ici en pensant tirer une valise à roulettes hors de prix sur plus de cent kilomètres...

Je comprends à présent l'homme qui mentionnait que le chemin change beaucoup vers la fin. Durant tout le trajet, on passait des journées entières sans croiser un seul marcheur, tandis qu'à présent, c'est devenu impossible. On se bouscule au portillon. Toutes sortes de gens affluent. C'est étonnant. Pour obtenir le certificat officiel du pèlerinage à Santiago, les pèlerins doivent effectuer un minimum de cent kilomètres de marche. Pour le commun des mortels qui dispose de peu de jours de vacances, il s'avère logique de débuter à la fin du parcours. Nous les voyons tous débarquer, frais et dispos, avec leurs habits neufs et leurs souliers immaculés. À côté d'eux, nous ressemblons à des itinérants en lambeaux, à des éclopés rescapés de l'après-guerre. Une différence frappante. Nous vagabondons à des années-lumière de leur réalité de monsieur et madame Net. Ils sentent bon, imaginez-vous !

De plus, tout coûte plus cher et nous avons de la difficulté à trouver un toit. C'est toujours complet. C'est un peu frustrant, pour tout dire. Nous épousons le chemin depuis presque un mois, et là, nous nous sentons de trop. Comme si tout avait changé. Comme si ce n'était plus du tout le même pèlerinage. Les marcheurs qui viennent de se joindre à l'aventure passent ici leurs vacances d'été, ils ont donc tout planifié en plus de réserver les hôtels – c'est pour cette raison que les pèlerins bohèmes comme nous se partagent les restes et paient plus cher. « L'important sur la Compostelle est d'ouvrir son cœur aux gens sans jugement, peu importe la façon dont ils ont décidé de faire le chemin. Il n'y a pas de "bonne" façon de le marcher. Tu verras, plus on approche de la fin, plus TOUT change. » Je comprends à présent davantage le message de cet homme. Tout le monde a le droit de faire le chemin, et ce, comme il l'entend. Il ne faut pas juger la réalité de chacun.

On rencontre aussi énormément de groupes scolaires. Des ados qui crient, chantent et envahissent les terrasses et les auberges, mais ils ont le droit eux aussi de vivre cette expérience, même si cela dérange notre quiétude, jadis si paisible. Le type m'avait aussi dit : « Il faut apprendre à recréer soi-même ce que le chemin nous a appris... » Recréer quoi, au juste ? Il y a du monde partout.

Ceci dit, hier, nous avons justement croisé un groupe de trente jeunes qui marchaient en scandant des slogans espagnols accompagnés de trompettes de plastique. En entendant tout ce vacarme, j'ai failli faire une crise de cœur. Sur la Compostelle, nous entendons des oiseaux qui chantonnent pour nous dire bonjour au passage, pas une trame de fond tapageuse du Carnaval de Québec. Manquait juste le bonhomme.

Je tente depuis plusieurs kilomètres d'ouvrir mon cœur et d'accepter la situation sans émotion négative. Les marcheurs qui, comme nous, ont traversé tout le nord de l'Espagne ont tendance à s'approprier le chemin : « J'ai fait le trajet depuis le début, donc tassez-vous tout le monde et laissez-moi terminer mon périple en beauté ! » Mais ça ne fonctionne pas comme ça. La zénitude et le calme ne sont plus fournis gracieusement par le chemin. Ce doit être ça, le défi. Nous devons recréer l'état d'esprit en question à l'intérieur de nous. Apprendre à porter le chemin dans notre cœur à défaut de se laisser porter par lui.

109 km...

En revanche, plus il y a de monde, plus on se sent seul. Je suis chanceuse d'être avec Manuel. J'aurais certainement trouvé encore plus éprouvant ce changement draconien d'énergie. Tous les visages sont inconnus, nous ne reconnaissons plus un foutu chat. Nous avançons tous les deux, seuls au monde, main dans la main.

108 km...

Comme nous rejoignons peu à peu un groupe scolaire qui avance en bataillon, nous les entendons chanter fort tous en chœur. Manuel chiale, découragé :

— *Holy shit...*

J'essaie de lui communiquer mon cheminement intérieur.

— Pour terminer en beauté, on devrait faire le pacte de plus chialer contre les gens, de leur sourire, de les accueillir.

— Oui, mais ça me fait suer, leur « pollution », dit-il en faisant référence au bruit excessif que font les groupes et aux déchets qui encrassent le parcours.

Comme les poubelles débordent, les gens jettent leurs détritus n'importe où. Nous nous désolons de constater l'état lamentable de notre beau chemin. Vous voyez, j'ai dit *notre* chemin, sans réfléchir.

— Le chemin ne nous appartient pas, même si tout notre être s'y est identifié depuis un mois.

— C'est difficile.

— Je sais, mon cœur.

107 km...

106 km...

105 km...

À cette borne, nous décidons d'effectuer une pause pour casser la croûte et boire un rafraîchissement. Manuel me partage alors l'idée du siècle :

— On reste ici. On ne bouge plus. Et ensuite, on marche un kilomètre par jour pendant 105 jours.

— Hon! oui! que je m'émoustille, chatouillée par une envie viscérale de concrétiser son projet.

Nous pianotons un peu sur notre portable respectif. Manuel m'annonce :

— Les gars sont arrivés hier... Logan, Geoffroy, Rob et les Italiens.

— Ah oui? dis-je, troublée, en examinant leur photo de groupe devant la fameuse cathédrale de Santiago.

La photo. La fin. Leur fin. J'envisage la mienne avec nostalgie. Je veux discuter de quelque chose de délicat avec Manuel depuis quelques jours. Je crois que c'est le bon moment.

— Je pense que nous devrions marcher la dernière journée séparément. Nous sommes venus ici tous les deux avec un but précis, des blessures à guérir, des choses à laisser derrière... il me semble que ce serait profitable que l'on vive cette arrivée chacun de notre côté.

Manuel ne bronche pas. Je tente d'analyser son sentiment. Il a l'air ni surpris ni déçu, ni... À vrai dire, il me dévisage sans mot dire. Il se lève de sa chaise et vient se placer en petit bonhomme près de la mienne. Il me détaille un instant avant de prendre mon visage à deux mains :

— *I love you*, Mali Allison..., murmure-t-il en se redressant un peu pour m'embrasser. Je pensais la même chose, exactement la même chose, mon cœur.

— Donc, t'es d'accord ?

— Absolument. T'es mon miracle astral.

Je cherche dans ses yeux à mesurer l'ampleur de sa déclaration. Il sourit en secouant la tête. Un homme d'une trentaine d'années, assis à une table près de nous avec son compagnon, nous interpelle alors :

— *Hello !*

— *Hello !* que je rétorque avec le regret de devoir mettre fin à ce moment tendre.

Selon leur accent et leurs habits de sport d'une pureté vierge, ces deux Espagnols viennent tout juste de débarquer sur le chemin. J'en mettrais ma *mano* dans le *fuego*. L'un d'eux nous demande depuis combien de temps nous marchons. Manuel répond avec fierté.

— Plus d'un mois.

— D'où venez-vous ? demande le deuxième.

— Italie et, elle, Canada.

— Canada, incroyable ! s'exclame celui de gauche, qui a l'air le plus dingo des deux avec ses vêtements fluo dernier cri. Quel pays incroyable ! Le surf, les kangourous, wow !

Son ami intervient :

— Non, non, ça, c'est l'Australie. Le Canada, c'est en haut des États-Unis...

— Ah oui ! Je me trompe, désolé. C'est vous qui venez d'élire un président super jeune !? Justin Bieber ! Il fume de la mari, il paraît... Ha ! ha ! ha !

Manuel me lorgne, à la recherche d'explications, sa compréhension ayant fui cent lieux sous les mers.

— Il parle de Justin Trudeau, notre nouveau premier ministre.

Le copain du fluo-mêlé-comme-un-jeu-de-cartes, poursuit :

— J'ai aussi entendu parler de la mort du fameux René Angel, le mari de Céline Dion. C'est si triste...

« *Angel*, vraiment ? » Manuel a l'air incrédule comme saint Thomas face à tant d'inepties. Dire que même mon Italien trouve le discours de notre interlocuteur incohérent, et il ne connaît rien à notre culture.

— Est-ce que c'est vrai que Céline Dion aurait eu une aventure avec Donald Trump, le candidat démocrate aux élections américaines...

— Le candidat républicain, le corrige Manuel.

— Non, je pense vraiment pas que ce soit vrai..., que je termine, sans même avoir le courage de sérieusement songer à la probabilité de ce gros n'importe quoi en vrac.

J'adopte un silence de religieuse. Céline avec l'autre moumoute à Trump. Voulez-vous bien me dire, où ont-ils déniché ce potin dément? Sûrement pas sur CNN World News. Pauvre Sir Angélil qui doit venir de se lever carré dans sa tombe. Le délire est d'une si grave ampleur qu'il ne vaut même pas la peine de tenter une manœuvre éducative. On part de trop loin ici. Je souris comme une sotte à la place. Les gars se lèvent.

— Bon bien, bonne route! Nous, on commence aujourd'hui! Bye!

— Bye...

Manuel se rapproche de moi après leur départ.

— Il y a beaucoup de gens bizarres sur ce chemin, mon cœur. Il faut être prudent, m'indique Manuel en fixant le vide.

— Oui, beaucoup. Reste près de moi, s'il te plaît.

101 km...

— Et voilà les derniers mètres avant la borne cent.

— ...

Nous effectuons ces enjambées significatives sans dire un mot. Des cyclistes passent à vive allure près de nous sans que je m'en rende trop compte. Une grande bulle translucide nous enveloppe. Ce moment nous appartient. Je me concentre sur le bruit de mes espadrilles sur le gravier, sur les oiseaux qui bavardent en se berçant aux branches. Je me tourne vers Manuel qui me reçoit avec des yeux émus. Je crois que cette corrélation émotionnelle, que nous partageons depuis le début, cimente notre relation quasi fusionnelle.

Ses pieds vont mieux, vraiment mieux. Il peut désormais se concentrer à vivre davantage le moment présent plutôt que de gérer sa souffrance. Je suis ravie pour lui. Il aura donc vécu les trois défis de la Compostelle en simultané. Pour ma part, je n'ai plus aucune douleur, à part celle à l'âme. La perspective de devoir quitter ce chemin un jour m'anéantit. Celle de ne plus jamais revoir Manuel m'attriste tout autant. Il ne faut pas que j'y pense. «Vis le moment présent et suis les flèches jaunes, Mali.»

Tout en haut d'un petit vallon, le chemin devient plat et rectiligne. Nous apercevons la borne à quelques centaines de mètres devant nous. Manuel s'immobilise, je fais de même. Mon sentiment méditatif se transforme en anxiété fébrile.

Manuel prend en charge mon âme réfractaire en s'emparant de ma main. Une toute petite main dans la sienne. Il me sourit avant d'emboîter le pas. À proximité de la borne, nous avalons notre langue et nous fixons le point de repère rocheux, haut d'environ un mètre et couvert de graffitis. Le nombre cent est inscrit en haut d'une flèche de peinture jaune un peu défraîchie dans laquelle on reconnaît des lettres. Santiago. La sortie du *Camino* se trouve par là.

Assaillis par une émotion poignante, mes yeux s'emplissent de larmes. Manuel s'éloigne un peu tandis que je m'approche de la borne. Je pose ma main dessus comme on le ferait sur la pierre tombale d'un vieil ami décédé depuis l'an pèbre.

« La fin doit être mon ami et non mon ennemi. »

Depuis mon départ du Québec, il y a près d'un mois et des poussières, j'ai souffert, j'ai marché, j'ai pleurniché, je n'ai pas compris ce que je faisais ici. J'ai pris le loup par les oreilles, le taureau par les cornes, le serpent par la queue, et j'ai avancé. J'ai rencontré des gens incroyables, vu des paysages à couper le souffle, puis j'ai continué à cheminer. Je me suis sentie aussi seule qu'accompagnée, appuyée. J'ai vagabondé en psychotant la tête ailleurs, en ruminant, en rêvant, puis finalement en ne pensant plus à rien. Plus j'avançais, plus je réussissais à contrôler mon esprit, mon mental. Les contacts avec mes proches ont diminué ; j'en ressentais moins le besoin. J'ai aussi cessé de me tracasser pour mon idée de roman. J'ai poursuivi ma route. Je me suis montrée reconnaissante envers l'Univers et j'ai porté un regard différent sur ma vie. Au départ, je me suis jugée, à m'en défaire l'âme en morceaux sur le gravier, puis, j'ai accepté, je me suis pardonnée et j'ai compris des choses.

Toutes ces étapes ne furent pas homogènes ni linéaires ; des substitutions pêle-mêle tournicotées autour d'une vigne avide d'évolution. Mon cépage spirituel. Il n'y a pas eu d'ordre, ni de désordre non plus. Juste de l'eau qui coulait. La seule et unique certitude qui m'habite à présent est que, depuis trente jours, je suis les flèches jaunes sans jamais me demander où je vais. Je me suis abandonnée à ces flèches. Elles ne fournissent pas d'options. Le chemin s'est chargé de m'indiquer où j'allais. Il existe un seul *Camino*. La route s'offre à nous et, ensuite, nous avons le choix quant à notre façon d'avancer dessus. C'est tout.

Cette borne me rentre en plein cœur. Le verre déborde. Des larmes coulent sur mes joues. J'ai marché six cents kilomètres Je suis rendue ici. Où ça ? Juste ici.

Mon état émotif est paradoxal, mais je désire tout de même figer ce moment. Je veux prélever cet espace-temps et le cristalliser en pixels pour m'en souvenir à tout jamais. Il n'est pas question d'immortaliser une fierté, ici. Je ne suis pas là-dedans. Je veux juste me souvenir. Saisir l'insaisissable.

Je me penche vers la borne, les yeux un peu gonflés, mais le bonheur à l'âme. Je prends un *selfie* tel quel, le front appuyé sur cette pierre annonçant que mon périple achève.

En me relevant, je rejoins Manu, qui s'est assis en tailleur sur le gravier. Des gens surgissent alors. Ils prennent une diligente photo, tout pouce en l'air, et ils repartent en quatrième vitesse. Je me rappelle qu'il ne faut pas les juger. Nous restons là plusieurs minutes, assis devant la borne. J'émiette des feuilles mortes qui jonchent le sol. Des graines, sans but, qui s'envolent. Manuel se lève et il me tire par le bras.

— Ça nous prend tout de même cette photo.

Il a raison. Nous prenons alors quelques clichés ensemble devant le menhir miniature autour duquel de nombreuses personnes ont choisi d'abandonner leur pierre, forts du sentiment d'affranchissement que procure symboliquement cette borne. Voilà. Repartons maintenant. Il le faut. Je tâte le côté de mon sac pour repérer ma pierre d'insécurité afin de me remémorer ce qu'elle représente. La laisser ici ? Je ne suis pas prête. La toucher me rassure.

Tout à coup, un marcheur qui arrive attire mon attention. C'est Miguel, le personnage envahissant envers qui je m'étais montrée si peu clémente. Je ne l'avais jamais revu. Il avance d'un pas lent, voire lâche, habité par une énergie à l'opposé de l'exaltation qu'il dégageait le jour où j'ai marché avec lui. J'adresse un signe de tête à Manuel, lui indiquant de poursuivre la route sans moi. En bonne âme sœur, il comprend sans plus d'explications, puis il m'embrasse sur la tempe avant de tourner les talons. Je me rassois au sol. Ouverte, cette fois.

Miguel chancelle vers la borne, trahi par son hésitation. Son émotion me chamboule. Il pleure en posant sa main à plat dessus. Il y reste un petit moment avant de venir tout naturellement s'asseoir près de moi, ayant eu écho de la disponibilité d'une comparse à travers la brise douce qui souffle.

— Je m'étourdis. Je m'étourdis pour ne rien ressentir. Ma femme a raison, c'est ce que je fais.

Son besoin de confession évident ouvre toutes grandes les pétales de mon cœur, qui réagit en me plongeant dans un mutisme aussi sain pour lui que pour moi.

— Mon fils unique est mort du cancer il y a un an et douze jours. Il avait onze ans. Sur le coup, aux funérailles, j'ai pleuré. Beaucoup. Ensuite, j'ai cherché un coupable : les médecins, l'hôpital, la société. Je concentrais mes énergies à orchestrer des poursuites judiciaires contre le système de santé pour me maintenir en vie. J'avais l'impression que, de cette façon, j'honorais sa mémoire. Pendant ce temps, ma femme pleurait, seule dans notre chambre. Je la réprimandais en lui disant : « Ça ne sert à rien de pleurer, il faut agir, faire payer les coupables et tu ne m'aides pas!» J'étais si en colère. Il y a quelques mois, elle m'a avoué ne plus pouvoir vivre dans la rancune, qu'elle avait besoin de vivre ce deuil avec moi, de pleurer avec moi. Je l'ai envoyé paître et elle est partie en me disant de revenir la voir quand je serais prêt à vivre mon deuil. Elle me disait que j'étais perdu. Mais c'était mon seul enfant...

Il marque une pause pour fondre en larmes. Sous mes verres fumés, mes yeux s'émeuvent.

— J'ai toujours été sportif: le vélo et la course, surtout. En désespoir de cause, je suis venu ici. Je me suis étourdi à faire comme si de rien n'était, à ne pas y penser, à parler plus fort que tout le monde. Je n'ai même jamais révélé à personne ici que mon fils était décédé; comme si ça n'existait pas. Ensuite, j'ai rencontré un jeune homme sur le chemin, Philippe. Marcher avec lui m'a renversé, comme si tout revenait à la surface. Ce petit Philippe avait presque le même âge que mon fils au moment de sa mort...

«Cher petit Philippe, diamant brut de la Compostelle.»

— Ma femme avait tellement raison, je me suis perdu quelque part entre la colère et la non-acceptation. Le résultat de tout ça est que je suis en train de la perdre. Elle est pourtant tout ce qu'il me reste...

— Miguel... tu dois terminer ce chemin et aller la retrouver.

Il sourit.

— C'est bien ce que je compte faire... Il me reste ces cent kilomètres.

Il se lève. Moi aussi. Je lui demande:

— On marche ensemble ?

— Avec plaisir.

Un kilomètre plus loin, j'entends une guitare. Mon cœur m'attend en faisant une petite pause musicale.

— Manuel, je te présente Miguel.

— Enchanté, Miguel. Est-ce que t'aurais une demande spéciale ?

— Oui, *A Sky Full of Stars*, de Coldplay. Mon fils écoutait cette chanson en boucle durant ses traitements de chimio juste avant de mourir. Mon fils est mort.

Il a semblé prononcer ces mots comme pour la première fois. Je pose ma main dans le dos de Miguel. Je souris au ciel pour le remercier de me permettre ainsi de blanchir mon âme face à ma première rencontre désastreuse avec cet homme. On ne sait jamais ce que les gens portent dans leur sac... Je me pardonne.

« Merci, Miguel... »

Le défi spirituel, scène 17

Nous soupons au resto de l'hôtel, que nous avons trouvé après avoir frappé à la porte de dix-sept endroits tout en gardant le sourire.

Ce soir, nous avons fait un autre pacte : il est interdit d'évoquer la dernière journée de marche de demain. Elle n'existe pas. C'est ardu de maintenir le cap sur notre objectif de non-nostalgie. Le serveur, qui libère la table de nos assiettes vides, nous enveloppe d'un regard chaleureux, comme s'il devinait les raisons de la mélancolie silencieuse régnant au sein de notre duo.

Manuel sort son stylo-feutre de son sac en bandoulière. Il tourne le napperon de papier devant lui et commence à griffonner un personnage masculin dans le coin gauche. Artiste aux multiples talents, il dessine comme Dalí par-dessus le marché. Son personnage, de dos, envoie la main à un petit avion dans le ciel. Une fois son esquisse terminée, il me tend le crayon. Sans trop réfléchir, j'ajoute alors des flèches, l'une partant de l'avion et l'autre du personnage au sol, puis je pose la plume. Manuel la reprend puis il intercale une nouvelle flèche au bout des deux miennes, comme pour tracer l'amorce d'un chemin.

«La direction respective que nous devrons prendre dans quelques jours; des chemins différents.»

À mon tour, j'appose une flèche supplémentaire, mais qui commence à tendre vers le centre, comme si leurs routes allaient se croiser. Tout ce manège se déroule dans une omerta exempte de contact visuel. En modifiant la trajectoire que j'ai donnée aux flèches du départ, nous continuons à en dessiner d'autres et, naturellement, nos routes se recroisent en fin de napperon. Manuel inscrit alors un point d'interrogation à la conjoncture de nos deux routes fictives. Il trace des notes de musique, puis un livre dont le titre est: *Notre premier au revoir...* Je termine notre récit graphique en ajoutant un deuxième point d'interrogation près du sien, et un cœur tout en haut du dessin. Fin. Nous observons le napperon un bon moment. Tout est dit. Pas besoin d'en rajouter. Tout sucre tout miel, il prend ma main.

— *I love you.*

— *I love you, too.*

En grand dramaturge-romantique-italien, il attrape le napperon et l'allume avec son briquet. Je suis bien d'accord. Notre fiction appartient à l'Univers. Juste avant que le feu ne lui brûle les doigts, Manuel laisse s'échapper la feuille qui flotte jusqu'au trottoir. Nous examinons le papier se consumer. Notre histoire grimpe en volutes de fumée vers le ciel. Allons-nous nous revoir un jour? Étions-nous simplement de passage dans la vie de l'un et de l'autre? Une chose est certaine, nous acceptons toutes les possibilités, non pas sans émotion, mais confiants que ce sera pour le mieux.

Sur le pavé, le tas de poussière embrasé meurt en silence. Des particules aériennes de cendre de papier se soulèvent de terre. Je remarque alors qu'une petite partie du napperon n'a pas brûlé. Manuel, qui remarque la même chose que moi, étend la cendre du bout de son pied. Mais qu'est-ce qui n'a pas brûlé dans notre destinée? Il ramasse quelque chose entre ses doigts et le pose devant lui sur la table. Je fixe le bout de papier, la bouche un peu entrouverte. Ses grands yeux bruns italiens plongent à cent lieues dans les miens. Je détourne mon regard et j'enligne le bout de papier avec émotion.

Le tout petit livre que Manuel a dessiné n'a pas brûlé. Il est intact. Au complet.

Notre premier au revoir...

Le défi spirituel, scène 18

Notre chambre-double-sans-salle-de-bain est remplie de déni ce matin. Pleine à ras bord. Ça déborde même par la craque sous la porte jusque dans le corridor. Manuel s'enfarge dedans en bouclant son sac dans un silence de fossoyeur tandis que je bourre le mien avec, question de faire un peu de place. À cette quantité de déni s'ajoute une fébrilité angoissante face à notre dernière journée de marche ainsi qu'une excitation occulte d'arriver enfin à la mystique cathédrale de Santiago de Compostela. Un mélange hétérogène de sentiments qui voltigent en se frappant contre les murs telle une volée de papillons assoiffés de liberté mais pris au piège. Par réflexe, j'ouvre une fenêtre pour leur donner une chance de s'enfuir.

Nous ne marcherons pas ensemble, comme convenu. Il ne reste que dix-neuf kilomètres. Dix-neuf minuscules kilomètres. Je souhaiterais qu'il en reste encore trois cent cinquante.

Nous mangeons nos rôties du bout des lèvres, sans bruit. La confiture de fraises goûte un peu salé. Des regards doux s'échangent. Peu de mots se disent. Nous avons convenu d'une stratégie ; je partirai en premier pendant que Manuel s'enfilera un autre double expresso – avec juste un peu de lait froid, mais pas de sucre. De cette façon, nous ne nous croiserons pas sur le chemin. C'est le but de l'exercice, arriver chacun de notre côté à Santiago pour vivre notre moment, puis se retrouver ensuite pour le partager.

Après un long baiser entrecoupé de «bonne journée» et de «je m'ennuie déjà de toi», je me sauve en même temps que le serveur arrive avec son second café. Après un ultime regard par-dessus mon épaule, mes pieds réintègrent leur erre d'aller. Je tourne dans une rue que nous avons arpentée pour trouver un hôtel la veille. À ma connaissance, le chemin se trouvait dans cette direction.

Tourbillonnant dans un flux de pensées agitées, je songe : « C'est aujourd'hui que je termine cette aventure. Ma mission du jour est de laisser mes peurs et insécurités – ma pierre mi-quartz, mi-ciment – derrière moi. Je dois encastrer dans mon âme le lâcher-prise et la désinvolture que j'ai acquis ici. Je dois abandonner quelque chose ici et rapporter une montagne de souvenirs et d'expériences à la maison. »

Où sont mes flèches jaunes ? Comme j'aboutis près d'une autoroute, je commence à douter d'être à la bonne place. Je questionne une femme sur le trottoir. Elle n'a aucune idée de l'emplacement du *Camino*. Elle semble même ignorer de quoi je parle. Bon. Je m'informe auprès d'un homme plus loin qui ne sait pas non plus. Voyons ? En désespoir de cause, un autre passant pris de pitié me désigne l'autre bout de la ville de la main. Merde, je ne suis pas du tout au bon endroit. Je visualise une façon pratique de rejoindre la zone citadine qu'il m'a pointée. Je ne trouvais pas ça assez, dix-neuf kilomètres... eh bien, me voilà servie. J'en marcherai vingt-cinq, au bout du compte.

Quelque vingt minutes plus tard, je bifurque dans une ruelle qui, selon les dires d'un ultime gentil citoyen, se trouve perpendiculaire au *Camino*. À ma gauche se déploie une écurie où des chevaux broutent en paix un tapis bien vert. Au bout, le chemin. J'aperçois enfin une première flèche jaune. Je tourne tout juste le coin de la rue que j'entends :

— *What the fuck???*

Hon. C'est comme une farce. Manuel arrive – par le bon chemin, quant à lui. Comme j'ai fait un détour non désiré, il m'a rejointe.

— DÉGAGE DE MON CHEMIN!! SORS DE MA VIE! crie-t-il.

Je ris.

— Meuh... TOI, va-t'en de ma vie!

En passant près de moi, il me colle une petite claque sur une fesse en me disant :

— Là, c'est toi qui attends ici!

Puis il s'éloigne sans se retourner.

— BYE, pareil! que je le salue.

Je vais le laisser prendre un peu d'avance. Je m'assois au sol en bordure du chemin et je sors la pierre de mon sac. Je la fixe un long moment, dans le creux de ma main, puis je prends mon livre de notes.

La pierre que je laisserai à Santiago contient mes angoisses, mes peurs et mes incertitudes. Une fois le trajet complété, je n'en aurai plus besoin. En l'abandonnant là-bas, j'abandonnerai aussi tout ce bagage.

Je ferme les yeux pour méditer. En contrôlant ma respiration, je m'imagine souffler sur la pierre toutes lesdites angoisses, peurs et incertitudes. Je libère ce nœud émotif intérieur en l'intégrant fictivement à la pierre qui garde le tout captif. Je visualise ensuite mon intérieur lumineux et rempli d'une énergie blanche vibrante.

Reprenant contact avec la réalité après quinze minutes, je me lève, replace ma pierre dans la poche latérale de mon sac et je reprends la route. Le sentier s'enfonce dès le départ dans un sous-bois plutôt sombre. C'est magique – comme si le chemin me donnait avec exactitude ce dont j'ai besoin en ce moment, c'est-à-dire paix et solitude. Je ne vois personne ni derrière ni devant. Tandis que je m'y perds, je remarque qu'une sorte de feuillu s'avère de plus en plus présente. « Qu'est-ce que c'est ? Des eucalyptus ? » Je prends une pause pour observer ces géants, que je n'ai jamais vus de ma vie. La première couche de leur tronc semble se dérouler. Les grandes liasses de matière vert pâle s'étant détachées, elles pendent maintenant dans tous les sens en s'emmêlant aux branches voisines, créant ainsi un beau chaos dans la forêt. On dirait qu'ils muent. Est-ce leur façon de se régénérer ? Ceci dit, l'image me parle beaucoup. Le gros qui se dresse devant moi m'appelle. J'enroule mes bras autour. *Tree hugging.* Eh oui.

Comme s'il m'avait révélé son secret à l'oreille, je poursuis ma route en décidant de les imiter en visualisation. Je progresse donc en imaginant que je me libère des couches inutiles de matière qui m'encombrent. J'exécute même de grands signes avec les bras pour les détacher de mon corps. Bon, ici, vous pensez sûrement : « Ouin... l'*écrivine* de ce roman est franchement troublée » ou encore : « *My god*, on dirait une secte, son affaire ». Simple transe de fin de parcours.

Je marche en m'enlevant des pelures de cette façon pendant près d'une heure. Je me sens libre, légère, aérienne. Je laisse tout ce superflu derrière, sans me retourner. Je me fais ce cadeau d'alléger ma vie, mes pensées, de suivre le cours des choses sans lutter, comme l'eau, de fléchir comme le palmier sait si bien le faire. Arrêter de vouloir tout contrôler pour me rassurer. Faire confiance. Croire.

Je croise une corbeille en métal sur laquelle quelqu'un a transcrit un couplet de la chanson *Imagine* de John Lennon.

Imagine there's no countries

It isn't hard to do

Nothing to kill or die for

No religion too

Imagine all the people

Living life in peace...

Juste en dessous, dans une écriture différente et noir foncé, je distingue :

Imagine that I love you, Mali Allison...

Hein ? Je relis en souriant aux arbres. Pas de doute. Ce romantique Manuel me courtise via une poubelle. Il connaît bien mes habitudes de lire tous les messages sur le chemin, donc il se doutait que je prêterais attention à cette bribe de chanson. Sacré Manu. Il n'en rate pas une.

Le défi spirituel, scène 19

Huit kilomètres. J'aperçois à présent la ville au loin et, en toute honnêteté, je ne me sens pas aussi renversée que je le présageais. La balade dans les bois me plaisait davantage que le décor environnant actuel, composé d'avenues bituminées banlieusardes et d'autobus bondés de touristes qui zigzaguent dans tous les sens. Le portrait détonne. Je préférais l'ambiance magique ayant donné lieu à ma séance de déplumage[55] d'écorces anxieuses avec mes copains eucalyptus...

Hum... À la place de vivre le moment, je le mesure à mes attentes. Je suis revenue dans mon mental depuis que je me sens en ville. Il faut sortir de là. Je secoue la tête.

Je découvre de plus en plus de souliers abandonnés. Accrochés aux fils électriques, aux arbres, ou simplement orphelins en bordure de la route. C'est une tradition de déserter ses précieux souliers sur le chemin en fin de parcours. Je le ferai aussi, mais pas tout de suite. Ceux dont les souliers se retrouvent ici marchent la dernière heure nu-bas? Seigneur, voilà une finale assez partisane, merci.

En discernant l'étendue grise de la civilisation tantôt, j'en ai déduit qu'il faudrait parcourir un bon bout en pleine ville. J'y entre justement. Les flèches jaunes qui ornent les murs sont maintenant accompagnées de coquillages de bronze, encastrés dans le trottoir à tous les dix mètres. On débarque sans

---

55. Pourquoi Word souligne-t-il ce mot comme étant une faute? Je l'ai fait, donc ça existe! ;)

l'ombre d'un doute dans le sanctuaire sacré de ce cher apôtre saint Jacques.

J'évite de me faire renverser par une voiture en traversant une grande artère au même moment qu'un groupe de trente jeunes Espagnols avec de grands drapeaux tourne aussi sur l'avenue transversale où je me trouve. Un groupe scolaire? Un camp d'été? Aucune idée. Ils scandent une chanson qui semble issue d'un quelconque terroir musical classico-religieux-espagnol. Ils se rassemblent en régiment derrière, tout près, dans mon dos. La vague d'énergie du troupeau me percute de plein fouet. À l'inverse de mes expériences précédentes, j'apprécie l'effet au lieu de me sentir importunée.

Je me sens tout à coup impliquée dans une démarche universelle. Au fond, peu importe qu'on ait marché vingt kilomètres avec un groupe organisé, cent avec une valise à roulettes hors de prix ou sept cents avec des vêtements sales, l'objectif final demeure le même pour tous. Fouler le sol de cette cathédrale constitue un événement en soi. Que ce soit seule, avec Manuel, Bethany ou avec ces jeunes que je ne connais même pas, nous partageons tous les mêmes attentes: nous sommes venus y chercher *quelque chose*, et nous y laisserons un autre *quelque chose*. J'aperçois la cime du clocher de ladite cathédrale qui s'élance vers le ciel au milieu des bâtiments du centre-ville. Des larmes me montent aux yeux.

J'arrive.

Avec eux, sans eux, c'est sans importance, j'arrive.

Je ralentis le pas.

Les marcheurs animés de l'escouade sur le trottoir me contournent, certains en m'accrochant, d'autres en me saluant, la plupart en m'ignorant. Le trottoir classique cède maintenant la place à une allée de grosses dalles de pierres qui monte un peu. Il n'y a plus de voitures. Secteur piétonnier. J'approche. Selon toute vraisemblance, j'arriverai par-derrière la cathédrale.

Elle est là, tout près.

C'est maintenant.

Je respire un bon coup.

Une femme au grand chapeau beige retenu sous le menton par un foulard de soie me sourit plus que ne le requiert son rôle d'étrangère ; son âme semble comprendre que j'arrive d'un long voyage. Les yeux toujours pleins d'eau, je lui adresse un signe de tête affirmatif. Une larme roule sur ma joue. Elle la voit et sourit encore plus. Je lève la tête au maximum vers le clocher dont je distingue maintenant l'arrière, de très près. Un homme qui fume un cigare assis sur le rebord d'une fontaine hoche la tête à mon intention. Seigneur, ça me touche beaucoup, ces gens qui semblent me dire : «Tu y es Mali, bravo !» Une seconde larme se creuse un sillon sur ma joue. Je distingue une arche de pierres et quelques marches que je dois emprunter avant d'arriver à destination. Contre mauvaise fortune bon cœur, je pose un pied sur la première marche. Au même moment, un musicien que je n'avais pas remarqué débute un air de cornemuse. Je descends sans me presser les escaliers de pierre avec une mélopée écossaise pour trame de fond. Cela donne un caractère tout à fait solennel à ma progression vers le lieu saint. Je pleure à chaudes larmes en passant devant l'interprète, qui ne remarque même pas ma présence. S'il savait à quel point il vient de changer l'ambiance de mon arrivée. Chaque pèlerin qui termine ce périple devrait être accueilli par les plaintes mélodieuses de cet instrument.

En mettant un pied dans la grande place publique entourée de bâtiments culturels aux larges épaules, j'avance tout droit en évitant de regarder la cathédrale. Pas tout de suite.

Il y a foule.

Des groupes, des drapeaux, des enfants qui courent. C'est la danse des bâtons à autoportrait. Je n'aperçois pas beaucoup de marcheurs de ma tribu, par contre. La cathédrale reste très populaire en soi, même pour le touriste commun n'ayant pas marché un seul kilomètre. Il faut se cramponner à l'intérieur de sa bulle pour vivre ce moment à sa juste valeur.

J'y arrive.

Rendue presque au milieu de la place publique, je me tourne, en bonne gastronome se réservant le caviar pour la fin.

Elle est là, devant moi.

La fin du chemin de Compostelle.

Immense chose.

Je reconnais alors, parmi la foule attroupée, Philippe pas très loin de son père. Il me lève un pouce vers le ciel sans toutefois venir me voir ; il comprend que je viens tout juste de franchir le fil d'arrivée. Sage petit pèlerin qui me laisse vivre ce moment. Il sait très bien ce que l'on recherche, rendu ici. Le recueillement, l'âme en silence.

En pleurant et sans trop réfléchir, je laisse tomber mon sac tel un ballot de plomb et je me laisse moi-même choir au sol. J'enlève un à un mes souliers, avec lenteur, dans un rituel hermétique qui n'appartient qu'à moi. Au moment où je les pose tout près, je reçois un baiser sur la tête. Hein? Je lève les yeux.

Manuel.

Il me sourit sans rien dire, puis il s'éloigne. Évidemment, il fallait arriver ici en même temps... Il a dû prendre une pause en route, puis je l'ai dépassé sans le voir. À l'opposé de la grande place, je le regarde lever les bras au ciel en vainqueur avant de s'asseoir par terre, lui aussi. Je reviens dans mes pensées. Je sors ma pierre, que je place entre mes deux souliers. Je laisserai ces trois éléments derrière. Ici.

La vie après la dernière flèche jaune, scène 1

Après plus d'une heure trente à réfléchir à s'en fendre le crâne en quartiers, mes yeux courent vers Manuel qui gratouille une chanson sur sa petite guitare. À cause de la distance, je n'entends pas ce qu'il joue. Peut-être est-ce le temps que je le rejoigne? Je ne veux pas le brusquer, mais je commence à avoir mal aux fesses, à force de méditer mon arrivée sur ce pavé de pierre. Je prends quelques photos, dont une très belle, de lui au loin. Il l'aimera, j'en suis certaine.

Je l'épie encore un moment en catimini. Il est si beau. Je le trouvais déjà attirant lorsque je l'ai vu pour la première fois, mais là, en considérant tout ce que nous avons traversé, il s'avère assurément le plus bel homme de la terre entière. Je me sens si près de lui, si connectée, comme si on se connaissait depuis des siècles. Avec lui, je ne me soucie même pas de quoi j'ai l'air. Pas d'anxiété, de questionnements ou de triple salto arrière pour tenter de lui plaire à tout prix, non. Comme si j'avais d'emblée senti que mon entièreté le séduisait, malgré mes facettes grises. Nous avons partagé des moments très intimes où je n'ai pas toujours été à mon avantage ; il m'a vue suer sang et eau en marchant, laver mon linge dans une chaudière à quatre pattes ; il m'a vue souffrir, aussi. Jamais maquillée, toujours les mêmes vêtements. Je lui ai même avoué avoir tourné mes petites culottes de bord une fois. Aucune fierté, pas d'*ego*. Je l'ai connu à travers les mêmes lunettes ; j'ai pu témoigner de sa vulnérabilité troublante, de sa sensibilité, de son altruisme envers les autres, de son caractère de chien aussi... En chemin, on ne peut pas jouer ni prétendre être quelqu'un d'autre. Le chemin fait ressortir, qu'on le veuille ou non, autant les bons que les mauvais aspects de notre personnalité. Et je le trouvais toujours aussi fantastique que maintenant, assis avec sa guitare devant cette cathédrale.

Le fait de se rencontrer en chemin nous a permis d'éliminer tous les artifices qui peuvent parfois tromper, en début de relation. On ne débarque pas dans un resto au-dessus de nos moyens et à notre meilleur, en avançant lascivement dans nos nuages de parfums capiteux respectifs. On évaluait avant-hier que c'est aussi très particulier, un début de relation où le couple se voit vingt-quatre heures sur vingt-quatre pendant plus de deux semaines. Ça n'arrive jamais. On se demandait : et si on s'était rencontrés en Italie ou au Canada, ce marathon aurait équivalu à combien de temps de fréquentations ? Deux mois ? En plus de voir le caractère de chacun à son naturel, confronté dans l'effort physique et le dépassement de soi, on a jasé, jasé, jasé des heures durant. Je connais plus de détails sur l'enfance de Manuel que j'en ai appris sur celle de Bobby en sept ans. Je ne connais par contre rien de sa réalité quotidienne, de sa vie de tous les jours. Ni sa famille ni ses amis, rien. Je connais juste lui, dans sa matière la plus brute. Qui il est, vraiment.

Une nostalgie m'envahit. Qu'est-ce qu'on se dira dans trois jours ? « C'était le *fun* ! Merci ! Bonne vie à toi ! » Pour moi, le quitter s'avère impensable, mais il s'agit pourtant d'une banale fatalité. Il vit en Europe et moi au Canada. Il y a quelque chose de très ironique dans le fait que j'ai rencontré Janie, la jeune infirmière amoureuse de son Allemand, sur l'envolée vers Francfort. Je me faisais à ce moment la réflexion que ça ne pourrait jamais m'arriver, que je me considérais trop rationnelle pour me faire prendre au jeu de l'amour à distance... Et là, je pense au fait que je perdrai Manuel à tout jamais et je suis triste comme les pierres sur lesquelles je suis assise. Je manque d'air juste d'y penser.

Sans trop réfléchir, je prends à nouveau mon livre de notes. Résignée à ne pas débusquer une idée de roman géniale, je n'y couche désormais que mes pensées du moment.

Est-ce qu'on peut vraiment aimer quelqu'un de façon aussi sincère après si peu de temps ? À mon âge ? Ça ne semble pas raisonnable du tout. Mais... faut-il être raisonnable, en amour ? Réfléchir l'amour comme si c'était un simple concept théorique ou une banale opinion ?

Je décide de chasser ces réflexions relatives à notre séparation imminente en me levant pour aller le rejoindre. Le sablier coule. Je ne veux pas perdre davantage de ce précieux sable du temps loin de lui.

Je m'approche avec tout mon bazar; mon ballot sur une épaule, mes bâtons de marche et mon sac banane dans une main, puis mes espadrilles dans l'autre. Toujours assis, il me sourit. Comme si je n'avais désormais plus besoin de rien, je balance sans précaution tous mes trucs près des siens.

En français, il me dit:

— Tu as réussi. Tu es très *bravo*, Mali!

— Tu es très très *bravo* aussi, Manu!

Il se lève en tenant quelque chose dans ses mains. Des papiers. Il approche de moi et m'embrasse. Un valeureux baiser bourré de signification, dont une certaine empreinte de tristesse. Un baiser présageant que la fin approche.

— Il me reste juste à aller déposer quelque chose par là..., débute Manuel en restant très près de mon visage.

Je l'observe, curieuse. Il poursuit:

— Il y a une lettre pour toi, que je ne te donnerai jamais..., poursuit-il en brandissant une feuille pliée.

«Hein? Une lettre pour moi qu'il ne veut pas que je lise? Je ne comprends pas.»

— Pourquoi?

— Je t'expliquerai tantôt. Et aussi, je dois te présenter quelqu'un...

«Qui?» Je ne saisis vraiment rien.

— Elena.

« Son ex ? »

Avant que j'aie le temps de poser une seule des questions qui se fracassent contre les cloisons de ma caboche, il déplie la liasse afin que je voie ce qu'elle renferme de si précieux.

La vie autour de moi se fige. Le temps s'arrête. Les grains contenus dans le sablier se cristallisent en pleine descente. Les parois de verre craquent. Tous les touristes autour cessent de bouger et de respirer d'un seul coup. Moi aussi. Je ne respire plus. Je ne peux pas y croire.

« Non... Non... Ce n'est pas vrai... »

Paniquée, je le dévisage un instant. Nous reposons en simultané notre regard sur le doux visage d'Elena. Manuel passe ses doigts sur le cliché, sur ses joues, sur ses longs cheveux châtain clair. Je déglutis avec difficulté. Il replonge ses yeux dans les miens avant de toucher mon visage du bout des doigts. Mes yeux s'emplissent de larmes. Je l'implore en silence de dire quelque chose, parce que j'en suis incapable. Il s'éloigne plutôt vers la cathédrale avec ma lettre en main ainsi que... le signet mortuaire d'Elena.

Elle est morte. Elle est... morte.

La vie après la dernière flèche jaune, scène 2

Effondrée au sol, je tente de digérer le choc. De comprendre. J'attends qu'il revienne. « Pourquoi ne m'a-t-il rien dit ? Pourquoi ? » En apercevant le visage d'Elena, j'ai ressenti tout le chagrin et la souffrance de Manuel me transpercer d'un seul coup. Mille et une questions m'assaillent. « Il est en deuil depuis quand ? De quoi est-elle décédée ? »

Je ne peux à présent m'empêcher de présumer une certaine fausseté dans ce qu'on a vécu ensemble. Pour avoir travaillé dans le domaine de la psychologie pendant plusieurs années, je connais bien le processus que traversent les personnes ayant perdu un être cher. Au début, la personne tente de se sortir la tête de l'eau, elle pagaie, elle pédale et elle s'accroche à n'importe quoi ou n'importe qui dans le but d'apaiser la déprime, de remplir le vide. Je clamais connaître le vrai Manuel... en vérité, je ne sais rien de lui.

Il y a cinq minutes, je flottais en m'imaginant que ça pouvait être possible de s'aimer. Je réalise avec désarroi que, pour lui, je ne suis peut-être qu'une simple bouée de plastique rouge servant à se maintenir la tête hors de l'eau. On ne s'amourache pas de quelqu'un qui vient récemment de perdre l'amour de sa vie. Déjà que j'avais quelques scrupules à me rapprocher de lui alors qu'il vivait une peine d'amour, mais là un deuil, c'est le comble. Avoir su, je n'aurais jamais développé une relation affective de cet ordre avec lui. C'est trop important, trop impliquant. Je manque d'air. La culpabilité consume tout l'oxygène disponible dans le secteur.

Lorsqu'il me rejoint, mon moral est en loques, éparpillé en débris autour de moi sur la grande place. Je ressens d'un seul coup et à nouveau toute la peine qui l'habite. C'est fort comme un courant électrique alternatif de 3000 ampères déchirant tout sur son passage. Il s'accroupit à mes côtés. Comme si je voulais recoller tous nos morceaux ensemble, je me rue sur lui pour le serrer très fort dans mes bras. Il sanglote. J'entremêle mon chagrin au sien.

« Manu... Mon cœur... »

Nous restons un moment sans rien dire, jusqu'à ce qu'il mette fin à notre étreinte. Bien entendu, il faut laisser la place aux émotions, mais il me doit aussi certaines explications rationnelles. Réceptive, je tente de lui ouvrir tout grand mon cœur.

— Elena s'est suicidée, il y a quatre mois.

— Pardon ?

Doux Jésus. Je porte ma main à ma bouche. Il n'est pas juste en deuil, il est endeuillé par suicide, un des processus de deuil les plus complexes qui soient.

— Manuel..., que je balbutie.

— Laisse-moi te raconter, Mali... Je connaissais Elena depuis l'adolescence. J'étais follement amoureux d'elle, même si elle avait déjà beaucoup de problèmes à cette époque. Nous n'avons pas été ensemble pendant tout ce temps. Nous étions *in* and *out*. On a même été deux ans sans se parler. J'avais une autre blonde et, elle, un autre chum. Des conflits, des chicanes, des ruptures, ç'a jamais été de tout repos, notre histoire d'amour. Elena était héroïnomane. Elle est décédée d'une *overdose* de méthadone. Sur le coup, je voulais pas croire qu'elle avait fait ça volontairement... aujourd'hui, je sais que c'est la vérité. Nous n'étions plus en couple depuis plusieurs mois quand c'est arrivé, mais, dans mon cœur, j'espérais qu'elle guérisse un jour afin que nous puissions enfin être heureux ensemble. Pour moi, c'était la femme de ma vie.

— Pourquoi tu me l'as pas dit ?

— J'hésitais. Le matin de la deuxième nuit où nous avons dormi ensemble, j'ai failli tout t'avouer. En t'attendant en bas, je me sentais coupable de t'avoir touchée cette nuit-là et d'avoir aimé ça. Je pensais que c'était mal, donc je t'ai écrit cette lettre qui t'expliquait que je pouvais pas m'abandonner à toi, à cause d'Elena et de mon amour pour elle. Je prévoyais te laisser la lettre à la réception et partir, puis t'es arrivée en bas un peu plus vite que prévu. En t'apercevant, je l'ai cachée. Ensuite, je t'ai trouvée belle, tu m'as souri en faisant une blague et, tout à coup, j'ai réalisé que c'était peut-être pas si MAL que je le croyais... Puis, deux minutes plus tard, près de la rivière, tu m'as embrassé pour la première fois. À ce moment précis, j'ai compris que ça aurait été la pire gaffe de ma vie de te laisser cette lettre et de me sauver. Une force étrange me poussait à rester avec toi, près de toi. Depuis des mois, je songeais que plus jamais je pourrais aimer une autre femme, et là, tu sortais de nulle part et je t'aimais...

Même si tout ce qu'il me confie s'avère magnifique, la thérapeute en moi ne peut s'empêcher de lui rappeler:

— Mais, Manuel... t'es en deuil.

— Ah! je sais, Mali. Tu vas me dire: «T'es vulnérable, tu t'accroches à n'importe qui, pour te faire du bien.» Mais c'est pas ça. Je suis pas comme ça. J'ai jamais été du genre à compenser lorsque j'avais de la peine, à chercher à combler un vide. Je comprends ton réflexe de t'imaginer un scénario où je suis le gars en peine qui s'accroche à la première fille qu'il croise – psychologue en plus – pour apaiser sa souffrance mais c'est pas ça, Mali, OK? Mes sentiments pour toi sont sincères.

«Comment peut-il en être si certain?»

— En plus de te trouver fantastique, tu me redonnes espoir. Tu m'as permis de revisiter des zones de mon cœur que je pensais mortes ; ma créativité, entre autres. Tu me fais sentir homme comme jamais auparavant. Avec Elena, on se nivelait tous les deux par le bas. Pour elle, j'ai arrêté de rêver, de penser à moi. Je me suis occupé d'elle pendant des années, à suivre ses rechutes comme un gardien bienveillant. Je l'aimerai pour le reste de ma vie, mais je me rends à l'évidence que c'était pas une relation de couple saine. Maintenant, ma vie recommence et je reprends le contrôle. Maintenant, c'est moi qui compte, et je sens que, où qu'elle soit, Elena veille sur moi et approuve ma décision. J'aurais dû t'en parler avant, mais j'avais peur que tu partes, tandis que moi, je sentais qu'on devait marcher ensemble. Je t'aime, Mali ! Qu'est-ce que tu veux que j'y fasse ? Je t'ai pas cherchée, c'est juste arrivé.

Il m'embrasse sur le front en tenant bien fort ma tête. Je le crois. Moi non plus, je ne le cherchais pas. Est-ce que c'est bien ou mal ? Je ne sais pas, je ne sais plus.

Après avoir parlé de la délicate situation pendant un long moment, Manuel se dresse debout comme s'il en avait tout à coup marre.

— De toute façon, même si on en parlait pendant des heures, qu'est-ce que tu veux faire ? Regretter ? Retourner en arrière et remarcher la Compostelle toute seule ? La refaire à l'envers en criant comme le pauvre gars divorcé ? Ou peut-être t'en aller de ton côté et plus jamais m'embrasser de ta vie ? Tu serais même pas capable, *bitch* !

— Bon, «*bitch*», maintenant. C'est vraiment très approprié que tu m'insultes...

Il prend ma main pour que je me lève aussi :

— Donc là, tu vas sourire, m'aimer et on va passer trois merveilleuses journées ensemble ! m'ordonne-t-il autoritairement en me poussant le visage de la main, avant de changer d'idée pour m'attirer vers lui, comme s'il était déchiré entre l'amour et la haine. J'esquisse un maigre sourire.

— Alléluia ! Elle revient enfin à elle ! Pour trois jours, c'est juste toi et moi.

Il m'embrasse avant de tourner la tête vers la cathédrale.

— Je veux prendre une photo ici avec toi.

Manuel a passé le voyage à capturer tout ce qu'il voyait en photo.

— T'es pas Italien, toi, t'es Japonais...

— Justement. Je vais demander à mon oncle, juste là, de prendre une photo de nous.

Il se dirige vers un homme asiatique pour lui adresser sa requête. La séance s'avère interminable, car aucune des photos que le type prend ne convient. On croyait pourtant dur comme fer qu'en choisissant un professionnel pour prendre notre photo, ce serait réglé avant même qu'on ait le temps de crier sapin, mais non. Le monsieur nous cadre mal, il coupe la flèche de la cathédrale ou il bouge le téléphone. Il fait honte à la population japonaise au grand complet, pourtant réputée à l'échelle mondiale pour être des *kids* Kodak. Pas lui. La barbe ne fait pas le curé. Nous finissons par simuler une satisfaction enthousiaste, dont l'hypocrisie est palpable à deux cents mètres à la ronde, avant de rire sous cape, car le résultat est vraiment mauvais.

— C'était même pas un vrai Japonais.

— Il était déguisé.

Nous allons ensuite faire la file indienne derrière l'église pour recevoir notre certificat de pèlerins. Mon cher Italien – fidèle à lui-même – se plaint pendant une heure de la chaleur et de la longue file d'attente. Seigneur, quand le vendeur de patience a fait sa ronde, Manuel était ailleurs. En quittant les lieux avec notre inestimable certificat, quelle n'est pas notre surprise de croiser un marcheur bien connu dans la cohue de touristes.

— Crisse de marde, de marde ! On a pas assez d'avoir marché un mois, esti, faut attendre pour avoir un papier pendant un autre trente jours, calice !

— Allo, Christ ! Nous aussi, on est contents de te voir ! que j'ironise.

Ravi de trouver un partenaire pour chialer, Manuel rage avec lui pendant un bon moment à propos des interminables étapes pour compléter le processus. Bon.

— Maudit que vous êtes bébés, les gars ! que je les rabroue.

Christ nous explique qu'il retourne chez lui demain. Il nous confie ensuite ses plans pour la soirée.

— Je suis encore avec les lesbiennes. Je pense qu'à soir ça va être ma fête en tabarnak. Je prendrai pu jamais de *dope*, c'est fini, mais y peut-tu au moins me rester les cigarettes pis le cul, ciboire?!

Avalant des mouches, Manuel sourit béatement en semblant fantasmer sur cette histoire de lesbiennes. Il fait exprès, le petit con. Il reçoit illico de ma part un coup de coude dans le flanc, lui faisant plier le torse en deux. Il approche de Christ pour lui faire une accolade.

— Bien content de t'avoir rencontré et bonne soirée, *MAN!!!!*

— Reviens-en, là, que je ronchonne en le poussant pour serrer Christ dans mes bras à mon tour.

Celui-ci se raidit un peu, pas du tout à l'aise avec les câlins. Je le colle encore plus fort.

— Moi aussi, euh... ben content de vous avoir rencontrés... Bon! Je vais continuer d'attendre comme un crisse de cave dans c'te file de marde!

Nous poursuivons notre route, enchantés d'avoir échangé quelques blasphèmes avec Christ pour une dernière fois. Drôle d'oiseau, ce gars.

Bien que mon Italien s'avère plus patient lors de la recherche de notre hôtel, il me demande tout de même à chaque dix mètres d'arrêter sur une terrasse pour se descendre une bière, vite fait, bien fait. Chaque fois, je lui crie par la tête un agréable: «NON!!!», parce que je considère que nous avons vécu une journée éprouvante à tous les niveaux et que trouver un endroit pour dormir ainsi que prendre une douche se situent désormais au cœur de nos besoins conjugaux. Il en achète finalement deux pour emporter. Après tout...

Une coquette chambre avec balcon donnant sur une ruelle a finalement croisé notre route. En ce moment, Manuel est aux toilettes. Je ne sais pas ce qu'il mijote, mais c'est vraiment long, son affaire. J'attends mon tour en admirant la vue. Ça me fait penser aux filles. Complètement déconnectée depuis des jours, je ne leur ai pas donné beaucoup de nouvelles. Je leur envoie un message texte :

> JE SUIS ARRIVÉE ! ! !

Je leur fais parvenir une photo de moi devant la cathédrale. Cori répond :

> BRAVO ! ! !

Ge m'écrit :

> *YEAH ! ! !* (T'es vivante ? Reviens, là, je m'ennuie…)

> Bientôt ! ! Je vous aime ! xxxxx

Coudonc, c'est interminable, son projet, lui!? Je pouffe de rire. Ça me ramène à un échange que j'ai eu avec les filles, durant notre week-end de congrès...

La fois où on a tenu un congrès à Gatineau

Même si ça fait plus de deux heures que nous sommes debout, nous en sommes toujours à l'étape du café du matin. Ces conversations autour d'une tasse s'avèrent pour moi aussi rafraîchissantes que celles de la veille. Nous discutons de n'importe quoi, nous nous rappelons les faits saillants de notre soirée, nous rions. Plus-que-parfait du subjonctif.

— Aaaah! C'est la perfection pour moi, les filles! Pouvoir prendre un café, tranquille, sans gérer deux cents interventions avec les enfants. C'est juste dommage que j'aie rencontré ton frère super *cute* avec ça dans face ce matin... Franchement.

Je souris tout en largeur en direction de Sacha, qui arbore encore des traces résiduelles de crayon-feutre sur la joue. Ignorant tout de son tatouage facial, Sacha a croisé le frère de Claudie dans le corridor en allant aux toilettes. Il était passé en coup de vent récupérer quelque chose, avant de retourner à la caserne. Il l'a dévisagée au passage, sans trouver l'audace de dire quoi que ce soit.

— Sacha... t'avais juste à pas chier dans le béret du berger! annonce Coriande un bras au ciel.

— Le béret du berger, maintenant... Je pense que tu les inventes à mesure, c'est du gros n'importe quoi, rouspète Sacha en roulant des orbites jusqu'au plafonnier.

— Écoutez les filles, l'expression pas rapport de Cori vient de me faire penser à un sujet très important que j'aimerais aborder avec vous, débute Ge.

— Pourquoi je sens que ça va être extrêmement niaiseux, ton affaire ? demande Claudie en rigolant déjà.

— On t'écoute, Ge, affirme Sacha en joignant les mains ensemble, prête à faire face à n'importe quel sujet absurde.

— Les femmes viennent de Vénus, les hommes de Mars, oui, on le sait. Mais tout de même, chaque fois que mon mari va aux toilettes pour un numéro deux, ça lui prend des heures ! Cibole ? Qu'est-ce qu'il fait là-dedans, au juste ?

— Quand Hugo part aux toilettes, il faut que j'appelle une gardienne. Je dois prendre congé du travail aussi des fois, tellement c'est long. L'autre fois, j'ai eu le temps de faire ma sauce à spag de A à Z.

— Bobby apporte des loisirs quand il disparaît dans la salle de bain : son téléphone, son journal, une revue... Chaque fois, j'ai le goût de lui dire : « Veux-tu que je te fasse un lunch, tant qu'à y être ? Faut-tu que je reporte notre réservation de ce soir au resto ? »

— Moi aussi, mon chum se divertit, il fait des sudokus ! s'enflamme Claudie qui rigole.

— Ha ! ha ! ha ! Sont tous pareils ou quoi ?

Coriande enchaîne :

— Moi, mon chum me prépare d'avance, il m'annonce son projet : « Bon, je vais aller aux toilettes bientôt, as-tu besoin de la salle de bain ? » Chaque fois, je me dis : « Coudonc, tu prévois y passer combien de temps ? Il faut que je prenne ma douche de ce soir avant de dormir, penses-tu être encore là dans cinq heures ? »

— QU'EST-CE QU'ILS FONT, CIBOLE ??? beugle Ge, dans une exaspération digne de demander le divorce si elle n'obtient pas une explication satisfaisante sur-le-champ.

— Je sais pas, je sais pas, je sais pas, que je réponds, démesurément consternée par la gent masculine au grand complet.

— Me semble que, dans mon cas, j'ai envie, j'y vais, je tire la chasse, c'est terminé. J'ai pas le goût de passer trois heures assise sur le bol à jouer à des jeux ?!

— Moi, même si je voulais, j'ai juste pas le temps de m'éterniser. Presque chaque fois que je vais aux toilettes, un des petits me suit dans la salle de bain pour me raconter quelque chose, affirme Sacha. Et pas moyen de barrer la porte, parce que si je ne suis pas complètement accessible, on peut être sûrs que c'est le moment que choisira le plus vieux pour faire crier le plus jeune comme s'il l'assassinait[56].

— Ah ouais, hein ? Je pense que, pour les hommes, déféquer s'avère un moment, un BEAU moment, que je réfléchis tout haut, en tant qu'ex-thérapeute.

---

56. Ça aussi, c'est une règle de base de l'AETQ.

— Tant que ça? Me semble que prendre une bonne douche chaude, un bon bain, c'est un *moment*... Pas être assis sur la toilette?!

— Est-ce qu'on leur tape sur les nerfs au point qu'ils doivent se réfugier dans les toilettes pour prendre une pause de nous? panique Coriande.

Je conclus:

— En tout cas, comme on peut le constater, chères consœurs, Coriande et son Européen nous confirment que le problème semble bel et bien répandu à l'échelle planétaire.

— Un fléau...

Je lance une idée à brûle-pourpoint:

— Il faudrait faire un congrès pour en débattre. On pourrait rechercher de l'info, faire des sondages[57] et des vox *pop* dans la rue. On inviterait des hommes volontaires à venir témoigner de leur pratique et de leur expérience.

— Excellente idée! On organise ça prochainement. Tchin-tchin! ajourne Cori en levant son café.

La vie après la dernière flèche jaune, scène 3

Je me suis réveillée, en ce matin du jour J, le vague à l'âme. J'ai pleuré un peu dans mon oreiller pendant que Manuel me

---

57. À venir sur ma page Facebook... ;)

serrait très fort par-derrière. Nous n'avons pas fait l'amour. Manuel m'a expliqué une théorie de son cru stipulant que «l'on ne doit jamais dire au revoir à une fille que l'on aime avec une partie de jambes en l'air». Dans son livre à lui, il ne faut pas mêler les pulsions charnelles à ce précieux moment, les instincts primitifs de reproduction de la race sont incompatibles avec l'amour bleu qui provient du cœur. Il se glorifie à présent en clamant à voix haute être le dernier homme viscéralement romantique sur terre. Les cheveux m'ébouriffent vers l'arrière, tellement il se «vente» en ce doux matin de fin juillet. Son espièglerie m'amuse.

— Ah! voilà! Je souhaiterais que tu souries ainsi pour le reste de ta vie, Mali. Mais c'est vrai que je suis le dernier gars romantique DE LA PLANÈTE! Plein de gars font semblant.

— T'es vantard.

— Oui, et un peu trou de cul des fois, mais c'est nécessaire. Si je suis juste romantique et parfait, tu vas te tanner de moi puis me jeter comme une vieille paire de chaussettes. Vous êtes toutes pareilles.

Sacré Manuel. Il est très accablé à la perspective de me quitter, je le sais, mais il conserve sa façade de gars au sens de l'humour intact plutôt que de s'effondrer. Ça me rassure de me sentir ainsi portée par lui.

Je dois prendre un taxi ce soir à 19 h pour me rendre à l'aéroport, donc une précieuse journée se profile devant nous. À la pelle, je refoule dans mon for intérieur la tristesse qui m'envahit pour passer une agréable dernière journée en sa compagnie. Une pelle de tracteur industriel, vous aviez compris?

J'ai une mission inscrite au programme ; laisser ma pierre d'insécurité quelque part. Je ne l'ai pas encore fait. Manuel, qui restera une nuit supplémentaire à Santiago, se chargera de mes souliers et de mes bâtons de marche. Avant-hier, il a découvert un bureau près de la cathédrale qui récolte les effets personnels des marcheurs qui n'en veulent plus, que ce soit de façon purement significative ou non. Les souliers, bâtons ou sacs à dos sont ensuite nettoyés et envoyés à Saint-Jean-Pied-de-Port, pour être distribués aux marcheurs moins fortunés qui débutent l'aventure. Mes souliers sont encore en très bon état (et je ne pue pas des pieds). Il me fait plaisir de penser que quelqu'un marchera peut-être avec mes souliers. L'expression « *Walk a mile in my shoes* » prend tout son sens ici. J'aime l'idée. La continuité. La roue qui tourne. L'eau qui coule. J'apprécie que Manuel s'en charge pour moi, c'est aussi très significatif.

Hier, nous avons dîné avec deux personnes bien spéciales : Bethany et Logan. Eh oui ! Les deux avaient continué de marcher jusqu'à Fisterra, alias le bout du monde. Le *Camino francés* se poursuit vers cette ville située sur la côte, à quatre jours de marche de Santiago. Une falaise piquée en pleine toque d'une croix de pierre conclut le chemin en ce lieu où l'océan débute. Ils sont revenus hier pour attraper leur avion respectif, donc Bethany a écrit à Manuel et Logan m'a écrit, au cas où l'un de nous serait encore dans les parages. Nous nous sommes tous retrouvés pour déguster un festin de tapas à la royale.

Une émotion singulière m'a submergée tandis que je serrais Bethany dans mes bras – ma première rencontre du chemin, celle que j'ai croisée de façon intermittente et qui s'est avérée si significative. Et que dire de Logan, mon soleil du

Camino. Comme ils ignoraient que Manuel et moi formions désormais un tandem, c'était comique de voir leurs réactions durant la démonstration de notre complicité légendaire.

— Euh... Êtes-vous ensemble comme dans «ensemble»?

— Ouin, on s'aime et c'est n'importe quoi, a corroboré Manuel en se tournant vers moi avec consternation pour que j'avalise sa déclaration.

— Vraiment n'importe quoi. Comment c'est arrivé, au juste!?

— Mali est venue *fucker* ma Compostelle, voilà comment ça s'est passé.

— Euh non... Excusez-moi, Manuel est venu s'immiscer dans *ma* Compostelle pleine de règlements, et là, il voulait plus partir. J'étais pogné avec lui pis ses maudits pieds en sang...

— Alors tu l'entends se plaindre depuis tout ce temps? a compati Bethany, l'air en dépression majeure juste d'y penser.

— Ouais et là, ses pieds vont bien et il chiale toujours. Trouvez l'erreur.

— Bon, bon, bon, ceci dit, un océan nous séparera bientôt, donc c'est pour cette raison que c'est n'importe quoi, notre histoire.

À la suite de cette révélation, Manuel a plongé ses yeux marrons dans les miens et nous nous sommes souri. J'ai conclu la fin de notre numéro pour nos amis qui rigolaient en déclarant:

— On est dans la merde.

Bethany la sorcière nous a rassurés :

— Non, tout est parfait, croyez-moi.

— Alors, avez-vous trouvé ce que vous vouliez sur le chemin ? s'est informé Manuel.

— Tout est parfait, a répété Bethany. Je cherchais si ardemment l'amour à l'extérieur, mais c'est l'amour de moi-même à l'intérieur que j'ai découvert… Je dois commencer par là, je présume. Un pas à la fois, sans punition.

— Moi, j'ai tellement aimé mon aventure ! *I love you guys!* On reste amis pour toujours, hein ? a envoyé Logan, plus enclin à déployer de l'amour qu'à s'adonner à de longues introspections en public.

« Ça va, Logan. Ne crains pas la perte. Tout est parfait. » Des au revoir – définitifs, cette fois – ont conclu cet agréable dîner. Logan partait pour Vegas afin d'y commencer sa maîtrise et Bethany poursuivait son voyage en Europe en faisant d'abord un saut au Portugal.

Chacun repart avec quelque chose en plus et quelque chose en moins. En songeant à ce moment, je pose une question à Manuel qui marche près de moi sur le trottoir :

— Qu'est-ce que tu vas faire après ? As-tu décidé ?

— Ouais, je m'en vais à Londres, capitale européenne de la musique. Faire quoi ? Je sais pas encore, mais je m'en vais là. Je suis content !

— Mon bébé italien japonais sera londonien, maintenant.

— Oui, madame! Et tu vas venir me visiter à Londres. *Yeah!*

— Euh... minute papillon...

Comme il ne comprend pas cette expression, je lui en explique la signification pendant cinq minutes.

Nous perdons donc de vue son projet de visite conjugale à Londres...

La vie après la dernière flèche jaune, scène 4

Après une paella aux fruits de mer avalée un peu trop sur le pouce à mon goût pour un dernier souper en tête à tête, nous voilà de retour à la chambre. Nous avions mal planifié notre horaire de l'après-midi. Mes bagages ne sont pas prêts, je succombe donc à un mode rationnel de fille-qui-prend-l'avion-dans-quelques-heures et mon cerveau effectue des acrobaties de gestion : «Sortir mes trucs de bain de la douche. Retirer ce qui ne va pas sur l'avion et enlever mon coupe-ongle de mon sac banane (vicieuse arme de poing au potentiel létal). Payer ma part de la chambre. Donner mes sous à Manuel. Vérifier l'heure d'envolée et faire mon préenregistrement.»

Ce n'est qu'au moment où je termine ma besogne que les émotions enfouies à la pelle de ce matin remontent à la surface. Sur le lit, Manuel chatouille les cordes de sa guitare.

Je fixe l'attache de mon sac et je me redresse. Statue. Il est très concentré, comme en témoigne son sourcil droit, plus bas que celui de gauche. Il fait toujours ça. Autant j'ai le sentiment de bien connaître cet homme, autant en réalité je prends conscience que je le connais si peu. Est-ce vraiment la dernière fois de ma vie que mes yeux se posent sur lui? C'est impensable, on dirait. Les sentiments qui m'habitent semblent si puissants.

Ses doigts cessent de bouger. Il m'étudie un instant, puis il étire un peu la commissure de ses lèvres en signe de désolation.

— En te regardant, je ne peux m'empêcher de penser que c'est possiblement la dernière fois que je te vois, et mon cœur refuse d'y croire. Les sentiments que je ressens pour toi sont si forts, murmure-t-il dans un nuage de tendresse.

Je me mets à pleurer dans mes mains.

— Viens ici.

J'obéis. Il me serre très fort.

— Ne pleure pas, mon cœur. Tu m'as appris à *croire* à nouveau, donc nous allons croire, ensemble. Croire qu'on va se revoir un jour.

Manuel change alors de registre et opte pour le français:

— Aujourd'hui être seulement notre première au revoir, comme lé livre dé l'histoire à nous qu'il n'a pas brûlé.

Il a raison. Il reprend sa guitare pour me dédier un air que j'adore jusque dans mes viscères: *Hallelujah*, de Jeff Buckley. Un couplet me frappe:

Baby, I've been here before

I've seen this room and I've walked this floor (you know)

I used to live alone before I knew ya

And I've seen your flag on the marble arch

And love is not a victory march

It's cold and it's broken, Hallelujah...

C'est parfaitement ça.

La vie après la dernière flèche jaune, scène 5

Comme c'est le moment du départ, j'attrape mes choses. Ma pierre est sur le lit ; j'ai encore oublié de la laisser quelque part aujourd'hui. Est-ce que, inconsciemment, je crains de m'en débarrasser ? Je m'en empare. Je ne peux confier cette responsabilité à Manuel. La signification de ce geste s'avère trop capitale. Je compte l'abandonner de ce pas n'importe où. Le lieu n'a pas d'importance, au fond.

En sortant de notre hôtel, j'aperçois un muret de pierres, un peu irrégulières, qui se dresse devant nous de l'autre côté de la ruelle. Un très vieux rempart, haut de deux mètres, semblable à ceux que l'on trouve dans la majorité des villes espagnoles. Voilà l'emplacement idéal. Je demande à Manuel de m'attendre et je traverse la rue. J'observe le mur. D'emblée, une cavité entre les pierres m'interpelle, à la hauteur de mes yeux. Je serre ce que je dois laisser derrière entre mes deux mains et je ferme les yeux.

« C'est ici que j'abandonne toutes mes insécurités et mes peurs. Je n'en ai plus besoin. Merci, très cher *Camino francés.* »

Ma pierre s'insère dans la fente comme dans un casse-tête. C'était *sa* place.

Je reviens vers un Manuel aux yeux inondés de larmes. Il a été assez fort pour aujourd'hui, le voilà à présent incapable de parler. Les au revoir pénibles devraient aussi être interdits par la loi.

La suite se passe à tire-d'aile ; le taxi arrive trop vite, le chauffeur place mon sac dans le coffre, je me rue sur Manuel pour l'étreindre de toutes mes forces. Je sens l'odeur de la peau de son cou une dernière fois, il fait de même à la racine de mes cheveux.

— Au revoir, Manu-Manu...

— Au revoir, Mali, mon exception astrale...

Nous nous embrassons. Il appuie ses mains très fort contre mon visage :

— Merci, tu as changé ma vie.

Je ne réponds pas, je le serre une dernière fois et j'embarque dans la voiture.

Je lui jette un ultime regard à travers la fenêtre.

« Merci... »

Je lui adresse un dernier signe de la main.

« Toi aussi, Manuel... »

Il m'envoie un baiser soufflé.

La voiture démarre.

« ... tu as changé ma vie. »

La vie après la dernière flèche jaune, scène 6

J'ai pleuré comme une Madeleine tout le long du trajet. Le pauvre chauffeur tentait de trouver une musique douce, agencée à mon état décrépi, mais les postes de radio rugissaient tous des sambas et des rumbas plus appropriées à une bamboula espagnole festive qu'à un jour de deuil. Il a fini par éteindre l'appareil, d'un geste exaspéré.

Je décide en débarquant à l'aéroport que je dois renverser la vapeur. Je ne vais tout de même pas m'apitoyer sur mon sort pendant les trois vols à venir. Je suis impuissante, je dois laisser les choses *être*. J'ai appris ça. Je respire. Je m'assois sur le rebord du trottoir et je sors mon livre de notes. J'ai le goût d'écrire.

Depuis un mois, j'ai fait un sacré bout de chemin... et pas seulement avec mes pieds. J'ai relevé trois défis – physique, moral et spirituel. Dans le premier, j'ai appris à gérer ma douleur, à l'accepter, et à plier en respectant mes limites physiques malgré mon ego. Aussitôt que j'ai lâché prise, ma douleur s'est volatilisée comme par magie. Je me suis ensuite déconstruite en mille miettes dans une tempête de sable qui m'a laissé un grand vide à l'intérieur. Je ne saisis pas encore très bien ce qui s'est produit. J'ai dû accepter plein d'émotions dont je ne comprenais pas le sens, et je me suis sorti la tête de l'eau en m'unissant aux gens qui vivaient la même chose que moi. En m'avouant que j'avais besoin des autres. À la fin, j'ai finalement lâché prise sur tout; l'horaire, le contrôle, la morale et j'ai vécu pendant plus de deux semaines sans jamais me poser de questions ou presque. J'ai réussi à remplir le vide avec une réelle paix intérieure, et ce, malgré le tourbillon humain présent tout au long des derniers kilomètres. Voilà le bout de chemin que je viens de faire.

Le premier vol national Santiago-Madrid se passe à la vitesse de l'éclair. À peine cinquante minutes à vol d'oiseau. En arrivant à Madrid en pleine nuit, ça se corse, car les bureaux d'enregistrement ouvrent seulement dans quatre heures. Le manque de bancs fait en sorte que tout le monde dort un peu partout par terre dans l'aéroport désert. Je m'installe au sol à mon tour et je me connecte sur le WiFi. Des messages entrent, dont un texto de Bobby.

> Allo, ma belle ! Tu arrives quand ? J'ai si hâte de te voir ! XXXXX

Hon. J'ignore quel a été son cheminement durant mon voyage, mais assurément ce ne fut pas dans les mêmes eaux que le mien. Je n'ai pas le goût de le voir du tout. Manuel est tatoué sur mon cœur et sur tout mon corps. Je saute-mouton par-dessus son message sans lui répondre et je consulte immédiatement celui que m'a adressé Manuel. Il a changé sa photo de profil – le cliché qui le montrait avec Elena fait maintenant place à une photo de nos deux ombres qui se profilent par terre sur le chemin. J'ai la tête appuyée sur son épaule. Une image de confiance.

Manuel se trouve en ce moment dans un pub près de notre hôtel. Il est anéanti, donc il soûle sa triste vie italienne pour oublier. On discute sur Facetime. Il est beau. Touchant. Nous parlons un long moment, jusqu'à ce qu'il se couche à 3 h du matin. Un type approche ensuite de moi pour me quémander de l'argent. Je refuse. Il me fait un peu peur, mais il repart sans trop insister. Je me couche sur le dos en m'appuyant sur mon sac.

Qu'est-ce que je ferai demain ? À mon retour, avouerai-je à Bobby que j'ai rencontré quelqu'un durant mon voyage ? Pourquoi ? Ce ne sont pas de ses affaires. Qu'a-t-il fait cet été, lui ? Je ne veux même pas le savoir. Ma seule certitude est que Manuel l'a désarçonné et qu'il ne règne plus sur mon cœur comme avant. J'ai goûté à la douceur, à la sincérité, à quelque chose de simple, de vrai... Puis-je me satisfaire à nouveau d'une relation insécurisante ? Non. Tout ça va trop vite. La réalité me rattrape et je panique. Je préférais quand j'évoluais dans une bulle, sur le chemin. Puis-je y retourner ?

La vie après la dernière flèche jaune, scène 7

Épuisée comme ça n'a aucun bon sens, j'arrive à Francfort pour mon transfert vers Montréal. En plus d'avoir le cœur en lambeaux, je rase les pâquerettes physiquement. Je me rends près des écrans annonçant les vols pour vérifier ma porte d'embarquement. Hein ? Le vol Francfort-Montréal est annulé.

Ce n'est certes pas à cause d'une tempête de neige à Montréal. Une employée d'Air Canada se tient tout près des écrans. Elle me dirige vers le comptoir du service à la clientèle.

En y arrivant, c'est la pagaille. Les gens s'affolent, s'impatientent. On entend s'élever dans la foule des : «Je dois aller chercher mes enfants ce soir !» et «Je travaille demain matin !» ou «Mes parents sont partis d'Alma pour venir me chercher !» Complètement passive, je laisse les choses se tasser d'elles-mêmes, sans m'émouvoir. Je mets en pratique mes apprentissages *compostelliens*. L'eau qui coule est insaisissable. Un tronc assoupli, plié par les éléments, ne se brise pas.

Une agente prend alors la parole pour expliquer à la foule agitée que seulement quelques personnes seront déplacées vers d'autres vols aujourd'hui même, mais que tous seront compensés. Les gens incommodés seront logés à un hôtel à proximité pour la nuit.

— Y a-t-il d'emblée des gens qui peuvent repousser leur date de départ ? s'informe la dame.

Je lève une main volontaire, la première à obtempérer dans la foule compacte de personnes irritées. Tant pis, je volerai un autre jour. Demain, dans une semaine, je m'en balance.

Assise sur le rebord du carrousel de bagages où je dois récupérer mon sac, je remarque une jeune fille esseulée qui pleure des larmes de crocodile. Je m'approche et je lui demande ce qui cloche en anglais. Elle peine à me baragouiner une réponse entre ses sanglots. À son accent, j'en déduis qu'elle est Québécoise.

— T'étais sur le vol pour Montréal ?

— Oui, j'arrive de Belgique, de chez ma cousine. C'est mon premier voyage, genre, pis j'ai pas trop compris ce qu'il faut faire, pis je sais pas où aller, pis...

Elle se remet à pleurer de plus belle.

— Eille, eille, eille... c'est quoi ton nom ?

— Alice.

— Écoute, Alice, je suis dans la même situation que toi et tu sais quoi ? On va faire ça ensemble.

— Ah ouais ? se calme-t-elle en levant de grands yeux indécis dans ma direction.

— Oui, madame ! que je la rassure en agrippant mon sac à dos. Et, tu sais quoi en plus ?

— Non.

— On a toute la journée et la soirée devant nous, peut-être même plus. On se fait une virée à Francfort toutes les deux !

— Ah ouais... OK !

Elle essuie ses larmes, dégaine la poignée de sa valise et me suis.

La vie après la dernière flèche jaune, scène 8

Je m'apprête à me coucher, bien heureuse et bien cocktail – je dois l'avouer. J'ai passé une incroyable journée à Francfort avec Alice, une jeune fille de dix-sept ans comique, mais si peu délurée. Nous avons fait le tour des attractions les plus près du centre-ville avant de revenir à l'hôtel tout juste pour le souper. Comme elle craignait à tout moment de me perdre, elle me suivait à la trace comme un petit chien de poche, même dans les boutiques. Elle me faisait penser à moi, lors de mon premier voyage ; j'avais son âge. Brûlée par tant d'émotions, Alice est allée dormir à 21 h. Notre vol est confirmé pour demain en fin d'avant-midi.

J'ai adoré cette journée de vacances improvisée. Un voyage dans mon voyage. Au bar de l'hôtel, je viens d'avoir une discussion de deux heures qui m'est rentrée dedans comme une tonne de brique avec une fille de Norvège. Comme nous parlions de relation amoureuse, je lui ai restitué l'entièreté de mon histoire de dingue. Le regard qu'elle portait sur la chose m'a fait réfléchir. Même sans me connaître, elle m'a dit : « Tu dois réviser tes besoins et tes attentes envers les hommes. Qu'est-ce que tu veux vraiment comme relation ? Ton Manuel servait clairement à te faire réaliser ça. Aucune femme ne veut d'une relation insécurisante. Écoute ton cœur, la réponse est là et prend la décision où tu te respectes le plus. Donc tu vas retourner chez toi, écrire votre livre qui n'a pas brûlé et aller le voir à Londres !! »

J'ai ri. Elle-même célibataire depuis quelques années, elle me disait avoir révisé tous ses critères récemment, préférant de loin être seule que mal accompagnée. Elle disait avoir cherché des hommes trop indépendants pendant des années. Je croyais l'entendre parler de moi.

Est-ce que je reverrai Manuel? Dieu seul le sait, mais le diable s'en doute. Parlant du diable, comme je crois que les hasards n'existent pas, j'ai trouvé mon pari à ce sujet à la suite d'un courriel de mon éditeur reçu aujourd'hui et qui allait comme suit:

«Bonjour, Mali,

Je crois que tu revenais de ton voyage aujourd'hui? J'espère que tu as aimé ton périple; sûrement, puisque tu es restée plus longtemps, finalement! Les ventes de ton dernier roman vont très bien, nous avons réimprimé 2000 copies. Mais bon, il ne faut pas s'emballer, peut-être que ça va ralentir. Ceci dit, j'ai hâte de connaître ta nouvelle idée de roman! Tu en as une, j'espère?

À bientôt!»

À quel point mes ventes allaient bien, au juste? Comme dans deux mille exemplaires vendus en peu de temps ou comme dans quinze mille? Aucune idée.

J'ai pris une fois de plus mon livre de notes qui n'a que très peu servi dans ce périple et j'ai fait aussitôt un pacte avec l'Univers:

Pari avec la vie: si je vends plus de vingt mille exemplaires de ce roman d'ici Noël prochain, j'irai visiter Manuel à Londres.

Je mettais la barre très haute pour que le signe de la vie soit limpide. Vingt mille livres, c'est énorme. Voire trop.

J'avais vraiment besoin de cet arrêt à Francfort. La vie m'a fait un autre beau cadeau. C'était trop rapide comme retour et trop éprouvant.

À la lumière des chamboulements récents qui ont eu lieu dans ma tête et mon cœur, je prends conscience du fait que je n'étais plus bien dans cette relation. Ma pierre est restée à Santiago, et je dois poursuivre sans elle. C'est décidé. Je ne retournerai pas avec Bobby. J'ai trouvé mes réponses. Dans mon cœur. Ce sera une pénible étape à franchir, cela m'attriste, mais je sens que c'est ce que je dois faire. Il me semble. « Si un jour nous sommes invités en même temps à l'émission *Deux filles le matin*, cela voudra dire que ma décision actuelle était une erreur et qu'il est l'homme de ma vie. »

Voilà. Peut-être que l'on se retrouvera un jour sur la route, mais, pour le moment, nos chemins se séparent.

Bobby, l'homme au grand cœur avec qui j'ai marché pendant sept ans… L'homme avec qui j'ai évolué de manière confuse au début, mais de qui je suis finalement tombée amoureuse. Un être que j'ai dû faire grandir en même temps qu'il me transformait. Il m'a vue affronter des tempêtes durant ma transition pour devenir écrivaine et mes traitements contre le cancer. Il est celui avec qui j'ai appris une forme de tolérance et d'individualité nous permettant d'avoir une relation de couple non traditionnelle en vivant chacun chez soi. L'homme qui trouvait que je bougeais trop la nuit, tandis qu'il déplaçait selon moi trop d'air le jour. Deux énergies différentes qui ont tenté du mieux qu'elles pouvaient de s'adapter pour s'harmoniser. Cet homme qui m'a tellement fait rire avec sa légèreté et sa spontanéité, j'ai partagé avec lui tant de souvenirs et de moments dont je me souviendrai pour le reste de ma vie. Je lui souhaite d'ouvrir grand ses ailes pour prendre son envol pendant que je tenterai de faire pareil, de mon côté, mais sans lui.

Merci, Bobby d'amour, je t'aimais, je t'aime et je t'aimerai…

La fois où on a tenu un congrès à Gatineau

Comme la salle de bain du frère de Claudie est immense, nous y faisons notre toilette en simultané avant de partir. Sacha se frotte avec vigueur le visage à l'aide d'une débarbouillette.

— Vous me tapez tellement sur les nerfs, de m'avoir fait ça!

— Ha! ha! ha! que je m'esclaffe, mon niveau de compassion étant sous la barre du nul.

— C'est même pas drôle, finalement. C'est immature, rage-t-elle.

— Pour de vrai, je m'excuse d'avoir douté de toi, Sacha; c'était LA chose la plus drôle du monde entier! que je l'assure.

— Pfft! Me semble d'entendre mon plus vieux en arrivant à la maison: «Maman, pourquoi t'as un zouizoui sur la joue?» et moi de lui répondre: «Ça, mon amour, c'est parce que tes matantes ont douze ans d'âge mental. C'est pour ça que maman a un zouizoui DANS FACE.»

— Ha! ha! Arrête donc! Ça paraît même plus, dédramatise Ge.

— Écoutez ça, j'en ai une bonne, commence Cori. Sacha, franchement, y a pas de quoi vermifuger un abribus!

— Ayoye...

— ...

— ...

Claudie prend la parole :

— En tout cas, les filles, je vous jure, ça faisait longtemps que j'avais pas ri de même. J'ai mal aux côtes...

— Imagine, c'était juste ton premier congrès.

— Et maintenant, tu fais officiellement partie de la consœurie ! ajoute Cori.

— Le plus beau jour de ma vie ! affirme Claudie.

— Les filles, notre prochain congrès devrait être outre-mer, que je balance, toujours à l'affût d'une nouvelle opportunité de voyager.

— C'est vrai que ça fait longtemps qu'on n'est pas sorties du Québec ensemble.

— Moi, c'est un peu complexe avec les petits, il faudrait que ce soit juste pour quatre ou cinq jours, maximum, explique Sacha.

— Un congrès de matantes à Old Orchard Beach..., s'imagine Ge en balayant sa main dans les airs comme si elle nous révélait en grande pompe le titre du congrès à venir.

— N'importe où comme en France, peut-être?! que j'affirme.

— En fait, je pense qu'on pourrait aller en banlieue de Laval et ce serait hilarant! suggère Cori.

— On pense à ça!

— Je vais m'ennuyer de vous!! s'apitoie Coriande, nostalgique, en prenant l'épaule de Sacha et la mienne par-derrière.

— Nous aussiiiiiii...

— La petite vie qui recommence.

Sacha se laisse gagner par l'émotion.

— Les filles... une chance qu'on s'a...

— Oui, une chance qu'on s'a...

« Merci, les filles... »

Épilogue

— Aïe! Doucement..., que je grince en me frottant l'arrière du cou.

— Mon Dieu que t'es sainte nitouche, aujourd'hui! Vas-tu être menstruée?

— Ouais.

— C'est tellement gossant, votre affaire de cycles hormonaux, vous autres, les femmes! Pfft!

— Bon.

Le coiffeur numéro 2 qui avait failli mourir d'asphyxie par procuration quand j'étais restée coincée dans les toilettes du salon passe près de moi, puis il me salue en m'adressant un sourire de cheval se voulant charmant. Lui. Je crois qu'il me veut. Dans sa clientèle, bien entendu. Je pense qu'il se sent viscéralement uni à ma personne depuis les tragiques événements. Pour lui, les attentats du 11 septembre 2001 étaient de la petite bière comparés au drame qu'on a traversé ensemble. J'ai comme preuves à l'appui les innombrables attentions dont je bénéficie à présent dès que je passe le seuil: il se jette sur moi pour prendre mon manteau, il m'apporte une tisane avec deux chocolats au lieu de juste un, il me terrasse continuellement de clins d'œil, il me complimente sur mes cheveux, mes vêtements, ma sacoche, mes bas, même, une fois. Face à ces assauts répétés, mon coiffeur attitré montre les dents.

— Allez, ouste! Elle va avoir ses règles, elle a besoin de caaaaalme, s'insurge mon coiffeur pour faire déguerpir son rival.

— Hoooooon, je te comprends tellement...

Ayoye. C'est n'importe quoi. Mon coiffeur vient de décider que les femmes – en général – avaient «besoin de calme» lorsqu'elles allaient être menstruées et l'autre énergumène «me comprend tellement» là-dedans. Honnêtement, je n'ose pas commenter la situation. Trop absurde. Je me fais tout de même violence et je leur livre une onomatopée un peu floue:

— Haaaaaannnn...

Coiffeur numéro 2 adopte alors un ton de voix *over zen*, digne d'un massothérapeute bouddhiste en transe ésotérique dans un spa scandinave des Laurentides:

— Booooon. Je vous laisse dans la paix et le caaaalme. Oublie pas notre entente, si jamais ça arrive, puis il enchaîne avec un clin d'œil et un autre sourire entendu avant de trottiner à petits pas légers vers une cliente.

— Aïe! que je gueule, car mon coiffeur vient encore de me tirer les cheveux.

Mon coiffeur bout de rage. Honnêtement, j'adore le voir sortir de ses gonds (sauf quand il me violente en retour).

Coiffeur numéro 2 escorte sa cliente, qu'il invite à s'asseoir sur la chaise voisine de la mienne en chuchotant toujours pour ne pas déranger mon besoin-de-calme-prémenstruel. Il part ensuite chercher un sarrau. Mon coiffeur se penche alors vers mon oreille.

— C'est quoi, votre affaire?

— Notre affaire? que je rétorque, en belle innocente.

— Votre entente?

— Ah! ça? Si un jour t'es en vacances, je peux prendre un rendez-vous avec lui.

— Hein? Pfft!

Coiffeur numéro 2 revient, alors le mien en profite pour me faire une déclaration se voulant plutôt à son intention :

— J'en prends pas de vacances, et j'en prendrai plus jamais non plus!

Coiffeur numéro 2 masque son amusement sous sa moustache molle, convaincu qu'un jour je tromperai mon coiffeur avec lui. Vous me trouvez cruelle de laisser ainsi planer le doute? Mais non. Notre relation s'avère un peu toxique, je l'avoue. Mais c'est de bonne guerre et, de cette façon, mon coiffeur me prend moins pour acquise. Nous formons un couple de longue date, après tout.

Mon coiffeur change alors de registre. Il me flatte l'épaule du revers de la main et me demande :

— Bon! Comment vas-tu? T'as tellement une belle énergie depuis ta longue marche en Espagne. Raconte-moi tout! As-tu revu ton chanteur?

— Non. Comme je te disais l'autre fois, sur le coup, il n'a pas trop compris. Il croyait que j'étais partie faire la Compostelle pour aider notre couple, alors il a mal digéré que je le laisse à mon retour, même si en théorie il savait très bien avant mon départ que c'était techniquement terminé entre nous. Je suis sans nouvelles depuis six semaines. C'est dur, mais j'accepte la situation pour ce qu'elle est. C'est ce que j'ai appris durant ce voyage. Je comprends aujourd'hui le sens de la phrase « le chemin commence quand tu termines de le marcher ». Le vrai défi est là : réussir à appliquer tous les jours les leçons qu'on a tirées de notre expérience.

— Pas évident, commente mon coiffeur. Tu es comme une nouvelle femme ! Je suis sûr que tu resteras pas longtemps célibataire !

Par réflexe, je n'ai jamais avoué mon aventure avec mon Italien à personne (sauf aux consœurs, la transparence au sein de l'organisation est obligatoire), donc mon coiffeur n'est pas au courant. Manu fait pourtant partie intégrante de ma vie. On se donne des nouvelles souvent. Souvent, comme dans tous les jours. Tous les jours, comme dans à chaque matin-midi-soir. Je ne relève donc pas le dernier commentaire de mon coiffeur, préférant garder jalousement pour moi ma relation avec Manu, qui me comble d'une manière inespérée. Je hausse les épaules, et mon coiffeur change de sujet.

— C'est pas mon genre de voyage du tout, mais tu me donnes presque le goût de la faire, ta marche ! En passant, mon chum est déjà allé à Barcelone, il y a deux ans. Il avait tellement tripé ! As-tu visité la Sagrada Familia ? Ses photos étaient écœurantes !

— Non.

— Ben là ?! Comment ça ?

Cette histoire va me hanter pour le reste de mes jours. J'ai le goût de m'acheter un billet aller-retour dans la même journée pour Barcelone juste pour aller visiter cette foutue Sagrada machin pour que l'ensemble de l'univers me laisse tranquille.

— Pas eu le temps.

— Oui, mais, t'étais là... ?

Il m'exécute le classique regard de jugement dernier que tout le monde qui me parle de ce truc me fait chaque fois.

— Sinon, tu t'es remise à l'écriture ?

— Oui, je travaille fort. L'inspiration est là. Depuis que je suis revenue, il y a deux mois, ça roule. Je me sens dans une forte énergie, super inspirée, je suis dans ma bulle, j'écris, je tripe. Tout est clair dans ma tête. Trop clair.

— Ça paraît, oui ! Tant mieux ! C'est quoi le livre ?

C'est l'histoire d'une écrivine qui part faire la Compostelle pour trouver des réponses...

— Disons, une aventure, une longue aventure. Le titre c'est : *La fois où... j'ai suivi les flèches jaunes.*

— C'est bizarre comme titre. Les flèches jaunes ? C'est quoi ?

— Les flèches qu'il faut suivre pour trouver nos réponses.

— Comme au IKEA !? J'en trouve tout le temps, des mautadites réponses qui coûtent cher là, moi ! Sinon, ton autre roman qui était sorti avant ton voyage, celui du Mexique, ça va bien, les ventes ? Je l'ai vu l'autre fois à la librairie !

— Oui... Justement, mon éditeur m'a confirmé hier qu'on a passé le cap des 20 000 exemplaires vendus...

— C'est l'*fun* !

— Ouais, en effet, c'est vraiment *le fun*...

Comme je le disais, la vie est une forêt remplie de chemins où nous évoluons tous. De petites âmes-lumières qui se succèdent, comme des flèches indiquant la voie. En abdiquant un peu de notre volonté de tout contrôler, nous ouvrons notre cœur et nous sommes plus en mesure de nous laisser guider par l'Univers (ou Dieu, ou le Tao, ou peu importe le nom que nous lui donnons). Celui-ci se charge de nous diriger vers le bon lieu, vers la bonne personne, vers la bonne décision en nous présentant les lanternes dont nous avons besoin dans notre ascension, et non uniquement celles que nous voulons bien voir. Ces lanternes font reculer la noirceur, nous permettant ainsi de faire un pas à la fois.

Chaque segment du chemin n'est en fait qu'un passage nous menant toujours vers quelque chose de mieux. Un simple passage. Vers où exactement? Nulle part. La ligne d'arrivée n'existe pas, en réalité. Faute de destination finale, il faut plutôt apprécier la distance parcourue à travers notre forêt, suivre les flèches jaunes en entretenant avec conviction la croyance que nous nous trouvons précisément là où nous devons être, et ce, même dans le brouillard. Et ensuite? Il faut s'irradier d'amour, remercier les gens qui croisent notre route pour nous permettre d'avancer, et se rappeler à tout moment d'être heureux de faire pareil... Voilà l'extraordinaire pèlerinage de la vie humaine.

FIN

LA POPULAIRE

série

VENDUE À PLUS DE

180 000

EXEMPLAIRES

AMÉLIE DUBOIS
Ce qui se passe
au Mexique

GAGNANT
PRIX DU
GRAND PUBLIC

RESTE A

AMÉLIE DUBOIS
Ce qui se passe au
CONGRÈS

AMÉLIE DUBOIS
Ce qui se passe à
CUBA

RESTE À CUBA !

AMÉLIE DUBOIS — Ce qui se passe au Mexique RESTE AU MEXIQUE !

AMÉLIE DUBOIS — Ce qui se passe au CONGRÈS RESTE AU CONGRÈS !

AMÉLIE DUBOIS — Ce qui se passe à CUBA RESTE À CUBA !

MARQUIS

Québec, Canada